CITAS
y
FRASES CÉLEBRES

© 2000, Editorial LIBSA
C/ San Rafael, 4
28108 Alcobendas (Madrid)
Tel.: (34) 91 657 25 80
Fax: (34) 91 657 25 83
e-mail: libsa@libsa.redestb.es

© Samir M. Laâbi

ISBN: 84-7630-846-9
Depósito Legal: M-44595-1999

Impreso en España /*Printed in Spain*

Impreso en offset volumen 1.5 de Papelera de Amaroz

CITAS

y

FRASES CÉLEBRES

Samir M. Laâbi

ONTENIDO

PRÓLOGO

Algunos lectores buscan en las páginas de los libros sólo un entretenimiento. Otros, en cambio, pretenden hallar ciertos rasgos de sabiduría. No falta quien conoce la sentencia clásica *utile dulci* y comprende que los mejores libros son los que deleitan e instruyen. Este libro nació con la vocación de colmar las expectativas de los que pretenden disfrutar de su tiempo de lectura; sus páginas fueron creciendo con la ciencia de los sabios de la Humanidad y, en ellas, el lector ávido de ideas antiguas y nuevas encontrará el pensamiento brillante y el conocimiento profundo. Y, a buen seguro, este libro envejecerá en sus manos como un amigo fiel que le proporcione ciencia y placer.

Pero ¿por qué un libro de citas? Porque en ellas se condensa, con fuerza y vigor permanente, el pensamiento concentrado de una persona que ha reflexionado hasta dar forma acabada a su idea, de modo que no hay otra forma mejor ni más perfecta de decir lo que se pretendía decir. Una recopilación de citas como la que se ofrece, por su disposición cronológica y temática, más se parece a un breviario filosófico que a un compendio de frases. Tal fue la intención del autor: ofrecer un panorama ajustado, amplio, informado, de las ideas más brillantes en todo lo que tocara al alma y a los trabajos de los hombres.

Esta colección de CITAS Y FRASES CÉLEBRES es el fruto de una larga e intensa labor de selección e investigación, destinada a saciar la curiosidad y las inquietudes de un público interesado en descubrir el ingenio, la inteligencia o la sabiduría, la idea luminosa, el concepto agudo o la frase genial.

El lector, no cabe duda, utilizará este libro como mejor le convenga: extraerá citas adecuadas para su trabajo o para su disfrute; cotejará los argumentos de los cientos de personajes que hablan en sus páginas; sonreirá o refunfuñará ante las opiniones sagaces de aquéllos. Pero, si se permite un consejo, el mayor y mejor fruto se obtendrá en una lectura compartida, porque no hay mayor deleite que aprender en compañía, ni mejor goce que participar de los descubrimientos en los libros. Si leer es una maravillosa aventura, encontrarse con una ajustada selección de las mejores citas puede asemejarse a un apasionante viaje en el que aparecen juntos lo serio y lo jocoso, lo reflexivo y lo divertido, lo imaginativo y lo analítico: todo cuanto una mente despierta y ágil pueda desear. Naturalmente, su lectura no requiere continuidad: el lector puede ir de una página a otra, de un autor a otro; cada idea merece un tiempo, cada concepto una reflexión. Por esta razón, la presente colección de FRASES CÉLEBRES ni puede ni debe ser leída como si de una novela se tratase. Es un libro para disfrutar. Y, sobre todo, es un libro para volver a él.

Del mismo modo que el literato vuelve una y otra vez a su viejo y desvencijado *Quijote* o a su pequeño *Lazarillo*, así desean todos los libros que su propietario vuelva a ellos para releerlos una y mil veces. En esto consiste, y ha consistido siempre, el placer de estos objetos curiosos repletos de letras.

En el libro que ahora nos presenta, el uso que el autor, Samir M. Laâbi, ha hecho de la bibliografía fue exhaustivo. Sin embargo, no todas las colecciones (o *Aurea dicta*, en términos más eruditos) aportan datos concretos sobre el autor o su obra. En muchos casos, las citas se atribuyen a personajes distintos, se traducen defectuosamente o se copian con servilismo. En esta colección se han tenido en cuenta estos errores comunes y se han procurado corregir. Otra de las novedades que nos ofrece Samir Laâbi es una serie de comentarios explicativos, no de las sentencias, sino del ámbito en que se produjeron, para ofrecer un panorama más acabado y comprensible de las citas.

⁓⁓⁓⁓⁓⁓⁓⁓⁓

Suele contar el compilador de este libro una historia plena de encanto y envuelta en la niebla de lo exótico y lo costumbrista: «En mi país», dice, «existe una curiosa tradición: cuando las familias o los amigos se reúnen en torno a un delicioso té de hierbabuena, solemos hablar de un modo especial. Después de una afirmación cualquiera, reforzamos nuestras ideas con una frase del Corán o con un proverbio, o incluso con una cita culta». Este hecho, al parecer, caracteriza a los habitantes de Fez, en Marruecos, pero no es desconocido para nosotros: en los núcleos rurales aún se mantiene la inveterada costumbre de reafirmar las opiniones con una sentencia bíblica o con un refrán. ¿Quién no ha oído, tras una queja o un lamento, la frase «Dios proveerá»? ¿O no ha cerrado una conversación con un «más vale tarde que nunca»?

Algún influjo hubo de tener esta costumbre en la formación académica de Laâbi. Su interés, que más convendría llamar «pasión», por la lengua y la cultura españolas le condujo directamente a la investigación de la fraseología de nuestro idioma. Sus trabajos académicos y su labor docente se vincularon de inmediato a esas fórmulas denominadas «el discurso repetido». Las citas, las frases hechas, los dichos, las locuciones, los giros, desde la perspectiva de la lingüística científica constituyen su trabajo habitual en las bibliotecas y en los archivos. Su tesis doctoral, de inminente presentación, se promete como una importantísima contribución al estudio del español coloquial, especialmente vinculado a la obra literaria de don Alonso Zamora Vicente.

INTRODUCCIÓN

En 1832 se publicaba en Madrid un artículo periodístico titulado «Manía de citas y epígrafes». Su autor era Mariano José de Larra, el famoso *Fígaro*. Se quejaba el autor de la proliferación de citas al comienzo de los libros, de los capítulos, en mitad del texto, en los artículos de prensa, etc. Con su característico ingenio, Larra decía que las citas eran como «peones camineros» que van abriendo paso. La época romántica, efectivamente, es la época de la cita: del pensamiento concentrado, sugerente o sabio. Las citas en otras lenguas, decía *Fígaro* en tono de burla, tienen dos ventajas: alegran la visualización del texto, porque es necesario transcribirlas en *cursiva*, y sugieren que el autor sabe y lee latín, francés o inglés, aunque no conozca ni una palabra en estas lenguas. En realidad, Larra no se quejaba de estas sentencias agudas o filosóficas, sino del mal uso que se hacía de ellas: «El vulgo ignora cuán fácil es encontrar en el día textos para todo, y que es más difícil tener mucho saber que aparentarlo.»

En términos generales, se entiende que una cita es una sentencia o un pensamiento de un autor especialmente conocido o relevante. La cita supone una concentración de la idea, un alumbramiento genial o una expresión aguda y ágil. Pero, sobre todo, una cita es un texto que se alega para probar lo que se dice o lo que se escribe. La autoridad moral e intelectual de los grandes sabios se utiliza para demostrar ideas o pensamientos propios. Por otro lado, cuando se encuentra un epígrafe al comienzo de una novela o de un poema, se entiende como una sugerencia o un avance sintético de lo que va a leerse. Finalmente, la cita se asemeja a las sentencias o los proverbios, con la única diferencia de que éstos son anónimos o su autor se ha olvidado, mientras que la cita necesita un creador, para asegurar su fuerza histórica y su poder intelectual. Es muy cierto que las citas cobran más valor cuanto más antiguo es su autor: «Lo mejor de la vida es el pasado, el presente y el futuro», dijo el cineasta Pier Paolo Passolini. La cita es ingeniosa y revela la alta estima de su autor por la existencia. Sin embargo, si tomamos una de Leonardo da Vinci, la cita cobra un carácter especial, tiene más fuerza y más peso: «El que no valora la vida, no se la merece». Si se escoge una cita similar de un clásico griego o romano, el efecto se multiplica. La razón de este fenómeno es lo que cierto filósofo, llamado Blair, llamó «la niebla de la Historia»: consiste en que los hombres y los sucesos de la Historia se perciben siempre ennoblecidos por el tiempo. El paso del tiempo eleva a los individuos honrados y sabios en la misma medida que desprecia y humilla a los malvados. Es el resultado de la fascinación del hombre por la Historia: «Los muertos enseñan a los vivos», decía el filósofo Comte.

La segunda cuestión que plantean las citas es más compleja. En teoría, cuando se utiliza una cita se sabe lo que la cita quiere decir o lo que pretende expresar. Pero eso no siempre ocurre. Podemos estar más o menos seguros de las citas modernas: sus autores conviven con nosotros, vivimos en el mismo mundo y en una civilización uniforme. El lector sabe a qué se refiere el autor y aplica el texto en función de un pensamiento que identifica a ambos. Pero, a medida que nos alejamos del presente, el mundo y las circunstancias varían. Conocemos la vida y la obra de Charles Chaplin o de Woody Allen, pero las referencias comienzan a fallar si citamos a Balzac, o a Young o a Solón. El amor, por ejemplo, no es lo mismo para Marilyn Monroe, que para Byron o para el Arcipreste de Hita. Sus universos eran distintos y, por tanto, sus ideas debían ser diferentes también. Y las diferencias entre unos y otros se ensanchan si tenemos en cuenta su vida o su obra. Por tanto, *conviene utilizar las citas de manera responsable.* Una cita inconveniente, impertinente, a destiempo, es siempre peor que un buen silencio. Cierto ingeniero agrónomo escribió un libro sobre el pastoreo y el ganado; en su afán por parecer culto y refinado escribió al frente de su libro la siguiente cita de Lope de Vega: «Ponle tu esquila de labrado estaño, / y no le engañen tus collares de oro.» Su ridículo fue espantoso cuando descubrió que Lope de Vega había escrito ese soneto utilizando una metáfora, que el poeta sólo hablaba de amor y desamor, y que las vacas y las esquilas de Lope no eran ni vacas ni esquilas. El presente libro incluye más de treinta comentarios que permiten solucionar estos inconvenientes. En estos breves resúmenes se da noticia de la época y el autor, de modo que se facilita la comprensión adecuada de las citas. La antigüedad, el mundo clásico, la Edad Media, el Renacimiento, los Siglos de Oro o el Romanticismo son mundos tan diferentes que un leve apunte puede revelar la verdadera intención de los autores citados y hacer más clara la lectura.

A partir de la Guerra Civil española se puso de moda una sentencia atribuida a la revolucionaria española Dolores Ibárruri: «Más vale morir de pie que vivir de rodillas». Sin embargo, los investigadores han puesto de manifiesto que esta frase se debe al mexicano Emiliano Zapata. A fuerza de repetirla, en la actualidad cualquiera aseguraría que es original del líder cubano Fidel Castro. La afirmación «La mujer es un animal imperfecto», la escribe Cervantes en su *Quijote*, pero ¿es original suya? No. Su fuente se remonta a la antigüedad griega y su autor es Aristóteles. Ni en el pasado ni en el presente, se puede tener la absoluta certeza respecto a la autoría de esas frases geniales. En la Edad Media, por ejemplo, no existía una conciencia de «autor», y todo cuanto se escribía podía pertenecer a otro. En el siglo XIX, en cambio, existe una acusada individualidad, pero los autores se copian y se plagian con un descaro asombroso. En la actualidad el problema reside en la repetición: una frase feliz puede repetirse indefinidamente hasta el punto de olvidarse el autor. Decimos que entre dos personas «hay química» cuando se estiman, se aprecian o se entienden. Sin embargo, pocos conocen que la sentencia «El amor es física y química» se debe a don Severo Ochoa, el científico español y premio Nobel. Un periodista español suele decir «Prefiero el profesional, aunque sea mediocre, a un aficionado brillante»; esta frase sería un hallazgo si el arqueólogo alemán Schliemann no lo hubiera escuchado cientos de veces en la academia. Sin embargo, este tipo de coincidencias no supone necesariamente un plagio o una usurpación: puede muy bien tratarse de una mera casualidad o de un recuerdo dormido.

La interpretación y la valoración de las citas es subjetiva, y depende de las circunstancias y de su uso. Es posible, por ejemplo, que lo que una persona estima como profundo y sesudo, otra lo considere una ocurrencia ingeniosa. En cualquier caso, una recopilación como la presente es un repertorio de la sabiduría, del pensamiento filosófico, del ingenio o de la poesía. Se ofrece una cuidada selección de frases y sentencias conocidas, olvidadas y nuevas; desfilan aquí los grandes clásicos, oscuros pensadores, artistas, científicos, políticos; todos dispuestos a mostrar, en la síntesis de una frase, la explicación genial, amable, irónica, poética u odiosa de su mundo.

A pesar de la evolución histórica del pensamiento, los intereses del Hombre han sido siempre los mismos: el Amor, la Muerte, la Felicidad o la Virtud. Por esta razón, se ha estructurado esta recopilación en ocho núcleos generales bien definidos: las grandes cuestiones se han tratado con más frecuencia que otros asuntos más cercanos o cotidianos. La presente recopilación, sin embargo, ofrece también una *Miscelánea* de temas que han atraído la atención de los hombres y mujeres célebres: el arte, la belleza, el matrimonio, el carácter, etc. Finalmente el último capítulo está dedicado al mundo de los objetos más comunes y la visión que de ellos han tenido las más agudas miradas. La disposición cronológica permitirá examinar la evolución del pensamiento y valorar en su justa medida el desarrollo de las ideas a lo largo de los siglos. Se ofrece también un índice onomástico para facilitar la búsqueda rápida de autores y temas.

DEL AMOR Y DEL ODIO

Eros, el Amor, (Cupido entre los romanos) a quien los griegos representaban como un jovenzuelo alado portando arco y flechas y una antorcha con que inflamar los corazones, nace de la oscuridad de la Noche y del abismo del Caos, y se muestra como una de las fuerzas fundamentales del Universo. Esta primaria simbología nos pone al tanto de su poder y de su carácter, opuesto en todo al desorden y a las tinieblas. El amor se muestra, desde el principio de los tiempos, como un impulso generador y constructivo, y así, Venus, la diosa romana de la naturaleza y la primavera simbolizaba la vitalidad y la alegría de la creación natural. Las leyendas griegas y romanas suponían un apasionado romance entre Venus y Marte, el dios de la guerra, de la discordia y del odio, y de este modo queda cerrado el círculo que une las dos caras de los más profundos sentimientos humanos: el amor y el odio, enlazados para siempre en el corazón del hombre.

Buen amor, loco amor, amor divino, amor humano, amor de poetas, amor de caballeros, amor cortés, amor carnal, amor filial y paternal, amor de claustro y amor de lupanar, amor ciego y amor propio: todo cabe en la historia del ser humano zarandeado por los sentimientos. Clérigos, filósofos, cortesanos y poetas, todos han dado su parecer en asunto tan sublime y tan liviano. En las siguientes páginas encontrará el lector una recopilación de las más famosas y sugerentes sentencias que enfrentan a los antiguos dioses que han regido el corazón humano desde el alba de la humanidad: Venus y Marte.

1. **A menudo el odio se disfraza con una careta sonriente y la lengua se expresa en tono amistoso, mientras el corazón está lleno de hiel.**

Solón (639-559 a. C.), hombre de estado, moralista y poeta griego.

2. **El amor pasa la noche sobre las mejillas delicadas de las muchachas.**

Sófocles (495-406 a. C.), poeta trágico griego.

3. **Sólo sé compartir el amor, no el odio.**

   Sófocles (495-406 a. C.), poeta trágico griego.

4. **Cuando el amor le hiere, cualquiera se hace poeta, aunque antes nunca hubiese sido favorecido por las musas.**

   Platón (428-347 a. C.), filósofo griego.

5. **El odio es el camino para aprender.**

   Aristóteles (384-322 a. C.), filósofo griego.

6. **El odio es una tendencia a aprovechar todas las ocasiones para perjudicar a los demás.**

   Plutarco (h. 46-48- h. 120-125), historiador y moralista griego.

7. **En la naturaleza del hombre está odiar a quienes ha ofendido.**

   Tácito (h. 54-57-h. 125), historiador y orador latino.

8. **Ama y haz lo que quieras. Si callas, callarás con amor; si gritas, gritarás con amor; si corriges, corregirás con amor; si perdonas, perdonarás con amor.**

   Tácito (h. 54-57-h. 125), historiador y orador latino.

9. **La medida del amor es amar sin medida.**

   San Agustín (354-430), teólogo y Padre de la Iglesia.

10. **La pasión del amor no puede comprenderla quien no la siente.**

    San Agustín (354-430), teólogo y Padre de la Iglesia.

11. **El amor me impulsa y me hace hablar así.**

    Dante Alighieri (1265-1321), poeta italiano.

    Dante Alighieri, el autor de la misteriosa y sublime *Divina Comedia* (1304-1320), antes de emprender el grandioso trabajo de versificar una concepción del universo regida por el amor divino, se entregó con ardiente pasión a la recreación poética de un amor más cercano: Beatriz. Este nombre se atribuye a la joven que desbordó los sentimientos del poeta. La muerte de la hermosa dama a la edad de veinticinco años y el amor no satisfecho se reflejaron en *Vita nuova (Vida nueva)*, que constituye el poemario y glosario de la educación sentimental del poeta. La leyenda, o más bien las lecturas románticas, han elaborado toda una iconografía de este amor juvenil, y nos proponen una visión idílica, tierna y sentimental de estos primeros amores. Se toma como seguro, por ejemplo, que la muerte de Beatriz fue soñada por Dante cuando éste se veía sometido al delirio por causa de una grave enfermedad. También se cuenta que el poeta acudía a la tumba de Beatriz y allí componía, entre lágrimas y lamentos de fidelidad póstuma, sus más apasionados versos. Pero, en verdad, la existencia real de esta dama no ha sido probada y la crítica literaria advierte contra lecturas anacrónicas: Beatrice o Beatriz es la transfiguración lírica de sentimientos y reflexiones que van desde el amor divino y beatífico al amor ideal y moral.

Otras dos jóvenes, llamadas Laura y Elisa, deben su fama a los versos de poetas renacentistas. Petrarca (1304-1374) cantó a la hermosa y etérea Laura, y nuestro Garcilaso de la Vega (1501-1536) hizo la semblanza de sus amores y dolores con Elisa. En ambos casos, como en Dante, la leyenda de amores no correspondidos o truncados por la temprana muerte de la amada ha forjado ideas muy atractivas para el lector contemporáneo, pero poco ajustadas a una realidad bien distinta a la nuestra.

12. **Dura es la ley de amor, pero por dura que sea, hay que obedecerla, pues la tierra y el cielo por ella están unidos desde el fondo de las edades.**

Francesco Petrarca (1304-1374), poeta italiano.

13. **El amor ha hecho de mí el blanco hacia el que corre la flecha, me ha hecho nieve al sol, cera al contacto con el fuego, y bruma en el viento.**

Francesco Petrarca (1304-1374), poeta italiano.

14. **Y el cruel amor a quien acaso ha cambiado en constante dulzura la amargura de vivir.**

Francesco Petrarca (1304-1374), poeta italiano.

15. **El amor faz sotil al home que es rudo,**
fácele fablar fermoso al que antes es mudo,
al home que es covarde fácele atrevudo,
al perezoso face ser presto e agudo.

Juan Ruiz, Arcipreste de Hita († h. 1350) en El libro de Buen Amor, *poeta castellano.*

16. **El odio produce temor, del temor se pasa a la ofensa.**

Nicolás Maquiavelo (1468-1527), escritor y político italiano.

17. **El amor perfecto tiene esta fuerza: que olvidamos nuestro contento para contentar a quien amamos.**

Santa Teresa de Jesús (1515-1582), escritora mística española.

18. **El amor verdadero no espera a ser invitado, antes él se invita y se ofrece primero.**

Fray Luis de León (1527-1591), teólogo y poeta español.

19. **Descubre tu presencia,**
y máteme tu vista y hermosura;
mira que la dolencia
de amor que no se cura
sino con la presencia y la figura.

San Juan de la Cruz (1542-1591), poeta místico, en Cántico Espiritual.

20. **Por eso juzgo y discierno**
por cosa cierta y notoria,
que tiene el amor su gloria,
a las puertas del infierno.

Miguel de Cervantes Saavedra (1547-1616), escritor español.

21. **En el amor es lo mismo que en la guerra, plaza que parlamenta está medio conquistada.**

Margarita de Valois (1552-1615), reina de Francia.

22. **En fin, señora, me veo**
sin mí, sin vos y sin Dios.
Sin Dios por lo que os deseo,
sin mí porque estoy sin vos,
sin vos porque no os poseo.

Félix Lope de Vega y Carpio (1562-1635), escritor español.

Lope de Vega es, como poeta y dramaturgo, una de las cumbres de la literatura universal. Llamado el *Fénix de los ingenios españoles*, declaró haber escrito cerca de 1.500 comedias, aunque sólo se conservan unas trescientas obras dramáticas de las que se pueda asegurar su autoría. Entre ellas, las famosísimas *La dama boba*, *El perro del hortelano*, *Fuente-ovejuna* o *El caballero de Olmedo*.

Como hombre, Lope de Vega fue un mujeriego impenitente. Aunque el apodo *Monstruo de la Naturaleza* le fue dado por su capacidad literaria, no deja de haber maliciosos que lo relacionen con su capacidad amatoria. Entre sus muchos amoríos destaca Elena Osorio, a quien él llamaba *Filis* en sus versos. Ciertas disputas y altercados con otros amantes de Elena, le proporcionaron un destierro en Valencia. Se casó con una tal Isabel de Urbina, *Belisa* en su poesía. *Celia* es el nombre figurado de Micaela Luján, una mujer casada con la que tuvo turbulentas relaciones. Y *Amarilis* se corresponde con otra dama adúltera: Marta de Nevares. Hubo muchas otras mujeres en su vida, y esta existencia escandalosa le privó de puestos honoríficos que merecía por su obra literaria. El éxito de sus comedias le proporcionó grandes riquezas que malgastaba y dilapidaba a espuertas. Murió intentando corregirse de su afición por las faldas, aclamado por el público y olvidado por los reyes y los magnates.

Por tanto, si alguien sabe cómo ha de ser el amor entre el hombre y la mujer, éste debe ser, sin duda, Lope de Vega. En *Peribáñez y el comendador de Ocaña*, los protagonistas esbozan poéticamente el abecé de los amantes: la mujer debe dar Amor, y ser Buena. Cuerda, Dulce, Entendida; y con la F, Fuerte, Firme y de Fe. Grave (Seria y Prudente), Honrada, Ilustre, Limpia, Maestra de los hijos. Debe aprender a decir NO a propuestas locas, Pensativa, bien Querida, Solícita, y Tal que no se halle otra igual. Verdadera, Cristiana (X) y Zelosa. El hombre no debe mostrarse Altanero, ni hacer Burlas con la dama. Ha de ser Compañero, Dadivoso, Fácil de trato, Galán, Honesto y sin Ingratitud. Liberal, el Mejor. Evitará ser Necio y procurará estar todas las horas con su dama. Será Padre, para Querer, para Regalar, para Servir; para Tener firmeza y tratar con Verdad a la mujer.

23. Pero el amor es ciego, y los enamorados no pueden ver las hermosas locuras que ellos mismos cometen.

William Shakespeare (1564-1616), escritor inglés.

24. Los hombres mueren de cuando en cuando y los gusanos se los comen; pero no es de amor de lo que fallecen.

William Shakespeare (1564-1616), escritor inglés.

25. **El amor empieza siempre por el amor.**

William Shakespeare (1564-1616), escritor inglés.

26. **En amor, tan a destiempo llega el que va demasiado deprisa como el que va demasiado despacio.**

William Shakespeare (1564-1616), escritor inglés.

27. **El lenguaje del amor está en los ojos.**

John Phineas Fletcher (1579-1625), escritor inglés.

28. **Los que de corazón se quieren, sólo con el corazón se hablan.**

Francisco de Quevedo y Villegas (1580-1645), escritor español.

29. **El amor es fe y no ciencia.**

Francisco de Quevedo y Villegas (1580-1645), escritor español.

30. **No hay nada que avive tanto el amor como el temor de perder el ser amado.**

Francisco de Quevedo y Villegas (1580-1645), escritor español.

31. **No diga que tiene amor quien no tiene atrevimiento.**

Pedro Calderón de la Barca (1600-1681), dramaturgo español.

32. **Porque nadie convalece de amor mejor ni más presto, que un enamorado ausente.**

Pedro Calderón de la Barca (1600-1681), dramaturgo español.

33. **El más poderoso hechizo para ser amado es amar.**

Baltasar Gracián (1601-1658), escritor español.

34. **El amor es una herida que siempre deja señal.**

Francisco de Rojas Zorrilla (1607-1648), dramaturgo español.

35. **Locura es pagar la amistad con el odio.**

Francisco de Rojas Zorrilla (1607-1648), dramaturgo español.

36. **Cuando la pobreza entra por la puerta el amor sale por la ventana.**

Thomas Fuller (1609-1661), escritor inglés.

37. En los celos hay más amor propio que verdadero amor.

François de la Rochefoucauld (1613-1680), escritor moralista francés.

38. Cuando nuestro odio es demasiado profundo, nos coloca por debajo de aquellos a quienes odiamos.

François de la Rochefoucauld (1613-1680), escritor moralista francés.

39. La necesidad de amar es parte de la naturaleza de la mujer.

Ninon de Lenclos (1616-1705), escritora francesa.

40. El amor nunca muere de hambre; pero sí muchas veces de indigestión.

Ninon de Lenclos (1616-1705), escritora francesa.

41. Una mujer se convence mucho mejor de que es amada por lo que adivina que por lo que se le dice.

Ninon de Lenclos (1616-1705), escritora francesa.

42. En las batallas del amor siempre les toca perder a los tímidos.

Jean-Baptiste Poquelin, Molière (1622-1673), escritor francés.

43. Nadie es capaz de evitar el amor, y nadie es capaz de evitar que su amor se acabe. De nosotros sólo depende usar bien el amor, vivirlo y gozarlo bien; que exista y que deje de existir no depende de nosotros.

Jean-Baptiste Poquelin, Molière (1622-1673), escritor francés.

44. No hay nada tan conmovedor como un enamorado que se llega a las puertas de la amada y cuenta sus dolencias a los goznes y a los cerrojos.

Jean-Baptiste Poquelin, Molière (1622-1673), escritor francés.

45. La causa del amor es pequeña y sus efectos sorprendentes: tan poca cosa mueve la tierra y el mundo entero.

Blaise Pascal (1623-1662), escritor, matemático, físico y filósofo francés.

46. Todos los hombres se odian mutuamente entre sí.

Blaise Pascal (1623-1662), escritor, matemático, físico y filósofo francés.

47. Es curioso que muchas veces amar a otro es amar ciertas cualidades que pueden perderse. Nunca se ama a la persona; se aman las cualidades.

Blaise Pascal (1623-1662), escritor, matemático, físico y filósofo francés.

48. Perdonar sinceramente y sin reservas; he aquí la prueba más dura a que puede ser sometido el amor.

Louis Bourdalone (1632-1704), teólogo francés.

49. Para abrir el corazón ajeno es necesario antes abrir el propio.

Pasquier Quesnel (1634-1719), teólogo francés.

50. El amor más discreto deja por algún detalle escapar su secreto.

Jean Racine (1639-1699), escritor francés.

51. Es imposible ocultar el amor en los ojos del que ama.

John Crowne (1640-1703), escritor inglés.

52. La lengua del corazón es universal y sólo se necesita sensibilidad para entenderla y para hablarla.

Charles Pinot Duclos (1704-1772), escritor francés.

53. El amor puede esperar todavía cuando la razón desespera.

George Lyttelton (1709-1773), escritor inglés.

54. El amor es la sabiduría de los locos y la locura de los sabios.

Samuel Johnson (1709-1784), escritor inglés.

55. Si quitáis de los corazones el amor o lo bello, les quitaréis todo el encanto de vivir.

Jean-Jacques Rousseau (1712-1778), filósofo ginebrino.

56. Las cartas de amor se empiezan sin saber lo que se va a decir, y se terminan sin saber lo que se ha dicho.

Jean-Jacques Rousseau (1712-1778), filósofo ginebrino.

Uno de los pensadores más importantes de la cultura moderna occidental es este ginebrino polémico y genial. Sus obras más importantes son *La nueva Eloísa* (1757), un remedo sentimental de las novelas de

Samuel Richardson; *El contrato social* (1762) sobre teoría política; y *Emilio o La educación* (1762). En 1782 aparecieron sus *Confesiones*, donde se muestra al desnudo en sus pensamientos y en sus obras. Este libro le ha procurado algunos calificativos poco halagüeños. Se dice de él, por ejemplo, que es un psicópata genial, un refinado hipócrita, un esquizofrénico con manía persecutoria, un egoísta, un arribista, un desagradecido, un inmoral, un ignorante, un estúpido, un cándido falso y un egocéntrico.

El amor de Rousseau fue Madame de Warens, que lo protegió y le dio cobijo a cambio de algunos cariñosos favores. Como Rousseau era incapaz de aprender nada y resultaba imposible que desempeñara ningún oficio con solvencia, siempre volvía a casa de la señora de Warens, a quien el ginebrino llamaba *Mamá*. A fuerza de recomendaciones, conoce a Diderot, a Voltaire, a Buffon y a otros insignes sabios de la época, pero éstos acaban por despreciarlo y olvidarlo. Sus relaciones con distintas señoras nobles de París fueron el trampolín de su fama, la cual se acrecentó con discursos ingeniosos y subversivos. Aunque nunca dejó de amar a su *Mamá*, convivió con una señora, llamada Teresa Levasseur, con quien tuvo cinco hijos, los cuales fueron directamente al hospicio, puesto que no se consideraba responsable de esos vástagos. Escribía: «Me he mostrado como fui: despreciable y vil, o bueno, generoso y sublime cuando lo he sido.» Sus últimas letras fueron para su amor de juventud: Luisa Eleonora de Warens.

57. **El odio es pasión más viva que la amistad.**

Marqués de Van Venargues, Luc de Clapiers (1715-1747), moralista francés.

58. **El amor propio es un malvado,**
el amor propio es un traidor,
que siempre nos está adulando
y nos induce al error.

Giuseppe Baretti (1719-1789), escritor italiano.

59. **El hombre siente celos si ama, la mujer también, sin amar.**

Immanuel Kant (1724-1804), filósofo alemán.

60. **Para la cólera y para el amor, todo lo que se aplaza se pierde.**

Pierre Agoustin Arcon, barón de Beaumarchais (1732-1799), dramaturgo francés.

61. **El corazón necesita un segundo corazón. La alegría compartida es doble alegría.**

Christopher A. Tiedge (1752-1841), poeta alemán.

62. **Ni una inteligencia sublime, ni una gran imaginación, ni las dos cosas juntas forman el genio; amor, eso es el alma del genio.**

Wolfgang Amadeus Mozart (1756-1791), compositor austríaco.

63. **Créeme, en tu corazón brilla la estrella de tu destino.**

Friedrich Schiller (1759-1805), dramaturgo y filósofo alemán.

Friedrich Schiller es una de las cumbres del romanticismo alemán. Junto a Goethe, destacó en el movimiento llamado *Sturm und Drang*, la versión primera y más pura del romanticismo europeo. Si el *Werther* de Goethe supuso una revolución en el campo del amor, el *Guillermo Tell* de Schiller es un monumento a la libertad y a la dignidad del hombre. El movimiento romántico es muy complejo y, en ocasiones, contradictorio: la exaltación de la libertad individual y moral del hombre es uno de sus pilares básicos. A partir de aquí, todo cuanto nace en el corazón humano se hace sagrado: el amor, la amistad, el dolor, la venganza, etc. La cita que precede a este breve comentario ofrece una pincelada de lo que significaba el romanticismo: el corazón del hombre es único, poderoso, independiente y sublime. La tragedia romántica consiste en conocer que los sentimientos humanos son demasiado grandes para el cuerpo que los contiene y demasiado hermosos para el mundo que le rodea.

64. **Dime qué es lo que verdaderamente amas, lo que buscas con todo tu empeño y me habrás dado con ello una expresión de tu vida.**

Johann Gotlieb Fichte (1762-1814), filósofo alemán.

65. **Mientras el corazón tiene deseo, la imaginación conserva ilusiones.**

René de Chateaubriand (1768-1848), escritor francés.

66. El más peligroso de nuestros consejeros es el amor propio.

Napoleón Bonaparte (1769-1821), emperador francés.

67. El amor propio es el más grande de todos los aduladores.

Sir Walter Scott (1771-1832), escritor escocés.

68. Quiere tan sólo, y cambiará la faz del mundo.

Félicité Robert de Lamennais (1782-1854), escritor francés.

69. No existe nada que odien más los mediocres que la superioridad del talento.

Henry Beyle, Stendhal (1783-1842), escritor francés.

70. No hay pasión más ilusa y fanática que el odio.

George Gordon, lord Byron (1788-1824), poeta inglés.

71. Sólo desde que amo sé que estoy vivo.

Theodor Korner (1791-1813), poeta alemán.

72. El amor no tiene medida para el tiempo, germina y florece en una hora feliz.

Theodor Korner (1791-1813), poeta alemán.

73. A los dieciocho años se adora; a los veinte, se ama; a los treinta, se desea; a los cuarenta, se reflexiona.

Paul de Kock (1793-1871), escritor francés.

74. Respecto a las mujeres, he perdido ya dos virtudes teologales, la fe y la esperanza. Queda el amor, es decir, la tercera virtud, de la que no puedo prescindir, pese a que ya no crea ni espere nada.

Giacomo Leopardi (1798-1837), poeta italiano.

Giacomo Leopardi es considerado por los eruditos más que un poeta romántico. Su personalidad contradictoria y sometida a los vaivenes de la pasión o la razón, la desesperanza o la acción, convierten su obra en una de las cimas de la poesía universal. Su examen del amor es, a un tiempo, fruto de una profunda reflexión, un conocimiento de sabio, y una arrebatadora pasión. En los jardines de Florencia, en el invierno de 1817, Giacomo Leopardi se ve invadido de una amarga melancolía: allí inicia un poema titulado *El primer amor*. Éstos son sus primeros versos: «Vuelve a mi memoria el día en que sentí la batalla del primer amor, y dije: ¡Ay de mí! ¡Si esto es amor, cómo angustia!» Años más tarde, la desesperanza le lleva a escribir: «La suerte hizo hermanos al Amor y a la Muerte.»

75. **Confiad en los que se esfuerzan por ser amados; dudad de los que sólo procuran parecer amables.**

Giacomo Leopardi (1798-1837), poeta italiano.

76. **El odio a nuestros semejantes es mayor con los más allegados.**

Giacomo Leopardi (1798-1837), poeta italiano.

77. **El amor es un poema enteramente personal.**

Honoré de Balzac (1799-1850), escritor francés.

78. **El amor es la poesía de los sentidos.**

Honoré de Balzac (1799-1850), escritor francés.

79. **Lo verdaderamente mágico del primer amor es la absoluta ignorancia de que alguna vez ha de terminar.**

Honoré de Balzac (1799-1850), escritor francés.

80. **Las mujeres abandonadas son las que simplemente aman; las conservadas son las que saben amar.**

Honoré de Balzac (1799-1850), escritor francés.

81. **Puede uno amar sin ser feliz; puede uno ser feliz sin amar; pero amar y ser feliz es algo prodigioso.**

Honoré de Balzac (1799-1850), escritor francés.

82. **El amor es la eterna historia del juguete que los hombres creen recibir y del tesoro que las mujeres creen dar.**

Honoré de Balzac (1799-1850), escritor francés.

83. **Cuando un hombre dice a una mujer que la ama, ella, por poco sólidas que le parezcan las bases de este sentimiento, sin razonarlo, se siente impulsada a tomarlo por verdadero, lo cree siempre.**

Honoré de Balzac (1799-1850), escritor francés.

84. **¿Es que se acaba de amar alguna vez? Hay gente que ha muerto ya y que yo siento que aman aún.**

Honoré de Balzac (1799-1850), escritor francés.

85. **No olvides que el primer beso se da con los ojos.**

O. K. Bernhardt (1800-1875), escritor alemán.

86. **Cuanto más pequeño es el corazón, más odio alberga.**

Victor Hugo (1802-1885), escritor francés.

87. **Yo apunto siempre al corazón. Es legal y es seguro.**

Eugène Sué (1804-1857), escritor francés.

88. **El amor sin admiración sólo es amistad.**

Aurore Dupin, George Sand (1804-1876), escritora francesa.

89. **El espíritu busca, pero es el corazón el que encuentra.**

Aurore Dupin, George Sand (1804-1876), escritora francesa.

90. **¡Ay del hombre que quiere actuar sinceramente en el amor!**

Aurore Dupin, George Sand (1804-1876), escritora francesa.

91. **El amor es como la fortuna: no le gusta que le vayan detrás.**

Théophile Gautier (1811-1872), poeta y novelista francés.

92. **El amor es como el fuego, si no es alimentado se apaga.**

Mijail Yurevich Lermontov (1814-1841), poeta ruso.

93. **Todo en amor es triste, mas, triste y todo, es lo mejor que existe.**

Ramón de Campoamor (1817-1901), poeta español.

94. **El amor que razona es un niño que no vivirá: es demasiado inteligente.**

A. Berthet (1818-1888), escritor francés.

95. **Da un poco de amor a un niño y ganarás un corazón.**

John Ruskin (1819-1900), poeta inglés.

96. Desconfiad de la luna y las estrellas, de la Venus de Milo, de los lagos, de las guitarras, de las escaleras de cuerda y de todas las novelas y novelerías. ¡Pero amad vigorosamente, arrogantemente, ferozmente, a la mujer que améis!

Charles Baudelaire (1821-1867), poeta francés.

Charles Baudelaire, el autor maldito de *Flores del Mal,* fue considerado, durante más de un siglo, un poeta indecente, inmoral, pornográfico, degenerado. Los críticos del siglo XIX advertían en la prensa diaria contra aquellas *flores envenenadas,* contra el fango, la podredumbre, la inmundicia o la lascivia de Baudelaire. Hasta los años cuarenta del siglo XX, Baudelaire fue ignorado y silenciado como si jamás hubiese existido. Hoy, el poeta francés es considerado en su justa medida y con todo su mérito. Su idea del amor se desenvuelve en todos los términos, excepto en el sentimental: el amor es hastío, carroña, mentira, vergüenza, sensualidad, lujuria, placer, decadencia o muerte. Baudelaire concebía el amor como un mal deseado, como un veneno que se ansía beber. En torno a 1857 escribe estos versos sobre el amor: «¡Amado veneno preparado por los ángeles! ¡Licor que me devora; oh, la vida y la muerte de mi corazón!»

97. Todo lo que sabemos del amor es que el amor es todo lo que hay.

Emily Dickinson (1830-1889), poetisa estadounidense.

98. ¿Por qué es tan difícil «querer», mientras es tan fácil «desear»? Porque en el deseo se expresa la impotencia, y en el querer, la fuerza.

Albert Lindner (1831-1888), escritor alemán.

99. El odio es la cólera de los débiles.

Alphonse Daudet (1840-1897), escritor francés.

100. El odio es santo. Es la indignación de los corazones fuertes y paternos, el desdén militante de aquellos a quienes la medianía y la necesidad enojan. Odiar es amar, es tener el alma ardiente y generosa, es vivir holgadamente, despreciando las cosas estúpidas y vergonzosas.

Émile Zola (1840-1902), novelista francés.

101. Siempre hay un poco de locura en el amor. Pero siempre hay un poco de razón en la locura.

Friedrich Nietzsche (1844-1900), filósofo alemán.

102. No se odia mientras se menosprecia. No se odia más que al igual o al superior.

Friedrich Nietzsche (1844-1900), filósofo alemán.

103. La timidez es un gran pecado contra el amor.

Anatole France (1844-1924), escritor francés.

104. Nada es pequeño en el amor. Aquellos que esperan las grandes ocasiones para probar su ternura no saben amar.

Laure Conan (1845-1924), escritora canadiense.

105. Lo cierto es que malgastamos nuestra fuerza en la persecución del amor y éste huye igual que un ave.

Henryck Sienkiewicz (1846-1916), escritor polaco.

106. Nada más interesante que la conversación de dos enamorados que están callados.

Achille Tournier (1847-1906), historiador francés.

107. Cuando el orgullo grita, es el amor el que calla.

Philippe Gerfaut (1847-1919), escritora francesa.

108. Amor sin deseo es peor que comer sin hambre.

Jacinto Octavio Picón (1852-1923), escritor español.

109. En cuanto al amor, no existe más que una sabiduría: creer. Y tal sabiduría es una locura.

Paul Bourget (1852-1935), novelista y crítico francés.

110. Amarse a uno mismo es comenzar un romance de por vida.

Oscar Wilde (1854-1900), escritor irlandés.

111. En el fondo de cada alma existen tesoros escondidos que solamente descubre el amor.

Edouard Rod (1857-1910), escritor suizo.

112. El amor vive en el corazón de los hombres y duerme en las semillas de los granos.

Selma Lagerlöf (1858-1940), novelista sueca.

113. El amor es el deseo infinito del beso eterno.

Nieves Xenet (1859-1915), poetisa cubana.

114. El amor es una música cálida.

Knut Hamsun (1859-1952), escritor noruego.

115. Las palabras van al corazón, cuando han salido del corazón.

Rabindranath Tagore (1861-1941), escritor hindú.

116. El corazón es el compañero más fuerte.

Gabriele D'Annunzio (1863-1938), escritor italiano.

117. La gloria vale lo que el perfume de una rosa, únicamente es eternidad el tiempo que amamos.

Henri François de Regnier (1864-1936), escritor francés.

118. El que mejor sabe que ama, es el que ama mejor.

Miguel de Unamuno (1864-1936), escritor español.

119. El amor no quiere ser agradecido ni quiere ser compadecido. El amor quiere ser amado porque sí y no por razón alguna, por noble que ésta sea.

Miguel de Unamuno (1864-1936), escritor español.

120. Más se unen los hombres para compartir un mismo odio que para compartir un mismo amor.

Jacinto Benavente (1866-1954), dramaturgo español.

121. El amor es como don Quijote: cuando recobra el juicio es para morir.

Jacinto Benavente (1866-1954), dramaturgo español.

122. Las mujeres aman, frecuentemente, a quien lo merece menos; y es que las mujeres prefieren hacer limosna a dar premios.

Jacinto Benavente (1866-1954), dramaturgo español.

123. **Es tan importante el amor en España, que tiene toda la importancia de un pecado.**

Jacinto Benavente (1866-1954), dramaturgo español.

124. **El amor es lo más parecido a la guerra, y una guerra en la que es indiferente vencer o ser vencido, porque siempre se gana.**

Jacinto Benavente (1866-1954), dramaturgo español.

125. **El único camino de nuestra redención es el amor.**

Jacinto Benavente (1866-1954), dramaturgo español.

126. **La estimación depende de creer o no creer en quien se estima; el amor, ésta es su tragedia, aunque no crea, ama.**

Jacinto Benavente (1866-1954), dramaturgo español.

127. **No quieras saber. En amor, como en religión, el amor está muy cerca de la herejía.**

Jacinto Benavente (1866-1954), dramaturgo español.

128. **Amar, amar, amar siempre y con todo**
el ser y con la tierra y con el cielo,
con lo claro del sol y lo oscuro del lodo;
amar por toda ciencia y amar por todo anhelo.
Y cuando la montaña de la vida
nos sea dura y larga y alta y llena de abismos,
¡amar la inmensidad que es de amor encendida
y arder en la fusión de nuestros pechos mismos!

Rubén Darío (1867-1916), escritor nicaragüense.

El poeta Félix Rubén García Sarmiento, Rubén Darío, es considerado como el adalid del *modernismo*, movimiento literario heredero del romanticismo decadente. El modernismo fue un sistema preocupado por la imagen exótica, elegante y sentimental. En ocasiones, se señalan otros elementos, como el misticismo o el erotismo. Según el propio Rubén Darío, el poeta debía interpretar el mundo descubriendo en él lo que tiene de eterno e inefable. *Azul* (1888) es su poemario fundacional; más adelante publicará *Prosas profanas* (1896-1901) y *Cantos de vida y esperanza* (1907). En su vida alcohólica y desmesurada, Rubén Darío fue derivando hacia la melancolía y la reflexión: su poesía se hace más sincera y evita la pompa de su formación modernista. En *Canción de otoño en primavera* rememora el poeta los dulces romances de su juventud y recuerda que ha estado persiguiendo el Amor siempre y a todas horas:

Juventud, divino tesoro,
¡te vas para no volver!
Cuando quiero llorar, no lloro...
Y a veces lloro sin querer...
Plural ha sido la celeste
historia de mi corazón [...]

129. **El amor es un conflicto entre reflejos y reflexiones.**

Magnus Hirdchfeld (1868-1935), sexólogo alemán.

130. **El amor y la verdad son dos caras de la misma moneda.**

Mahatma Gandhi (1869-1948), líder pacifista hindú.

131. **He comprendido ahora que, permanente en todo lo que pasa, Dios no habita en el objeto, sino el amor; y ahora sé gozar la quieta eternidad del instante.**

André Gide (1869-1951), escritor francés.

132. **El amor verdadero hace milagros, porque el amor mismo es ya el mayor milagro.**

Amado Nervo (1870-1919), escritor mexicano.

133. **Comprender es una palabra viva y la carne de esa palabra es amor.**

Henri Barbusse (1872-1935), novelista francés.

134. **Amar a una criatura es tener necesidad de que esta criatura viva.**

Henri Barbusse (1872-1935), novelista francés.

135. **Un filósofo que había estado en presidio mucho tiempo por estafar a unos cuantos, me decía que en amor nada une tanto como el crimen y que nada desune tanto como la ridiculez y la torpeza. En nuestra alma tenemos el culto por todo lo que es exaltación y por todo lo que es belleza. El crimen participa**

de estas dos cosas. Hay en él siempre exaltación; hay en él casi siempre belleza.

Pío Baroja (1872-1956), escritor español.

136. El amor tiene dos leyes: la primera, amar a los otros; la segunda, eliminar de nosotros aquello que impide a los otros amarnos.

Alexis Carrel (1873-1944), médico y escritor francés.

137. El único cemento sólido para unir a los hombres es el amor. La sociedad debería encerrar o suprimir a aquellos que siembran la discordia o el odio.

Alexis Carrel (1873-1944), médico y escritor francés.

138. Admiramos a las personas por motivos, pero las amamos sin motivos.

Gilbert Keith Chesterton (1874-1936), escritor inglés.

139. Amar es una oportunidad, un motivo sublime que se ofrece a cada individuo para madurar y llegar a ser algo en sí mismo, para volverse mundo.

Rainer María Rilke (1875-1926), poeta checo.

140. El amor consiste en dos soledades que se protegen, limitan y procuran hacerse mutuamente felices.

Rainer María Rilke (1875-1926), poeta checo.

141. Cuando nos vimos por primera vez no hicimos sino recordarnos. Aunque te parezca absurdo yo he llorado cuando tuve conciencia de mi amor hacia ti, por no haberte querido toda la vida.

Antonio Machado (1875-1939), escritor español.

142. El amor es como un rico. A medida que es más grande, va metiendo menos ruido.

Francisco Villaespesa (1877-1936), poeta y dramaturgo español.

143. Nada se hace por amor si no se hace por él todo lo posible.

Étienne Rey (1879-), escritor francés.

144. El amor requiere talento como cualquier otra cosa. Las mujeres son en toda la tierra criaturas de amor. Lo que ocurre es que la mayor parte de los hombres son demasiado tontos para seguir el juego, y de aquí el involuntario monopolio de unos pocos.

Hermann Alexander von Keyserling (1880-1946), filósofo alemán.

145. El amor es como el fuego, que si no se comunica se apaga.

Giovanni Papini (1881-1956), escritor italiano.

146. Odio y amor son, en todo, dos gemelos enemigos, idénticos y contrarios. Como hay un enamoramiento, hay (y no con menos frecuencia) un «enodiamiento».

José Ortega y Gasset (1883-1955), ensayista y filósofo español.

147. No hay amor sin instinto sexual. El amor usa de este instinto como de una fuerza brutal, como el bergantín usa del viento.

José Ortega y Gasset (1883-1955), ensayista y filósofo español.

148. El amor auténtico se encuentra siempre hecho. En este amor un ser queda adscrito de una vez para siempre y del todo a otro ser. Es el amor que empieza por el amor.

José Ortega y Gasset (1883-1955), ensayista y filósofo español.

149. Es una locura amar, a menos que se ame con locura.

John Ythier (1884-1920), escritor francés.

150. Dar amor constituye, en sí, dar educación.

Anne Eleanor Roosevelt (1884-1962), socióloga estadounidense.

151. Hay un secreto para vivir feliz con la persona amada; no pretender modificarla.

Jacques Chardonne (1884-1968), escritor francés.

152. La mujer a la que amamos y que no nos ama nos parece siempre incomprensible.

Jacques Chardonne (1884-1968), escritor francés.

153. Estamos convencidos de que un grado superior de inteligencia nos conduciría a aceptar la infidelidad. Sin duda, la propiedad es sólo una gerencia fastidiosa que sólo sirve a nuestra vanidad. Se ama más libremente lo que no es nuestro. Querer acaparar un ser, paralizar su fantasía, sujetar su voluntad, es una pretensión insensata. Pero si tan sabios y complacientes fuéramos, sólo amaríamos con medida, es decir, no amaríamos.

Paul Le Févre, Paul Geraldy (1885-1954), escritor francés.

154. **Casi todos los hombres ganan al ser conocidos.**

André Maurois (1885-1967), escritor francés.

155. **En amor han de ser más atrevidos los gestos que las palabras; asustan menos.**

André Maurois (1885-1967), escritor francés.

156. **No amamos a una mujer por lo que dice. Amamos lo que dice porque la amamos.**

André Maurois (1885-1967), escritor francés.

157. **Mi idea del amor consiste en estar siempre participando del trato de aquella persona amada, de compartir mis fantasías, toda mi felicidad y todos mis cuidados.**

André Maurois (1885-1967), escritor francés.

158. **No olvidéis aquello que ha dicho alguien: la mujer no ha nacido para que se la comprenda, sino para que se la ame.**

Federico García Sanchiz (1886-1964), escritor español.

159. **Amar y sufrir es, a la larga, la única forma de vivir con plenitud y dignidad.**

Gregorio Marañón (1887-1960), médico y ensayista español.

160. **El amor no tiene razones y la falta de amor tampoco; en amor todo son milagros.**

Eugène O'Neill (1888-1953), dramaturgo estadounidense.

161. **Si amas, perdona; si no amas, olvida.**

Vicki Baum (1888-1960), escritora austríaca.

162. **El corazón tiene sus cárceles que la inteligencia no abre.**

Marcel Henri Jouhandeau (1888-1979), escritor francés.

163. Escribir es un acto de amor. Si no lo es, no es más que escritura.

Jean Cocteau (1889-1963), escritor francés.

164. Se está enamorado de una mujer cuando se enamora uno de ella a cada instante.

Jacinto Miquelarena (1891-1961), escritor español.

165. Cuatro cosas hay que me hubiera pasado mejor sin ellas: amor, curiosidad, pecas y dudas.

Dorothy Parker (1893-1967), escritora y crítica estadounidense.

166. Los que tienen alguna fortuna piensan que lo más importante en el mundo es el amor. Los pobres saben que es el dinero.

Gerald Brenan (1894-1987), historiador británico.

167. Revelar dos personas que les desagrada otra es una cómoda manera de expresar que se agradan mutuamente.

Li Yutang (1895-1972), escritora estadounidense.

168. Lo más triste del amor es que no sólo no puede durar siempre, sino que las desesperaciones son también olvidadas pronto.

William Faulkner (1897-1962), novelista estadounidense.

169. La empresa más difícil entre un hombre y una mujer es amarse siempre.

Noel Coward (1899-1973), escritor inglés.

170. Uno está enamorado cuando se da cuenta de que la otra persona es única.

Jorge Luis Borges (1899-1986), escritor argentino.

171. No puede herirnos la injuria sino cuando la recordamos; por ello la mejor venganza es el olvido.

Harold Hart Crane (1899-1932), poeta estadounidense.

172. Amar no es mirarse el uno al otro, es mirar juntos en la misma dirección.

Antoine Marie Roger de Saint-Exupéry (1900-1944), escritor francés.

173. **Eres responsable por lo que has cautivado. Eres responsable de tu rosa.**

Antoine de Saint- Exupéry (1900-1944), escritor francés.

174. **El que quiere demasiado es más rico de lo que se cree.**

Camille Goemans (1900-1960), escritor belga.

175. **Es tan simple, el amor.**

Jacques Prévert (1900-1977), poeta francés.

176. **Bajo su caparazón de cobardía, el hombre aspira a la bondad y quiere ser amado. Si toma el camino del vicio, es que ha creído tomar un atajo que le conduciría al amor.**

John Steinbeck (1902-1968), novelista estadounidense.

177. **La mirada indiferente es un continuo adiós.**

Malcolm de Chazal (1902), poeta de Isla Mauricio.

178. **En el verdadero amor no manda nadie; obedecen los dos.**

Alejandro Casona (1903-1965), dramaturgo español.

179. **El amor sólo es bueno cuando se toma como acicate para mayores empresas. Se quiere a una mujer y se dice: «Lucharé por ella, revolveré el mundo, la conseguiré.» Y si esto último no llega ¿qué importa? Lo esencial es lo otro: luchar, revolver el mundo.**

Alejandro Casona (1903-1965), dramaturgo español.

180. **Sólo con quien te ama puedes mostrarte débil sin provocar una reacción de fuerza.**

Theodor W. Adorno (1903-1969), filósofo alemán.

181. **Amar es verse como otro ser nos ve.**

María Zambrano (1904-1991), filósofa española.

182. **El corazón es centro, porque es lo único de nuestro ser que da sonido.**

María Zambrano (1904-1991), filósofa española.

183. El odio no es más que carencia de imaginación.

Graham Greene (1904-1991), novelista y dramaturgo inglés.

184. Hay que amar a todas las almas como si cada una fuese el propio hijo.

Graham Greene (1904-1991), novelista y dramaturgo inglés.

185. Odiar es un despilfarro del corazón, y el corazón es nuestro mayor tesoro.

Noel Clarasó (1905-1985), escritor español.

186. Saber amar sólo consiste, a la larga, en saber soportar con grandeza de ánimo las molestias que nos causa la presencia diaria del ser amado.

Noel Clarasó (1905-1985), escritor español.

187. Lo único que hace falta para que los hombres descubran el amor es tener demasiado cerca a una mujer; y lo único que hace falta para que este amor se disipe es seguir teniéndola demasiado cerca.

Noel Clarasó (1905-1985), escritor español.

188. Basta con que un hombre odie a otro para que el odio vaya corriendo hasta la humanidad entera.

Jean-Paul Sartre (1905-1980), escritor y filósofo francés.

189. El amor es física y química.

Severo Ochoa (1905), bioquímico español.

190. Una maldición nunca ha matado una mosca.

Achille Chavée (1906-1969), escritor belga.

191. La vida es corta, la obligación de odiar la acorta siniestramente.

Vitaliano Brancatti (1907-1954), escritor italiano.

192. Su odio... no hacía falta ser muy sabio para saber que es el peor sufrimiento del hombre.

Gabrielle Roy (1909-1983), escritora canadiense.

193. Qué parecidos son los gritos de amor y los de los moribundos.

Malcolm Lowry (1909-1957), poeta estadounidense.

194. Entre un hombre y una mujer hay una sola razón: el amor. Sin el amor, ninguna otra cualidad sirve de nada; no hace falta nada más. Es decir, sí: hace falta la continuidad del amor; pero este es un problema que el hombre nunca ha sabido cómo se resuelve.

Jean Anouilh (1910-1987), escritor francés.

195. Creo que el odio es un sentimiento que sólo puede existir en ausencia de toda inteligencia. Los médicos no odian a sus enfermos.

Tennessee Williams (1911-1983), dramaturgo estadounidense.

196. Todo duelo teme su fin y sueña con terror en el día en que terminará su pena. Así, el odio teme por encima de todo librarse de sí mismo, y se muerde la cola.

Jean Pierre Hervé Bazin (n. 1911), novelista francés.

197. El amor no tiene nada que ver con lo que esperas conseguir, sólo con lo que esperas dar; es decir, todo.

Katharine Hepburn (n. 1911), actriz estadounidense.

198. El odio es el arma de los débiles. El fuerte castiga a su enemigo; el débil debe conformarse con odiar.

José Mallorquí (1913-1972), escritor español.

199. Ningún amor en el mundo puede ocupar el lugar del amor.

Marguerite Duras (1914-1996), escritora francesa.

200. ¿Puede alguien recordar el amor? Es como querer conjurar el aroma de las rosas en un sótano. Podrías ver la rosa, pero el perfume, jamás. Y esa es la verdad de las cosas, su perfume.

Arthur Miller (n. 1915), dramaturgo estadounidense.

201. El secreto de toda dicha en el amor consiste menos en ser ciego que en cerrar los ojos cuando hace falta.

Simone Signoret (1921-1987), actriz francesa.

202. **Los hombres van en dos bandos: los que aman y fundan y los que odian y deshacen.**

Manuel Fraga Iribarne (n. 1922), político español.

203. **Nunca odié a un hombre lo suficiente como para devolverle sus diamantes.**

Zsa Zsa Gabor (1923-1995), actriz estadounidense.

204. **La falta de amor, pasional o físico, y la falta de contacto físico nos ofrecen la clave del mal americano y quizás occidental.**

James Baldwin (n. 1924), novelista y comediógrafo estadounidense.

205. **El amor es tan importante como la comida. Pero no alimenta.**

Gabriel García Márquez (n. 1928), escritor colombiano.

206. **Nada de lo que un hombre haga lo envilece más que permitirse caer tan bajo como para odiar a alguien.**

Martin Luther King (1929-1968), líder antirracista estadounidense.

207. **El amor no se manifiesta en el deseo de acostarse con alguien, sino en el deseo de dormir junto a alguien.**

Milan Kundera (n. 1929), escritor checo.

208. **El amor no tiene cura, pero es la única medicina para todos los males.**

Leonard Cohen (n. 1934), compositor canadiense.

209. **La admiración es amor congelado.**

Françoise Sagan (n. 1935), escritora francesa.

210. **El amor es la poesía de los sentidos. Pero hay poesías malísimas.**

Antonio Gala (n. 1937), escritor español.

211. **Amar significa no tener que decir nunca «lo siento».**

Erich Segal (n. 1937), novelista estadounidense.

212. **Amar y ser amado es sentir el sol por ambos lados.**

David Steven Viscott (n. 1938), psiquiatra estadounidense.

213. **¿Me necesitarás todavía, me alimentarás todavía, cuando tenga sesenta y cuatro años?**

John Lennon (1940-1980) y Paul McCartney (n. 1942), cantantes y compositores ingleses.

En 1962 hicieron su aparición en el panorama musical de la época cuatro jóvenes que se convertirían en uno de los fenómenos de masas más importantes del siglo XX. Estos jóvenes se hacían llamar *The Beatles*, su nombre era una mezcla de dos conceptos distintos: el ritmo *beat*, muy utilizado en aquella época por los grupos de música popular; y la palabra *beetle*, que significa cucaracha. La cita corresponde al disco *Sargeant Pepper's Lonely Hearts Club Band* (1967). La canción concreta se titula *Cuando tenga sesenta y cuatro años*, y es un recorrido irónico por los hábitos comunes y vulgares de una familia media inglesa: regalos en el día de San Valentín, ella tejiendo un jersey, un paseo los domingos, los nietos, una casa de alquiler para el verano, etc. La cita, que se incluye erróneamente en ciertas recopilaciones como frase de amor, ha de entenderse como lo más indeseable para una vida apasionada y emocionalmente activa.

214. **Uno no puede hacer nada por las personas que ama, sólo seguir amándolas.**

Fernando Savater (n. 1940), filósofo español.

215. **Hay quien, desobedeciendo, rebelándose, destronando, cuestionando, vive sólo en función de los demás y el odio que le inspiran.**

Juan Ovitral (n. 1940), abogado, político y sociólogo español.

216. **¡Qué desagradable resulta caerle bien a la gente que te cae mal!**

Jaume Perich (1941-1995), escritor, humorista y dibujante español.

217. **El amor es más frío que la muerte.**

Rainer Werner Fassbinder (1946-1982), actor, director y productor de cine y teatro alemán.

218. **La pasión es más satisfactoria que el amor, pero la pasión se acaba.**

José Coronado (n. 1947), actor español.

219. Ama como tú quieras, pero nunca les preguntes a los demás cómo lo hacen. Sé como a ti te dé la gana, pero nunca les digas a los demás cómo tienen que ser.

Moncho Borrajo (n. 1950), humorista español.

220. Los efectos del amor o de la ternura son fugaces, pero los del error, los de un solo error, no se acaban nunca, como una cavernícola enfermedad sin remedio.

Antonio Muñoz Molina (n. 1956), escritor español.

221. El amor no sólo convierte al hombre en un ser ciego: también lo hace bueno o malo.

J. Aschneider-Arno, escritor alemán contemporáneo.

222. La pareja no se apoya sobre la permanencia del amor y la sexualidad, sino sobre la permanencia de la ternura.

Kostas Axelos, sociólogo griego contemporáneo.

223. Tener derecho al amor no significa que alguien te vaya a amar.

Ana Rossetti, escritora española contemporánea.

224. Cuando tengo un desengaño amoroso, cambio de coche.

Pedro Ruiz, humorista español contemporáneo.

225. El odio es un medio, el amor es un fin.

María Angélica Bosco, escritora italiana contemporáneo.

226. El amor tiene un poderoso hermano: el odio. Procura no ofender al primero porque el otro puede matarte.

F. Heumer, escritor alemán.

227. La cobardía es asunto de los hombres, no de los amantes. Los amores cobardes no llegan a amores ni a historias, se quedan ahí. Ni el recuerdo los puede salvar, ni el mejor orador conjugar.

Silvio Rodríguez, cantautor cubano contemporáneo.

228. El amor hace pasar el tiempo, y el tiempo hace pasar el amor.

Anónimo.

229. El amor más puro y más fuerte no es el que sube desde la impresión, sino el que desciende desde la admiración.

Anónimo.

230. El amor que pudo morir no era amor.

Anónimo.

231. El que quiere estudiar amor se queda siempre en alumno.

Anónimo.

232. Te amo no sólo por lo que eres, sino por lo que soy cuando estoy contigo.

Anónimo.

DEL *h*OMBRE Y DE LA *m*UJER

«Su calidad ha de ser princesa, pues es reina y señora mía; su hermosura, sobrehumana, pues en ella se vienen a hacer verdaderos todos los imposibles y quiméricos atributos de belleza que los poetas dan a sus damas. Sus cabellos son oro; su frente, campos elíseos; sus cejas, arcos del cielo; sus ojos, soles; sus mejillas, rosas; sus labios, corales; perlas sus dientes; alabastro su cuello; mármol su pecho, marfil sus manos; su blancura, nieve; y las partes que a la vista humana encubrió la honestidad son tales, según yo pienso y entiendo, que sólo la discreta consideración puede encarecerlas, y no compararlas». De este modo se alababan las prendas femeninas en el Siglo de Oro español. La dama de la que se habla es ciertamente especial: es Dulcinea, el amor de don Quijote y, por tanto, sin igual.

Los hombres de todos los tiempos han dedicado sus esfuerzos a cantar las maravillas de las mujeres, especialmente si trataban de conquistarlas. Un refrán español dice «Cuando os requerimos, "dama" os decimos; y cuando os tenemos, como queremos». Con ello se da a entender que sólo se trata dignamente a la mujer en el enamoramiento, pero que, en la vida cotidiana y social, la dama es una molestia y un estorbo. Por su lado, la mujer, aunque durante muchos siglos ni siquiera ha tenido alma, no por ello dejaba de utilizar su intelecto, de burlarse de la proverbial estupidez masculina cuando se enamora, y de aprovechar sus ventajas cuando era posible.

Pocos debates hay más estériles que aquellos que tratan de enfrentar al hombre y la mujer. Y, sin embargo, no hay diálogo más recurrente que el de «la guerra de los sexos»: la convivencia (obligada y necesaria) de hombres y mujeres, considerada como una batalla. Cuando se trata de enamorar a otra persona, se habla de «conquista»; existen besos «robados»; las damas «cautivan» con su hermosura; se «caza» un buen partido; y el novio es un «príncipe azul». Esta terminología bélica para hablar de las relaciones entre hombres y mujeres da una idea de los términos en los que se ha desenvuelto la convivencia entre ellos.

La mayoría de las citas, en este campo, pertenecen a hombres que han dado su parecer respecto a las damas, por la simple razón de que las damas han permanecido calladas hasta hace doscientos años. Fue el movimiento romántico el que dio la primera oportunidad a las mujeres para poder expresarse con cierta libertad. Es muy cierto que hubo mujeres notables antes de esta época, pero es en el siglo XIX cuando la mujer comienza a mostrarse, en todo, igual al hombre.

233. **Ya conocéis cómo son las mujeres: un año para peinarse y para arreglarse.**

Publio Terencio (185-159 a. C.), poeta latino.

234. **Los hombres son como los vinos: la edad agría los malos y mejora los buenos.**

Marco Tulio Cicerón (106-43 a. C.), político, orador, filósofo y literato romano.

235. **La mujer juiciosa muerde a su marido obedeciéndole.**

Lucio Anneo Séneca (4 a. C.-65), escritor y filósofo romano.

236. **Ya es una buena cosa, en las mujeres malas, que sean abiertamente malas.**

Lucio Anneo Séneca (4 a. C.-65), escritor y filósofo romano.

237. **Ser bella y amada es condición de muchas mujeres. Ser fea y saber hacerse amar, es, acaso, la máxima expresión del genio de la mujer.**

Averroes (1126-1198), filósofo, astrónomo y escritor jurisconsulto árabe.

238. **Non es guisada nin honesta cosa que la mujer tome oficio de varón.**

Alfonso X el Sabio (1221-1284), rey de Castilla y León; poeta y escritor.

La Edad Media organizaba el mundo social y moral de un modo muy rígido. Los medievalistas suelen identificar la estructura social con una pirámide cuya base está formada por los campesinos y labradores y cuya cúspide o vértice superior es el rey. Por lo que se refiere al universo moral, los eruditos comparan el pensamiento medieval con los tímpanos de las catedrales. Jesucristo se halla en el centro del grupo escultórico; a sus lados, en un plano inferior, se encuentran los santos y los buenos; la base la componen los hombres y mujeres malvados y perversos, condenados a las llamas del infierno. El lugar de la mujer en esta imagen del mundo era prácticamente invisible. La mujer era un objeto, una posesión, o un mal inevitable. Su labor se reducía a trabajar en beneficio del hombre y su significado social era nulo. El poder religioso la señalaba como causa de la perdición del hombre, sólo necesaria para los trabajos más ingratos y para la reproducción. Ahora bien, este esquema no se ajustaba siempre a la realidad. Los relatos populares y cultos muestran a una mujer inteligente y astuta que intenta, por todos los medios, eludir la presión masculina. Su actitud, desde luego, no es revolucionaria, sino que procura «engañar» al hombre para lograr sus objetivos. En las obras de Gonzalo de Berceo, de Alfonso X, del Arcipreste de Hita o de don Juan Manuel, existen numerosos ejemplos de este modo de proceder femenino. El Arcipreste de Hita, por ejemplo, propone como modelo a la mujer que sea «En la cama muy loca, en la casa muy cuerda». Este modelo lo argumentó Ovidio en su *Ars Amandi* (*El arte de amar*), y concuerda con el dicho popular «A la noche putas, y a la mañana comadres».

También el Arcipreste de Hita reproduce un cuento tradicional muy conocido. Era un pintor de Bretaña llamado Pitas Payas que se había casado con una joven hermosa y lozana. El pintor debía ausentarse de su casa durante cierto tiempo y para que la joven no cometiera locuras le pintó en el vientre un cordero. El caso es que don Pitas Payas se retrasó mucho y estuvo dos años fuera de su casa, de modo que la moza se entretuvo con un amigo y, con el frotamiento, el cordero desapareció. Cuando se tuvo noticia del regreso del pintor, el amante pintó a toda prisa un carnero con dos cuernos bien hermosos. Llegó el pintor y quiso ver su pintura: «¿Cómo es esto madona o cómo puede estar, que yo pinté un cordero y encuentro este manjar?». Su joven esposa le contestó: «¿Cómo señor? ¿En dos años un cordero no se puede hacer carnero? Habed venido antes y lo hubiéseis encontrado cordero todavía.»

239. Aunque las mujeres no somos buenas para el consejo, algunas veces acertamos.

Santa Teresa de Jesús (1515-1582), escritora mística española.

240. Tengo experiencia de lo que son muchas mujeres juntas. ¡Dios nos libre!

Santa Teresa de Jesús (1515-1582), escritora mística española.

241. La mujer se ruboriza siempre al escuchar lo que, sin embargo, no teme realizar.

Michel Eyquen de Montaigne (1533-1592), escritor francés.

242. No hay mujer tan alta, que no huelgue ser mirada, aunque el hombre sea muy bajo.

Mateo Alemán (1547-1614), escritor español.

243. La cólera de la mujer no tiene límite.

Miguel de Cervantes Saavedra (1547-1616), escritor español.

244. La mujer ha de ser buena y parecerlo, que es más.

Miguel de Cervantes Saavedra (1547-1616), escritor español.

245. No hay carga más pesada que la mujer liviana.

Miguel de Cervantes Saavedra (1547-1616), escritor español.

246. Es de vidrio la mujer
pero no se ha de probar
si se puede o no quebrar,
porque todo podría ser.

Miguel de Cervantes Saavedra (1547-1616), escritor español.

Pertenecen estos versos a un pequeño poema incluido en *El curioso impertinente*, una novela cortesana que, a su vez, pertenece a la obra cumbre de la literatura española, *Don Quijote de la Mancha* (I, cap. XXXII). En esta novela, un caballero trata de probar la fidelidad de su amante esposa; para ello utiliza a su amigo, el cual debe tentarla y provocar el adulterio. Aunque el amigo finalmente accede a realizar estas peligrosas comprobaciones, le da muchos argumentos para no llevarlas a cabo. Dice, entre otras cosas: «Mira, amigo, que la mujer es animal imperfecto, y que no se le han de poner embarazos donde tropiece y caiga, sino quitárselos y despejarle el camino de cualquier inconveniente». Le recuerda que es una locura someter a una dama a la tentación del adulterio y que el asunto acabará mal, muy mal. «Hase de guardar y estimar la mujer buena como se guarda y estima un hermoso jardín que está lleno de flores y rosas, cuyo dueño no consiente que nadie le pasee ni manosee». La coplilla completa, que pertenece a esta serie de consejos, es como sigue:

Es de vidrio la mujer,
pero no se ha de probar
si se puede o no quebrar,
porque todo podría ser.
Y es más fácil el quebrarse,
y no es cordura ponerse
a peligro de romperse
lo que no puede soldarse.
Y en esta opinión estén
todos, y en razón la fundo:
que si hay Dánaes en el mundo,
hay lluvias de oro también.

(Cervantes dice haber oído estos versos en una comedia italiana, pero no se ha dado con el original y es probable que el poema sea propio del autor español. Dánae era una mujer a la que su padre encerró en una torre, fue poseída por Júpiter en forma de lluvia de oro.)

247. **Siempre escogen las mujeres aquello que vale menos, porque exceden de mal gusto o cualquier merecimiento.**

Miguel de Cervantes Saavedra (1547-1616), escritor español.

248. **Si la mujer es mala se pasa con perderla; si es buena, con perderla nos aseguramos que no lo dejará de ser.**

Francisco de Quevedo y Villegas (1558-1645), escritor español.

249. **El hombre arruinado lee su condición en los ojos de los demás con tanta rapidez que él mismo siente su caída.**

William Shakespeare (1564-1616), escritor inglés.

250. **La mujer, manjar de dioses, guisada a veces por el diablo.**

William Shakespeare (1564-1616), escritor inglés.

251. **El hombre que tiene lengua no es hombre, si no puede con ella conquistar a una mujer.**

William Shakespeare (1564-1616), escritor inglés.

252. **Porque mujer y callar son dos cosas incompatibles.**

Tirso de Molina (1581-1648), escritor español.

253. **Venciste, mujer. Con no dejarte vencer.**

Pedro Calderón de la Barca (1600-1681), escritor español.

254. **La mujer es un hermoso defecto de la naturaleza.**

John Milton (1608-1674), escritor inglés.

La mujer, como elemento defectuoso de la naturaleza, es una idea que aparece de manera distintiva en el ámbito de las religiones. En las dos grandes religiones monoteístas (el judaísmo y el islam) la mujer es un ser impuro, contiene el germen del mal, de los vicios, y debe ser considerada inferior al hombre en todo. Aunque los Evangelios proponen piedad para las mujeres, lo cierto es que el cristianismo institucional mantuvo vigentes las arcaicas ideas hebreas en este campo. En cualquier caso, la posición de la mujer respecto al hombre, no es una idea original de las religiones, sino del mundo patriarcal antiguo. Aristóteles, en su *De generatione animalium*, señala ya este tópico de la literatura misógina.

255. **Se pueden encontrar mujeres que no hayan tenido ninguna aventura amorosa, pero es muy difícil encontrar mujeres que sólo hayan tenido una.**

François de la Rochefoucauld (1613-1680), escritor moralista francés.

256. **Hay pocas mujeres decentes que no estén cansadas de un oficio.**

François de la Rochefoucauld (1613-1680), escritor moralista francés.

257. **La honestidad de las mujeres es un tesoro oculto que sólo está seguro del todo cuando nadie lo busca.**

François de la Rochefoucauld (1613-1680), escritor moralista francés.

258. **Una mujer se convence mucho mejor de que es amada por lo que adivina que por lo que se le dice.**

Ninon de Lenclos (1616-1705), escritora francesa.

259. **Aunque el hombre y la mujer sean dos mitades, estas dos mitades no son ni pueden ser iguales. Hay una mitad principal y otra mitad subalterna; la primera manda y la segunda obedece.**

Jean-Baptiste Poquelin, Molière (1622-1673), escritor francés.

260. El hombre, por naturaleza, es crédulo, incrédulo, tímido y temerario.

Blaise Pascal (1623-1662), escritor, matemático, físico y filósofo francés.

261. Hay dos clases de hombres: los que piensan y los que se divierten.

Charles Louis de Secondat, barón de Montesquieu (1689-1755), escritor y filósofo francés.

262. Cuando los hombres están reunidos, pierden el sentido de su debilidad.

Charles Louis de Secondat, barón de Montesquieu (1689-1755), escritor y filósofo francés.

263. El primero que comparó la mujer a una flor fue un poeta; el segundo un imbécil.

François Marie Arouet, Voltaire (1694-1778), escritor francés.

264. Una mujer amablemente estúpida es una bendición del cielo.

François Marie Arouet, Voltaire (1694-1778), escritor francés.

265. Las mujeres necias siguen la moda, las pretenciosas la exageran, las de buen gusto, en cambio, pactan con ella.

Emilie Le Tonnelier de Breteuil, Madame de Châtelet (1706-1749), escritora francesa.

266. En la mayoría de los hombres las dificultades son hijas de la pereza.

Samuel Johnson (1709-1784), escritor inglés.

267. El hombre que sabe gastar y ahorrar es el más feliz, porque disfruta de ambas cosas.

Samuel Johnson (1709-1784), escritor inglés.

268. Los grandes hombres no son grandes a todas horas ni en todas las cosas.

Federico II el Grande (1712-1786), emperador de Prusia.

269. Los hombres admiran la virtud femenina, mas es la coquetería la que los subyuga.

Madame d'Arconville (1720-1805), escritora francesa.

270. Las mujeres llaman arrepentimiento al recuerdo de sus faltas, pero sobre todo al sentimiento de no poder cometerlas de nuevo.

Jeanne Antoinette Poisson, Marquesa de Pompadour (1721-1764), dama francesa.

271. El hombre siente celos si ama, la mujer también sin amar.

Immanuel Kant (1724-1804), filósofo alemán.

272. Cuando una mujer tiene miedo de su rival, está perdida.

Marie Jeanne Beau, condesa du Berry (1743-1793), dama francesa.

273. La mujer es la única vasija que aún nos queda donde verter nuestro idealismo.

Antoine de Rivaroli, Rivarol (1753-1821), escritor francés.

274. Nada halaga tanto a una mujer como demostrarle que se la teme.

Benjamin Constant (1767-1830), escritor y político suizo.

275. Las batallas contra las mujeres son las únicas que se ganan huyendo.

Napoleón Bonaparte (1769-1821), emperador francés.

276. El hombre no se destaca en la vida sino dominando un carácter o creándose uno.

Napoleón Bonaparte (1769-1821), emperador francés.

277. Los hombres tienen el poder de elegir; las mujeres, el privilegio de rechazar.

Jane Austen (1775-1817), escritora inglesa.

278. El arte guerrero de las mujeres es tal, que cuando renuncian a la lucha, triunfan.

Ernst Raupack (1784-1852), poeta alemán.

279. Hay que tomar a los hombres como son y a las mujeres como quieren ser.

August Louis Petiet (1784-1858), político francés.

280. «De manera femenina» quiere decir «furiosamente»; pues todas las palabras desmedidas nacen en boca de mujeres.

George Gordon, lord Byron (1788-1824), poeta inglés.

281. Es fácil morir por una mujer; lo difícil es vivir con ella.

George Gordon, lord Byron (1788-1824), poeta inglés.

282. Una mujer bonita siempre es un huésped bienvenido.

George Gordon, lord Byron (1788-1824), poeta inglés.

Lord Byron es considerado universalmente como *el poeta romántico*. Su poesía agresiva, mordaz, libertaria y apasionada cautivó a las damas tanto como su personalidad y su vida aventurera. Atractivo y sugerente, lord Byron se convirtió en un personaje admirado y amado, y en todos los rincones de Europa se conocían más sus andanzas que sus versos. Una escritora inglesa, Caroline Lamb, decía que Byron era un hombre loco, malo y peligroso. Casado con Annabella Milbanke, su matrimonio se deshizo ante la relación incestuosa del poeta con su hermanastra Augusta, la cual hubo de ir tras él durante sus peregrinaciones por Europa. Le abandonó cuando Byron se dio a una vida desenfrenada y excesiva en Italia. Clara Clairmont o Teresa Guiccioli fueron también amantes suyas. Su muerte, cuando pretendía apoyar la causa de la independencia de Grecia, le otorgó una memoria de héroe, aunque no murió en combate sino a causa de unas fiebres. Su mundo poético e intelectual se concentraba, como en todos los románticos, en la tortura de ser una cosa y desear ser otra bien distinta. Sus sentimientos apasionados y torturados pueden verse reflejados en su *Childe Harold* (1811-1822), *El corsario* y *Lara* (1813-1816) o *Don Juan* (1822). De su etapa en Italia es *Manfred*: éste es un ejemplo de su verdadera idea de la mujer, compañera y amante. «Ella se parecía a mí: sus ojos, su pelo, sus gestos, todo, hasta el acento mismo de su voz; se decía que era igual a mí, pero más dulce, más hermosa. Como a mí, le gustaban los paseos y la reflexión solitaria, buscaba el saber oculto y deseaba comprender el mundo; pero no sólo con eso, sino con poderes más amables que los míos: compasión, sonrisas y lágrimas que yo no tenía; ternura que sólo ella sentía; humildad que yo jamás tuve. Sus faltas eran mías, y sus virtudes, suyas. La amé y yo mismo la destruí.»

283. **Cuando una mujer te ha engañado, procura amar inmediatamente a otra.**

Heinrich Heine (1797-1856), poeta alemán.

284. **Quien sabe gobernar una mujer, sabe gobernar un estado.**

Honoré de Balzac (1799-1850), escritor francés.

285. **La mujer es la reina del mundo; pero es la esclava de un deseo.**

Honoré de Balzac (1799-1850), escritor francés.

286. **La mujer comprende al hombre mejor de lo que se comprende el hombre mismo.**

Victor Hugo (1802-1885), escritor francés.

287. **No hay para una mujer nada más odioso que esas caricias que es casi tan ridículo rehusar como aceptar.**

Prosper Mériméé (1803-1870), escritor francés.

288. **Las mujeres desconfían demasiado de los hombres en general y demasiado poco en particular.**

Ralph Waldo Emerson (1803-1882), escritor y político estadounidense.

289. **¡Ay del hombre que quiere actuar sinceramente en el amor!**

Aurore Dupin, George Sand (1804-1876), escritora francesa.

290. **Nada revela tanto el carácter de un hombre como su voz.**

Benjamin Disraeli (1804-1881), político y escritor inglés.

291. **La más importante cosa que las mujeres suelen hacer es acrecentar el orgullo de ser mujer.**

John Stuart Mill (1806-1873), filósofo inglés.

292. **La mujer, en el paraíso, mordió la manzana diez minutos antes que el hombre; y siempre ha mantenido después esos diez minutos de ventaja.**

Alphonse Karr (1808-1890), novelista francés.

293. **Las mujeres tienen el sentimiento de la moda, pero no el sentimiento de lo bello.**

Théophile Gautier (1811-1872), poeta y novelista francés.

294. **Dicen que la mujer es débil. ¡Falso! La mujer es tan fuerte como el hombre, si no más fuerte que él.**

Sören Aabye Kierkegaard (1813-1855), filósofo danés.

295. **Te amé, no te amo ya: piénsalo al menos;**
nunca, si fuese error, la verdad mire.
Que tantos años de amargura llenos
trague el olvido; el corazón respire.

Gertrudis Gómez de Avellaneda (1814-1873), escritora hispano-cubana.

296. **Las mujeres más felices, como las naciones más felices, no tienen historia.**

George Eliot (1819-1880), novelista inglesa.

297. **Un hombre no es solamente lo que está comprendido entre pies y cabeza.**

Walt Whitman (1819-1892), poeta estadounidense.

298. **La mujer es una hechura del hombre. Dios creó la hembra y el hombre hizo de ella la mujer, que es una obra artificiosa, resultado de la civilización.**

Gustave Flaubert (1821-1880), escritor francés.

299. **En toda mujer de letras hay un hombre fracasado.**

Charles Baudelaire (1821-1867), poeta francés.

300. **La mujer sólo el diablo sabe lo que es; yo no lo sé en absoluto.**

Fiodor Mijailovich Dostoievski (1821-1881), escritor ruso.

301. **Se entiende a las mujeres como se entiende el lenguaje de los pájaros, o por intuición o de ninguna manera.**

Henri-Fréderic Amiel (1821-1881), escritor suizo.

302. Las mujeres saben muy bien que lo que llamamos amor sublime y romántico depende, no de sus cualidades morales, sino de su manera de peinarse y del color y corte de sus vestidos.

Leon Tolstoi (1828-1910), escritor ruso.

303. Por muy poderosa que sea el arma de la belleza, desgraciada la mujer que sólo a este recurso debe el triunfo sobre el hombre.

Severo Catalina (1832-1871), escritor español.

304. Todo hombre genial es en cierta medida hombre, mujer y niño al mismo tiempo.

Henry Havelock (1840-1871), escritor inglés.

305. El hombre está hecho para la guerra; la mujer, para solaz del guerrero. Todo lo demás es pura insensatez.

Friedrich Nietzsche (1844-1900), filósofo alemán.

306. Las mujeres aceptan la parte material del hombre con mucha más facilidad que su parte espiritual. Lo que más perjudicó a Petrarca, a los ojos de Laura, fueron sus sonetos.

José María Eça de Queiroz (1845-1900), novelista portugués.

307. Nada hay tan bueno como las mujeres que no se consiguen.

Joris-Karl Huysmans (1848-1907), escritor francés.

308. No hay hombre cultivado, sólo hay hombres que se cultivan.

Ferdinand Foch (1851-1929), militar francés.

309. Las mujeres tienen un modo muy angelical de no darse cuenta de las familiaridades que los hombres se toman con ellas.

Paul Bourget (1852-1935), novelista y crítico francés.

310. Las mujeres están hechas para ser amadas; no para ser comprendidas.

Oscar Wilde (1856-1900), escritor irlandés.

311. Los hombres quieren ser el primer amor de la mujer, las mujeres, más inteligentes, quieren ser el último amor del hombre.

Oscar Wilde (1856-1900), escritor irlandés.

312. Las mujeres nos aman por nuestros defectos; y si tenemos bastantes nos lo perdonan todo, hasta nuestra inteligencia.

Oscar Wilde (1856-1900), escritor irlandés.

313. Las mujeres tienen la mejor parte en la vida; les están prohibidas muchas más cosas que a los hombres.

Oscar Wilde (1856-1900), escritor irlandés.

314. Lo más inaguantable de las mujeres es eso: que nos quieran convertir. Les agrada conocernos malos, y en cuanto nos convierten en buenos nos dejan.

Oscar Wilde (1856-1900), escritor irlandés.

315. Todas las mujeres llegan a ser como sus madres; ésta es la tragedia.

Oscar Wilde (1856-1900), escritor irlandés.

316. Las mujeres nos inspiran el deseo de ejecutar obras maestras, y después nos impiden llevarlas a cabo.

Oscar Wilde (1856-1900), escritor irlandés.

317. Una mujer no siempre es feliz con el hombre que ama; pero siempre es desdichada con el que no ama.

Oscar Wilde (1856-1900), escritor irlandés.

Poeta, novelista y dramaturgo, Oscar Wilde es el prototipo del *dandy* de la sociedad victoriana inglesa en el siglo XIX. Brillante, irónico y mordaz, su ingenio se reproduce en todas las recopilaciones de citas célebres: sus textos son, a veces, sucesiones de frases punzantes, divertidas o ingeniosas. Desde su formación en Oxford pasó a los elegantes salones aristocráticos de Londres, pero de allí fue expulsado por su condición de homosexual, y finalmente se vio reducido a la prisión y a una muerte miserable. Aunque su obra más conocida es la novela titulada *El retrato de Dorian Gray*, su producción dramática se considera el punto culminante de su labor literaria. Destacan *La importancia de llamarse Ernesto* y *La duquesa de Padua*, entre otras.

318. Muchas mujeres coquetean con un hombre porque es inofensivo, y se cansan de él por la misma razón.

George Bernard Shaw (1856-1950), escritor irlandés.

319. Ningún hombre puede enamorarse de una mujer que no le despierte el instinto sexual.

Axel Munthe (1857-1949), médico y escritor sueco.

320. Cerca de una mujer experimento ese placer un poco melancólico que sentimos en un puente viendo correr el agua.

Jules Renard (1864-1910), escritor francés.

321. La mujer tiene un solo camino para superar al hombre: ser cada día más mujer.

Ángel Ganivet (1865-1898), escritor español.

322. Concédame usted también que, en cualquier situación con respecto a ellas, es difícil que el hombre no se acuerde siempre de que es hombre.

Jacinto Benavente (1866-1954), dramaturgo español.

323. Cuando la mujer es poesía, el hombre, por vulgar que sea, es poeta.

Jacinto Benavente (1866-1954), dramaturgo español.

324. La mujer raramente nos perdona ser celosos; pero no nos perdonaría nunca si no lo fuéramos.

Paul-Jean Toulet (1867-1920) escritor francés.

325. La gran fuerza de las mujeres consiste en retrasarse o en estar ausentes.

Émile-Auguste Chartier, Alain (1868-1951), filósofo y escritor francés.

326. El hombre es más interesante que las mujeres, a él y no a ellas hizo Dios a su imagen.

André Gide (1869-1951), escritor francés.

327. El alma femenina es de una simplicidad que los hombres no pueden imaginar. Ellos buscan complicaciones, tropiezan en el vacío y se pierden.

Pierre Louÿs (1870-1929), escritor francés.

328. Es la eterna historia del juguete que los hombres creen recibir y del tesoro que las mujeres creen dar.

Henri Barbusse (1872-1935), novelista francés.

329. Las mujeres se inclinan, por no sé qué tendencia de su espíritu, a ver sólo los defectos en un hombre de talento y las cualidades en un tonto.

Henri Barbusse (1872-1935), novelista francés.

330. Una mujer acaricia a un hombre con sólo acercarse a él siempre que esté sola.

Henri Barbusse (1872-1935), novelista francés.

331. Una mujer puede ser inculta y enormemente agradable, pero un atractivo fuerte no es una cosa ordinaria. La mujer que tiene un encanto así, con saber leer y escribir y las cuatro reglas, le basta y le sobra.

Pío Baroja (1872-1956), escritor español.

332. Al hombre le gusta todavía el misterio y la confusión. La ciudad monstruo, la mujer fatal, son caras ilusiones de su alma.

Pío Baroja (1872-1956), escritor español.

333. Cuando una mujer no tiene dotes de atracción extraordinarias, tiene que defenderse de otras maneras, y si es mediocre y su cultura es también mediocre, no se defiende.

Pío Baroja (1872-1956), escritor español.

334. El hombre moderno es un ser blando, sentimental, lascivo, violento y sin sentido moral, estético ni religioso.

Alexis Carrel (1873-1944), médico y escritor francés.

335. Las mujeres han de recibir una educación superior, no para ser doctoras, abogados o catedráticos, sino para educar a sus hijos a ser seres humanos de calidad superior.

Alexis Carrel (1873-1944), médico y escritor francés.

336. Cuando la mujer ve al hombre amado y éste no advierte su presencia, no piensa «le he visto», sino «no me ha visto».

José Martínez Ruiz, Azorín (1874-1967), escritor español.

337. Hay rostros de mujer que no se pueden pintar porque su belleza está hecha de imponderables.

Maurice Baring (1874-1945), escritor inglés.

338. Tomar una sola mujer es pagar muy barato el privilegio de conocer de cerca a las mujeres.

Gilbert Keith Chesterton (1874-1936), escritor inglés.

339. En todas las leyendas los hombres han encontrado a las mujeres sublimes de una en una, pero insoportables en rebaño.

Gilbert Keith Chesterton (1874-1936), escritor inglés.

340. No hay mujeres feas, sólo perezosas.

Helena Rubinstein (1882-1965), empresaria estadounidense.

341. La personalidad de la mujer es poco personal, o dicho de otra manera, la mujer es más bien un género que un individuo.

José Ortega y Gasset (1883-1955), filósofo español.

342. Cuando una mujer ama a un hombre se le conoce enseguida: no sabe hablar de otra cosa.

Georges Duhamel (1884-1966), escritor francés.

343. La mujer escoge muchas veces al hombre que la ha de escoger a ella.

Paul Le Févre, Paul Geraldy (1885-1954), escritor francés.

344. Mientras el hombre se tortura pensando cuáles serán las reacciones de la mujer amada, ella se tortura pensando cómo es que él tarda tanto en manifestarse.

André Maurois (1885-1967), escritor francés.

345. La mujer exige del hombre ciertas atenciones, y una de las atenciones que exige es que, llegado el caso, se le pierda el respeto.

André Maurois (1885-1967), escritor francés.

346. Dios ha dicho: «Tú, mujer, parirás; tú, hombre, trabajarás.»

Gregorio Marañón (1887-1960), médico y ensayista español.

347. La mujer, por estar profundamente ligada a su feminidad, es poco apta para el papel de confesor, como lo es poco para el papel de juez.

Gregorio Marañón (1887-1960), médico y ensayista español.

348. Una mujer que es amada siempre tiene éxito.

Vicki Baum (1888-1960), escritora austríaca.

349. Hay mujeres que despiertan el deseo en los hombres y otras no. Ésta es la gran diferencia. Y nadie funda sus razones en esto aunque luego sufren las consecuencias.

Charles Morgan (1894-1958), escritor inglés.

350. Cuando discutimos con una mujer bonita no sentimos estar equivocados, sino que lamentamos tener razón.

Marcel Achard (1899-1974), dramaturgo y humorista francés.

351. A las mujeres les seduce que se las seduzca.

Enrique Jardiel Poncela (1901-1952), escritor español.

352. Un hombre que lee, o que piensa, o que calcula, pertenece a la especie y no al sexo.

Marguerite Yourcenar (1903-1987), escritora francesa.

353. El hombre necesita a la mujer; y la máxima sabiduría consiste en contentarse con una sola.

Noel Clarasó (1905-1985), escritor español.

354. El hombre sólo puede hacer dos cosas duraderas con la mujer: o discutir o casarse con ella. Éste es un gran argumento a favor de la discusión.

Noel Clarasó (1905-1985), escritor español.

355. El hombre y la mujer, en sus relaciones mutuas, son dos fenómenos humanos absolutamente distintos.

Anne Morrow Lindbergh (n. 1906), escritora estadounidense.

356. Los hombres no son, tenedlo presente, ni inteligentes ni perfectos.

Gina Kaus (n. 1910), escritora austríaca.

357. **El peor enemigo de las mujeres es su abnegación.**

Betty Friedam (n. 1921), escritora estadounidense.

358. **Cuando se habla de la liberación de la mujer, el hombre dice sí con la cabeza y no con el corazón.**

Nuria Espert (n. 1936), actriz española.

359. **Los hombres y las mujeres se mezclan tan bien como el aceite y el agua. Por eso hay que estar agitando continuamente; si no, se separan.**

Alan Alda (n. 1936), actor y director de cine estadounidense.

360. **La educación actual hace a los hombres inútiles.**

Cristina Almeida Castro (n. 1948), política española.

361. **Los maridos de las diez mujeres mejor vestidas nunca aparecen en la lista de los diez hombres mejor vestidos.**

Roy Detinger, periodista estadounidense.

DE LA VIDA Y DE LA MUERTE

Ayer se fue; mañana no ha llegado;
hoy se está yendo sin parar un punto;
soy un fue, y un será, y un es cansado.
En el hoy y mañana y ayer, junto
pañales y mortaja, y he quedado
presentes sucesiones de difunto.

En estos términos concluye Francisco de Quevedo uno de sus más famosos sonetos sobre la brevedad de la vida.

La preocupación del hombre por la existencia ha sido un tema recurrente en novelas, en poesías o en ensayos. Su percepción de la vida nace, en primer término, de su conciencia de contar con una existencia breve y penosa. La mitología o las religiones establecían sistemas para proporcionar esperanza en una vida más allá de la muerte, de acuerdo con los actos en la vida terrenal. De aquí nace la moralidad religiosa: un hombre bueno obtiene el premio, un hombre malo, el castigo. Otra categoría de pensamiento sugería que todo cuanto hay para el ser humano está aquí, en este mundo, y que todo comienza y acaba en la tierra. Existen muchas variantes de estas dos categorías: paganos, deístas, panteístas, ateos, agnósticos, etc.

En combinación con estos sistemas, el hombre ha diseñado también modos de enfrentarse a la vida: en términos generales, se establecen dos modalidades: primera, el *estoicismo*, la vida debe emplearse moralmente, la vida es larga si se utiliza bien, el amor al prójimo y la fe en la Providencia ofrecen una recompensa en la otra vida. Segunda, *epicureísmo*: la vida es corta, se debe disfrutar de todos los placeres que ofrece, *Carpe diem* («Vive tus días»), irresponsabilidad moral del hombre. Entre estas dos sugerencias existen también muchísimas otras variantes y combinaciones: cada época, y casi cada hombre, ha tenido su particular percepción de la vida y de la muerte, y, al parecer, ninguna de las modalidades propuestas ha resultado ni mejor ni peor que otra cualquiera. Un moderno poeta argentino suele repetir: «La vida es una gran sala de espera, la otra es una caja de madera.»

362. **Quien nace mortal, camina hacia la muerte.**

Calino de Éfeso (siglo VII a. C.), orador y poeta lírico griego.

363. **Nada perece en el universo, cuanto en él acontece no pasa de meras transformaciones.**

Pitágoras de Samos (582-497 a. C.), filósofo y escultor griego.

Pitágoras no se refiere en esta ocasión al hecho de la muerte del hombre, sino que aborda más bien los cambios y mutaciones que se producen en la naturaleza, los cuales hacen pensar al hombre en conceptos como «creación» y «destrucción». La sentencia de Pitágoras se ha modificado habitualmente para convertirla en una frase más simple: «Nada se crea ni se destruye, sólo se transforma». Aunque las opiniones varían según los autores, en general, los griegos pensaban que todo cuanto existía en la Naturaleza se componía de cuatro elementos: el aire, el agua, la tierra y el fuego, los cuales, combinados en distintos grados formaban los objetos, los animales o las plantas. Ellos solían utilizar el ejemplo de la madera: cuando un tronco se quema, el tronco no desaparece, sino que se ha transformado y ha variado su composición, convirtiéndose en aire, en fuego, en ceniza, etc.

Para la idea moral de la muerte, los antiguos griegos tenían el recurso de la mitología. ¿Dónde van los hombres cuando mueren? ¿Dónde queda su espíritu? Existen numerosas variantes que resuelven estas preguntas. La más común atribuye a Hades, un dios oscuro y tenebroso, el reino de los muertos y de los infiernos. Por extensión se suele llamar Hades también al mismo Infierno. Algunos autores señalan que, para llegar al reino de los muertos, era necesario cruzar la laguna Estigia. En la orilla esperaba un barquero, llamado Caronte, el cual trasladaba a los vivos al otro lado. A la puerta del reino de los muertos había un perro monstruoso, llamado Cerbero, que vigilaba las puertas: ningún vivo podía entrar allí, y ningún muerto podría salir de aquel recinto. El pensamiento mitológico griego, en fin, establece una complicada red de símbolos para reflejar las evidencias del mundo natural y para tratar de comprender un suceso biológico angustioso.

364. Diferentes en la vida, los hombres son semejantes en la muerte.

Lao Tse (h. 565 a. C.), filósofo chino, fundador del Taoísmo.

365. Si no conocemos todavía la vida, ¿cómo puede ser posible conocer la muerte?

Confucio (h. 551-h. 479 a. C.), filósofo chino.

366. Ningún mortal atraviesa intacto su vida sin pegar.

Esquilo de Eleusis (525-456 a. C.), poeta trágico griego.

367. La más dulce vida consiste en no saber nada.

Sófocles (495-406 a. C.), poeta trágico griego.

368. Vida sin fiestas es como largo camino sin posadas.

Demócrito de Abdera (h. 460-361 a. C.), filósofo griego.

369. Tales decía que no existía diferencia entre la vida y la muerte. «¿Por qué no mueres entonces?», le preguntaron. «Porque no hay diferencia alguna», repuso.

Diógenes Laercio (primera mitad del siglo III a. C.), historiador de la filosofía griego.

370. La vida de los muertos está en la memoria de los vivos.

Marco Tulio Cicerón (106-43 a. C.), político, orador, filósofo y literato romano.

371. No quiero morir, aunque en realidad el estar muerto me parece indiferente.

Marco Tulio Cicerón (106-43 a. C.), político, orador, filósofo y literato romano.

372. Nada es más fácil que censurar a los muertos.

Julio César (100-44 a. C.), emperador romano.

373. El hombre muere tantas veces como pierde a cada uno de los suyos.

Publio Siro (siglo I a.C.), poeta mímico latino.

374. ¿Por qué no salir de esta vida como de un banquete el convidado harto?

Tito Cayo Lucrecio (h. 98-55 a. C.), poeta latino.

375. Un día empuja al otro y las lunas nuevas corren hacia la muerte.

Horacio (65-8 a. C.), poeta latino.

376. ¡Sorpréndame la muerte en medio de mi trabajo!

Publio Nasón Ovidio (43 a. C.-17), poeta latino.

377. Vivir es luchar.

Lucio Anneo Séneca (4 a. C.-65), escritor y filósofo romano.

378. Después de la muerte no hay nada y la misma muerte no es nada.

Lucio Anneo Séneca (4 a. C.-65), escritor y filósofo romano.

379. El mejor tiempo para morir es en plena prosperidad.

Lucio Anneo Séneca (4 a. C.-65), escritor y filósofo romano.

380. Aquel que tú lloras por muerto, no ha hecho más que precederte.

Lucio Anneo Séneca (4 a. C.-65), escritor y filósofo romano.

381. La muerte no es en bien ni en mal, porque para ser bien o mal es indispensable ser algo.

Lucio Anneo Séneca (4 a. C.-65), escritor y filósofo romano.

382. La vida es como una escuela de gladiadores: convivir y pelear.

Lucio Anneo Séneca (4 a. C.-65), escritor y filósofo romano.

383. La vida es un asunto de guerra.

Lucio Anneo Séneca (4 a. C.-65), escritor y filósofo romano.

384. La vida es corta; pero a juzgar por la obra de los que han sabido trabajar bien, es larga.

Lucio Anneo Séneca (4 a. C.-65), escritor y filósofo romano.

385. Morir más temparno o más tarde es cosa de poca importancia; lo que importa es morir bien o mal. Morir bien, por otra parte, es huir del peligro de vivir mal.

Lucio Anneo Séneca (4 a. C.-65), escritor y filósofo romano.

Esta cita y algunas otras de las anteriores pertenecen al más famoso de los tratados de Séneca, *De vita brevis*, (*De la brevedad de la vida*). En este ensayo Séneca se dirige a su suegro, Pompeyo Paulino, y le sugiere dejar los agobiantes asuntos públicos para dedicar el tiempo a la reflexión, al estudio de sí mismo. Los filósofos griegos y romanos se preguntaban con angustia cuál era la razón de la vida, y por qué resultaba tan breve y vacía. Una de las soluciones filosóficas más admitidas era la que proporcionó el alegre Epicuro de Samos (341-270 a.C.), filósofo griego. Éste proponía vivir intensamente cada segundo de la existencia, sin ocuparse de lo que sucediera tras la muerte. Séneca no era de esta opinión: Séneca sugería conocer bien nuestros sentimientos morales, conocer el bien y el mal, conocer los verdaderos valores: la dignidad humana. Sólo una vida interior plena y dichosa puede hacer feliz la existencia, dice el filósofo cordobés. Se le considera el principal representante del *estoicismo*, precisamente por desvincularse del mundo exterior y atender sólo a los verdaderos conocimientos del espíritu.

386. **Una bella muerte llena toda una vida de honor.**

Tácito (h. 54-57-h. 125), historiador y orador latino.

387. **Por buena tiene esta vida quien no la conoce.**

Tácito (h. 54-57-h. 125), historiador y orador latino.

388. **Cuando llegue mi hora de morir, moriré; pero sabré dar la vida como un hombre que no le duele devolver el préstamo que se le ha hecho.**

Epicteto de Frigia (h. 50-h.120), filósofo latino.

389. **El pensamiento de la muerte te libraría de toda idea baja y servil y de desear nada con pasión desmedida.**

Epicteto de Frigia (h. 50-h.120), filósofo latino.

390. **¿No sabes que la fuente de todas las miserias, para el hombre, no es la muerte, sino el miedo a la muerte?**

Epicteto de Frigia (h. 50-h.120), filósofo latino.

391. **Más triste que la muerte es la manera de morir.**

Marco Valerio Marcial (h. 40-h. 104), poeta satírico latino.

392. **Acepta la muerte de buen grado, ya que forma parte de lo establecido por la naturaleza.**

Marco Aurelio (121-180), emperador romano.

393. **¿Qué otra cosa es una larga vida sino un largo tormento?**

San Agustín (354-430), teólogo y Padre de la Iglesia.

394. **La vida feliz no puede ser otra que la eterna, donde no hay muchos días felices, sino uno solo.**

San Agustín (354-430), teólogo y Padre de la Iglesia.

395. **La vida es un viaje durante la noche.**

Panchatantra (siglo V), recopilación de fábulas hindúes.

396. **¡La vida pasa, rápida caravana! Detén tu montura y procura ser feliz.**

Omar Khayyam (1022-1123), poeta y astrónomo persa.

397. **Muera mi alma la muerte de los filósofos.**

Averroes (1126-1198), filósofo, astrónomo y escritor jurisconsulto árabe.

398. **Partimos cuando nacemos,**
andamos mientras vivimos,
y llegamos
al tiempo que fenecemos;
así que cuando morimos
descansamos.

Jorge Manrique (1440-1479), poeta español.

Pertenecen estos versos a las *Coplas* (1476) que Jorge Manrique hizo con motivo de la muerte de su padre, don Rodrigo Manrique. En esta obra inmortal, Manrique aborda la muerte desde distintas perspectivas: examina, en primer lugar, la brevedad de la vida; después pregunta dónde están los hombres famosos de la Historia; y concluye con una reflexión sobre la inmortalidad. El poeta sugiere que no hay mejor fama que la que los hombres dejan en los corazones de otros hombres, ni más inmortalidad que la que el cristianismo propone.

En la Edad Media eran muy populares las creaciones en torno al tema de la muerte. Esta obsesión se debía a las grandes calamidades que asolaron Europa: guerras, pestes, hambrunas, etc. En general, la poesía enseñaba la igualdad de los hombres en este apartado, independientemente de su clase social, de su riqueza o de su oficio. En castellano, la más popular es la *Danza de la Muerte*, del siglo XV, en la cual la Parca va llamando a reyes, cardenales, caballeros y labradores, sin hacer distinción alguna. En el siglo XVI se escribieron otras obras con el mismo contenido: *La trilogía de las Barcas*, de Gil Vicente, *Las cortes de la Muerte* o *Coloquio de la muerte con todas las edades y estados*, de Sebastián de Horozco, entre otras.

399. **Así como una jornada bien empleada produce un dulce sueño, así una vida bien usada causa una dulce muerte.**

Leonardo da Vinci (1452-1519), humanista italiano.

400. **El que no valora la vida no se la merece.**

Leonardo da Vinci (1452-1519), humanista italiano.

401. **En la vida, sólo hay dos partidos entre los que es preciso escoger: venderse o entregarse.**

Antoine François Rondelet (1507-1566), filósofo y economista francés.

402. **Una mala noche, en una mala posada.**

Santa Teresa de Jesús (1515-1582), escritora mística española.

403. **Morir joven... ¡lo más tarde posible!**

Pernette de Guillet (1520-1545), poetisa francesa.

404. **Bien predica quien bien vive.**

Miguel de Cervantes Saavedra (1547-1616), escritor español.

405. **El vivir es caballo desbocado que corre por fuera del camino, y el morir, reventar el caballo descansado y despeñarse de furioso.**

Juan Rufo (1547-1620), poeta español.

406. **La vida no es otra cosa sino un estudio del bien o mal morir.**

Juan Rufo (1547-1620), poeta español.

407. **Todo el tiempo que vivimos hacia el mar caminamos;**

rodeando si velamos;
y atajando si dormimos.

Juan Rufo (1547-1620), poeta español.

408. Viviendo todo falta, muriendo todo sobra.

Félix Lope de Vega y Carpio (1562-1635), escritor español.

409. Ninguno imaginó tan breve la vida, que pensase morir el día que lo estaba imaginando.

Félix Lope de Vega y Carpio (1562-1635), escritor español.

410. La vida es como un cuento relatado por un idiota; un cuento lleno de palabrería y frenesí, sin sentido alguno.

William Shakespeare (1564-1616), escritor inglés.

411. La vida puede prolongarse con la medicina; pero la muerte se adueñará también del médico.

William Shakespeare (1564-1616), escritor inglés.

412. La vida es un perpetuo movimiento que, sino puede progresar en línea recta, lo hace circularmente.

Thomas Hobbes (1588-1679), filósofo inglés.

413. Nací sin saber por qué. He vivido sin saber cómo. Y muero sin saber cómo ni por qué.

Pierre Gassendi (1592-1655), filósofo francés.

414. La muerte es el remedio de todos los males; pero no debemos echar mano de este remedio hasta última hora.

Jean-Baptiste Poquelin, Molière (1622-1673), escritor francés.

415. La muerte no llega nada más que una vez, pero se hace sentir en todos los momentos de la vida.

Jean de la Bruyère (1645-1696), escritor francés.

416. Sólo morimos una vez; pero la muerte se deja sentir a lo largo de toda nuestra vida.

Jean de la Bruyère (1645-1696), escritor francés.

417. En verdad que el hombre no es más que una sombra, y la vida, un sueño.

Joseph Addison (1672-1719), político y escritor inglés.

418. Todos los hombres creen que todos son mortales, excepto ellos mismos.

Edward Young (1683-1765), poeta inglés.

419. Cada noche morimos; cada día nacemos de nuevo, cada día es una vida.

Edward Young (1683-1765), poeta inglés.

420. Nuestra vida no es sino una cadena de muchas muertes.

Edward Young (1683-1765), poeta inglés.

Las tres citas corresponden a uno de los libros más influyentes en los comienzos del romanticismo europeo. El libro es conocido como *Night Thoughts* (Pensamientos nocturnos), (1742-1744), aunque su título completo podría traducirse como *Lamentaciones y pensamientos nocturnos sobre la vida, la muerte y la inmortalidad.* En su viaje por Europa, el doctor Young sufrió un desgraciado revés: su esposa murió, y al poco también falleció su hija. La popularidad de las *Noches* de Young, y su lúgubre argumento, fomentaron terribles leyendas, en las que se hablaba de desenterramientos, profanaciones y otras mil peripecias tétricas. En España fueron traducidas y comentadas en varias ocasiones y se debe a José Cadalso (1741-1782) una de las piezas literarias más extravagantes del siglo XVIII, *Noches lúgubres*, en la cual aborda el mismo tema que Young. A Cadalso se le aplicaron las mismas leyendas y se decía que había pretendido desenterrar a su amada, llevársela a su domicilio y pegar fuego a la vivienda. Algunos eruditos consideran a este autor el primer romántico español.

421. Dormía y soñé que la vida era bella; desperté y advertí entonces que la vida es deber.

Immanuel Kant (1724-1804), filósofo alemán.

422. Para vivir existen tres métodos: mendigar, robar o realizar algo.

Honoré Gabriel Riqueti, conde de Mirabeau (1749-1791), político francés.

423. **A bien con las mujeres, y a puñetazos con los hombres y con más crédito que capital así va el hombre por el mundo.**
Johann Wolfang von Goethe (1749-1832), escritor alemán.

424. **Amigo mío, todas las teorías son grises; solamente está lozano el árbol dorado de la vida.**
Johann Wolfang von Goethe (1749-1832), escritor alemán.

425. **Todo nace y pasa según la ley; mas sobre la vida del hombre, este precioso tesoro, impera una suerte inestable.**
Johann Wolfang von Goethe (1749-1832), escritor alemán.

426. **Una vida inútil equivale a una muerte prematura.**
Johann Wolfang von Goethe (1749-1832), escritor alemán.

427. **Quien no teme a la muerte, ¿qué puede temer?**
Friedrich von Schiller (1759-1805), escritor e historiador alemán.

428. **Es bueno abrir alguna vez las tumbas para conversar con los muertos.**
Napoleón Bonaparte (1769-1821), emperador francés.

429. **La vida no debe de ser una novela que se nos impone, sino una novela que inventamos.**
Friedrich von Hardenberg, Novalis (1772-1801), poeta alemán.

430. **Vivir en los corazones que dejamos tras nosotros, es no morir.**
Thomas Campbell (1777-1844), poeta, biógrafo e historiador escocés.

431. **En el fondo, en la vida no hay más que lo que en ella metemos.**
Madame de Swetchine, Sophie Soynonov (1782-1857), escritora francesa.

432. **Hay algo que jamás alabamos en los muertos, y es la causa de todas las demás alabanzas que hacemos de ellos; el que estén muertos.**
Henry Beyle, Stendhal (1783-1842), escritor francés.

433. **La vida es una guerra sin tregua y morimos con las armas en la mano.**
Arthur Schopenhauer (1788-1860), filósofo alemán.

434. No te aflijas si la vida no ha coronado todas tus esperanzas: piensa para consolarte que tampoco ha justificado tus temores.

Johann Ruckert (1788-1866), escritor alemán.

435. La Humanidad está compuesta por muchos más muertos que vivos.

Auguste Comte (1789-1857), pensador francés.

436. Los muertos gobiernan a los vivos.

Auguste Comte (1789-1857), pensador francés.

437. La vida es un misterio y no un delirio.

Alphonse de Lamartine (1790-1869), historiador, político y poeta francés.

438. La vida es un espectro que se mueve en un mundo de espectros.

Thomas Carlyle (1795-1881), filósofo, crítico e historiador inglés.

439. ¿Qué es la vida humana en este mundo inconstante? Nada más que un instante.

Adam Mickiewicz (1798-1855), escritor polaco.

440. No te apures por tu desaparición, porque tú nunca has sido tú, que yo sepa. ¿Crees que será un gran cambio para ti morir de una vez?

Honoré de Balzac (1799-1850), escritor francés.

441. La vida es un viaje, la idea es el itinerario.

Victor Hugo (1802-1885), escritor francés.

442. La vida es fascinante: sólo hay que mirarla a través de las gafas correctas.

Alejandro Dumas (1803-1870), escritor francés.

443. La vida de cada hombre es un cuento de hadas escrito por la mano del señor.

Hans Christian Andersen (1805-1875), escritor danés.

444. Nacer no es sólo comenzar a morir.

Théophile Gautier (1811-1872), poeta y novelista francés.

445. A más de uno que dice que la vida es breve le parece el día demasiado largo.

Christian Friedrich Hebbel (1813-1863), escritor alemán.

446. Nadie está graduado en el arte de la vida mientras no haya sido tentado.

George Eliot (1819-1880), escritora inglesa.

447. ¡Qué difícil es vivir, oh fatigado corazón mío!

Henri-Frédéric Amiel (1821-1881), escritor suizo.

448. Cuando la vida deja de presentarse como una promesa, no por eso deja de ser todavía una tarea.

Henri-Frédéric Amiel (1821-1881), escritor suizo.

449. La vida es un aprendizaje de renunciamiento progresivo, de continua limitación de nuestras pretensiones, de nuestras esperanzas, de nuestras fuerzas, de nuestra libertad.

Henri-Frédéric Amiel (1821-1881), escritor suizo.

450. La vida es un tejido de costumbres. Pero no es un error invocar la costumbre como defensa de nuestra conducta, pues casi siempre la costumbre se apoya en alguna buena razón.

Henri-Frédéric Amiel (1821-1881), escritor suizo.

451. La vida es un hospital en el que cada enfermo quiere cambiar de lecho.

Charles Baudelaire (1821-1867), poeta francés.

452. La vida debe ser una continua educación.

Gustave Flaubert (1821-1881), escritor francés.

453. Todo termina para que todo vuelva a empezar, todo muere para que todo reviva.

Jean Henri Casimir Fabre (1823-1915), entomólogo y escritor francés.

454. La vida es una escuela de probabilidades.

Walter Bagehot (1826-1877), economista, periodista y crítico literario inglés.

455. ¡Dios mío, qué solos
se quedan los muertos!

Gustavo Adolfo Bécquer (1836-1870), poeta español.

456. La vida consiste no en tener buenas cartas, sino en jugar bien
las que uno tiene.

Josh Billings (1842-1914), humanista estadounidense.

457. Morir es tan sencillo y tan aceptable como nacer.

Anatole France (1844-1924), escritor francés.

458. Tengo en la boca el gusto de la muerte, que no se puede definir.

Anatole France (1844-1924), escritor francés.

459. La vida resulta deliciosa, horrible, encantadora, espantosa, dulce,
amarga; y para nosotros lo es todo.

Anatole France (1844-1924), escritor francés.

460. Cansado de vivir con miedo a la muerte,
mi alma está dispuesta a todos los naufragios,
como un esquife, juguete de la mar.

Paul Verlaine (1844-1896), poeta francés.

461. En el viaje a través de la vida no existen los caminos llanos; todo
son subidas o bajadas.

Arturo Graf (1848-1913), escritor italiano.

462. La vida es un negocio en el que no se obtiene una ganancia que
no vaya acompañada de una pérdida.

Arturo Graf (1848-1913), escritor italiano.

463. No se puede tener otra tarea en cuanto a la vida que
la de conservarla hasta morir.

Johann August Strindberg (1849-1912), escritor sueco.

464. Cuando hayamos descubierto las leyes que rigen la vida, nos
daremos cuenta de que el hombre de acción se ilusiona más que
el soñador.

Oscar Wilde (1854-1900), escritor irlandés.

465. He sido un hombre afortunado en la vida: nada me fue fácil.

Sigmund Freud (1856-1939), médico austríaco.

466. La vida nos ha hecho sentir mutuamente su dura severidad. Este pensamiento será nuestro consuelo, como un niño mimado con el que podremos jugar.

Selma Lagerlof (1858-1940), escritora sueca.

467. Cuando mi voz calle con la muerte, mi canción te seguirá cantando con su corazón vivo.

Rabindranath Tagore (1861-1941), filósofo y escritor hindú.

468. La vida es sencilla. Todas las cosas acaban por descomponerse cuando se pierde la noción de la sencillez fundamental.

Rabindranath Tagore (1861-1941), filósofo y escritor hindú.

469. La vida no es más que la continua maravilla de existir.

Rabindranath Tagore (1861-1941), filósofo y escritor hindú.

470. La vida se nos da, y la merecemos dándola.

Rabindranath Tagore (1861-1941), filósofo y escritor hindú.

471. La muerte es de la vida igual que el nacer; como el andar está lo mismo en el alzar el pie, que en volverlo a la tierra.

Rabindranath Tagore (1861-1941), filósofo y escritor hindú.

472. La vida es la constante sorpresa de ver que existo.

Rabindranath Tagore (1861-1941), filósofo y escritor hindú.

473. Sólo a los muertos nos atrevemos a decir la verdad, porque sabemos que ya la conocen mejor que nosotros.

Maurice Maeterlinck (1862-1949), escritor belga.

474. Para un hombre que ha cumplido sus deberes naturales, la muerte es tan natural y bienvenida como el sueño.

George Santayana (1863-1952), filósofo estadounidense.

475. Morir es algo espantoso, del mismo modo que nacer es algo ridículo.

George Santayana (1863-1952), filósofo estadounidense.

476. No hay remedio ni para el nacimiento ni para la muerte. Lo único que nos resta es poder aprovechar el intervalo.

George Santayana (1863-1952), filósofo estadounidense.

477. La vida no se ha hecho para comprenderla, sino para vivirla.

George Santayana (1863-1952), filósofo estadounidense.

478. ¿Quién ha dicho que la vida es un sueño? La vida es un juego.

Gabriele D'Annunzio (1863-1938), escritor italiano.

479. La vida es una sonrisa; el amor es un rayo fecundo.

Gabriele D'Annunzio (1863-1938), escritor italiano.

480. El procedimiento más seguro de hacernos más agradable la vida es hacerla agradable a los demás.

Albert Guinon (1863-1923), periodista y comediógrafo francés.

481. La página abierta de la vida es hermosa; pero es más bella todavía la página sellada.

Alfredo Panzini (1863-1939), escritor italiano.

482. La vida no es sueño. El más vigoroso tacto espiritual es la necesidad de persistencia en una forma u otra. El anhelo de extenderse en tiempo y en espacio.

Miguel de Unamuno (1864-1936), escritor español.

Miguel de Unamuno desestima aquí una proposición famosa, elaborada en castellano por el dramaturgo barroco Pedro Calderón de la Barca (1600-1681). Una de las obras más conocidas de este dramaturgo es, precisamente, *La vida es sueño* (1635). En ella, el infeliz Segismundo es sometido a todos los vaivenes de la fortuna, de modo que le resulta imposible distinguir el sueño de la realidad. En Calderón la vida consiste en un problema moral: teniendo en cuenta la seguridad de una vida espiritual tras la muerte, conviene ser bueno: «Mas sea verdad o sueño / obrar bien es lo que importa: / si fuera verdad, por serlo; / si no, por ganar amigos / para cuando despertemos». En Unamuno, en cambio, lo más importante es la trascendencia de nuestra propia vida: solía decir y escribir que sólo existe una forma de existencia verdadera, aquella que nos hace inmortales. En términos simples, Unamuno sugería que ha de dedicarse la vida a dejar memoria de nuestros actos, de este modo jamás pereceremos.

483. La vida no merece que uno se preocupe tanto.

Marie Curie (1867-1934), científica polaca.

484. La vida está llena de una infinidad de absurdos que ni siquera necesitan parecer verosímiles porque son verdaderos.

Luigi Pirandello (1867-1936), escritor italiano.

485. El nacimiento y la muerte no son dos estados distintos, sino dos aspectos del mismo estado.

Mahatma Gandhi (1869-1948), líder pacifista hindú.

486. La muerte es alguien que se retira de sí mismo y vuelve a nosotros. No hay más muertos que los llevados por los vivos.

Pío Baroja (1872-1956), escritor español.

487. Los muertos tienen muy pocas probabilidades cuando han de competir con los vivos. ·

Maurice Baring (1874-1945), escritor inglés.

488. Después de todo puedo vencer al diablo porque soy más que él. Soy un hombre y puedo hacer algo que le es imposible hacer a Satanás: morir.

Gilbert Keith Chesterton (1874-1936), escritor inglés.

489. Sólo los artistas y los niños ven la vida tal como es.

Hugo von Hoffmannsthal (1874-1929), dramaturgo austríaco.

490. Sólo el amor y el arte hacen tolerable la existencia.

William Somerset Maugham (1874-1965), escritor inglés.

491. Ninguna vida acaba aquí su obra. Solamente la acorta.

Niceto Alcalá Zamora (1877-1949), político español.

492. Dejar a otro mis cosas cuando me muera me parece que es prostituirlas. Prefiero quemarlas o dejarlas a los pobres, a una comunidad, a muchos; así la prostitución, más diluida, no es tan marcada.

Edmund Jaloux (1878-1949), novelista francés.

493. Si una idea no endulza y aligera la vida, la vida es inútil y peligrosa.

Edmund Jaloux (1878-1949), novelista francés.

494. Lo que vive es siempre hostil a lo que está muriendo.

Alexander Blok (1880-1921), poeta simbolista ruso.

495. Al miedo de la muerte le llama «el temor blanco» que le acomete durante la noche. Dice: «Parece que mi ser se va a romper en trozos sin acabar de romperse jamás.»

Stefan Zweig (1881-1942), novelista austríaco.

496. Hay una muerte antes de expirar y una vida más allá de la existencia. La muerte no señala el límite de la vida, sino sólo señala el término del efecto; vivir es crear.

Stefan Zweig (1881-1942), novelista austríaco.

497. La existencia es esfuerzo, es deseo, es dolor.

Giovanni Papini (1881-1956), escritor italiano.

498. Ante el cadáver de una persona que se ha amado, uno se siente siempre culpable. El sentimiento de la propia inocencia se tambalea y se desvanece.

René Henri Lenormand (1882-1951), dramaturgo francés.

499. La vida es sueño; el despertar es lo que nos mata.

Virginia Woolf (1882-1941), escritora inglesa.

500. Algunas personas enfocan su vida de modo que viven con entremeses y guarniciones. El plato principal nunca lo conocen.

José Ortega y Gasset (1883-1955), filósofo y escritor español.

501. Hasta que no hayas sido olvidado del todo, no habrás terminado con la tierra. ¡Morir no basta!

Henri Mondor (1885-1962), cirujano y escritor francés.

502. Me anuncian la muerte de uno cuya presencia no me entusiasmaba y pienso: «Yo no pedía tanto.»

Alexandre Pierre Georges Sacha Guitry (1885-1957), dramaturgo y actor ruso.

503. Vida: conjunto de pequeños dramas que todos juntos no constituyen más que una comedia.

Alexandre Pierre Georges Sacha Guitry (1885-1957), dramaturgo y actor ruso.

504. Ella se curaría si él muriera. Sólo la muerte corta todos los caminos de la esperanza y deja una única salida al que sobrevive: el olvido.

François Mauriac (1885-1970), poeta francés.

505. Una vida grande nace del encuentro de un gran carácter y una gran casualidad.

André Maurois (1885-1967), escritor francés.

506. La vida es un juego del que nadie puede en un momento retirarse, llevándose las ganancias.

André Maurois (1885-1967), escritor francés.

507. La vida es poca cosa, escribe Voltaire a la señora de Deffaud; gozad de ella mientras esperáis la muerte, que no es nada.

André Maurois (1885-1967), escritor francés.

508. La vida es una lucha contra el tiempo.

André Maurois (1885-1967), escritor francés.

509. La vida es nueva cada día.

Gregorio Marañón (1887-1960), médico y escritor español.

510. Una dulce y triunfante libertad se apodera de aquellos que saben que van a morir pronto.

Vicki Baum (1888-1960), escritora austríaca.

511. La vida no es gran cosa. He sido feliz. Sí, bueno; he sido feliz algunas veces. Nunca durante mucho tiempo.

Vicki Baum (1888-1960), escritora austríaca.

512. La vida es sólo instantes. ¡Unos instantes...!

Benjamín Jarnés (1888-1935), escritor español.

513. Con tal de que la vida no me canse, quiero que la vida fluya en mí, con tal que yo no cambie.

Fernando Pessoa (1888-1935), poeta portugués.

514. Luchar para vivir la vida, para sufrirla, para gozarla. La vida es una cosa bella y magnífica. La vida es maravillosa, si no se le tiene miedo.

Charles Chaplin (1889-1977), actor y director de cine inglés.

515. La vida no es significado, la vida es deseo.

Charles Chaplin (1889-1977), actor y director de cine inglés.

516. Todos somos aficionados. La vida es tan corta que no da para más.

Charles Chaplin (1889-1977), actor y director de cine inglés.

517. Hay una cosa tan inevitable como la muerte: la vida.

Charles Chaplin (1889-1977), actor y director de cine inglés.

518. Los ojos de los muertos se cierran cuidadosamente, con no menos cautela deberíamos abrir los ojos de los vivos.

Jean Cocteau (1889-1963), escritor francés.

519. Lo que pensamos de la muerte sólo tiene importancia por lo que la muerte nos hace pensar de la vida.

Charles de Gaulle (1890-1970), militar y estadista francés.

520. Si amas la vida, ella te corresponderá.

Arthur Rubinstein (1890-1957), pianista polaco.

521. Cuando muera quiero que me incineren y que el diez por ciento de mis cenizas sean vertidas sobre mi empresario.

Groucho Marx (1890-1977), humorista y actor estadounidense.

522. Aprendí... que uno nunca puede marchar hacia atrás, que no debería intentarse siquiera, que la esencia de la vida es ir hacia delante. La vida es, en realidad, una calle de sentido único.

Agatha Christie (1891-1976), novelista inglesa.

523. No vivimos solos. Nadie vive solo. Todos vivimos con los muertos.

Ugo Betti (1892-1953), dramaturgo italiano.

524. Participamos en una tragedia; en una comedia sólo miramos.

Leonard Aldous Huxley (1894-1963), escritor inglés.

525. La muerte, la única cosa más grande que la palabra que la nombra.

Jean Rostand (1894-1977), biólogo y moralista francés.

526. Somos, por naturaleza, tan fútiles, que sólo las distracciones pueden impedirnos verdaderamente morir.

Louis Ferdinand Céline (1894-1961), escritor francés.

527. No hay más que una vida; por la tanto, es perfecta.

Paul Éluard (1895-1952), poeta francés.

528. Mejor morir de pie que vivir de rodillas.

Dolores Ibárruri, la Pasionaria (1895-1989), revolucionaria española.

529. Cuando suceden las cosas sólo puedes vivirlas; si son alegres, procurando abrir los poros para que entren lo más posible; las tristes, sacando la cabeza para que ese trocito de ahí arriba no se ahogue.

Pierre Blanchar (1896-1963), actor francés.

530. Vivir y dejar vivir son soluciones imaginarias. La existencia está en otra parte.

André Breton (1896-1966), poeta francés.

531. El sexo y la muerte... la puerta delantera y la puerta trasera del mundo.

William Faulkner (1897-1962), novelista estadounidense.

532. Te matarán como a un perro. Es una muerte muy bella. Siempre he deseado morir como un perro.

Curzio Malaparte (1898-1957), escritor italiano.

533. **Desechad tristezas y melancolías. La vida es amable, tiene pocos días y tan sólo ahora la hemos de gozar.**

Federico García Lorca (1898-1936), poeta y dramaturgo español.

534. **Como no me he preocupado de nacer, no me preocupo de morir.**

Federico García Lorca (1898-1936), poeta y dramaturgo español.

535. **Nuestra existencia no es más que un cortocircuito de luz entre dos eternidades de oscuridad.**

Vladimir Nabokov (1899-1977), novelista ruso.

536. **La vida es una gran sorpresa. No veo por qué la muerte no podría ser una mayor.**

Vladimir Nabokov (1899-1977), escritor ruso.

537. **La muerte me desgasta, incesante.**

Jorge Luis Borges (1899-1986), escritor argentino.

538. **Nada nos envejece tanto como la muerte de aquellos que conocimos en nuestra infancia.**

Julien Green (1900-1964), escritor francés.

539. **La tragedia de la muerte es que transforma la vida en destino.**

André Malraux (1901-1986), novelista y político francés.

540. **La vida es el conjunto de las fuerzas que se oponen a la muerte.**

André Malraux (1901-1986), novelista y político francés.

541. **Hay hombres ávidos de representar su biografía, como un actor su papel.**

André Malraux (1901-1986), escritor y político francés.

542. **La vida es tan amarga que abre a diario las ganas de comer.**

Enrique Jardiel Poncela (1901-1952), escritor español.

543. **Si muero, no moriré del todo.**

Salvador Dalí (1904-1988), pintor español.

544. **Los mundos nuevos deben ser vividos antes de ser explicados.**
Alejo Carpentier (1904-1980), escritor cubano.

545. **La vida es un naufragio en el que, a última hora, sólo se salva el barco.**
Noel Clarasó (1905-1985), escritor español.

546. **Es curioso que la vida, cuanto más vacía es, más pesa.**
León Dandú (1905-1985), escritor español.

547. **Me he dedicado a investigar la vida y no sé por qué ni para qué existe.**
Severo Ochoa (n. 1905), bioquímico español.

548. **La vida es un pánico en un teatro en llamas.**
Jean Paul Sartre (1905-1980), escritor y filósofo francés.

549. **La vida humana comienza al otro lado de la desesperación.**
Jean Paul Sartre (1905-1980), escritor y filósofo francés.

550. **A una vida de ensueño**
la muerte no puede dañarla.
Manuel Altolaguirre (1905-1959), poeta español.

551. **Todos encontrarían su propia vida mucho más interesante si dejaran de compararla con la de los demás.**
Henry Fonda (1905-1982), actor estadounidense.

552. **La muerte aceptada con resignación no es ningún honor.**
Elías Canetti (1905-1994), escritor búlgaro.

553. **Las palabras de un hombre muerto se modifican en las entrañas de los vivientes.**
Wystan Hugh Auden (1907-1973), poeta inglés.

554. **Al sentido trágico de la vida se le pondrá punto final tan pronto como la economía esté completamente desarrollada, las necesidades de consumo satisfechas y las tensiones de la existencia trivializadas.**
José Luis López Aranguren (n. 1909), filósofo español.

555. **Y la vida es uno mismo, y uno mismo son los otros.**

Juan Carlos Onetti (1909-1994), escritor uruguayo.

556. **La vida que nos toca vivir es absurda, y tan desazonante y presurosa que no nos deja tiempo para estudiar. Es muy posible que dentro de unos años ni siquiera nos deje tiempo para vivir.**

Luis Rosales (1910-1992), poeta español.

557. **Se puede morir tranquilo si uno ha cumplido su vocación.**

Akira Kurosawa (n. 1910), director de cine japonés.

558. **El que ha vivido hasta el extremo del orgullo y la soledad no tiene más que un rival: Dios.**

Émile M. Cioran (n. 1911), ensayista rumano.

559. **La vida, la verdadera vida, empieza cuando uno ha dejado de ser alegre.**

Víctor Ruiz Iriarte (1912-1982), dramaturgo español.

560. **La vida, la vida que ríe y llora todos los días, es una cosa mucho más importante que el propio dolor.**

Víctor Ruiz Iriarte (1912-1982), dramaturgo español.

561. **No hay sólo que integrar. También hay que desintegrar. Esto es la vida. Esto es la filosofía. Esto es la ciencia. Esto es el progreso, la civilización.**

Eugène Ionesco (1912-1976), dramaturgo francés, nacido en Rumanía.

562. **Para los europeos, la vida es una carrera; para los americanos es un azar.**

Mary McCarthy (n. 1912), escritora estadounidense.

563. **Yo sé que la muerte no resuelve nada, que todos los problemas hay que resolverlos de pie.**

Alejandro Casona (1913-1965), autor dramático español.

564. **Vivir es hacer vivir el absurdo. Hacerlo vivir es ante todo mirar. Al contrario de Eurídice, lo absurdo sólo muere al volverse.**

Albert Camus (1913-1960), escritor francés.

565. Me decían que eran necesarios unos muertos para llegar a un mundo donde no se mataría.

Albert Camus (1913-1960), escritor francés.

566. Yo sé que vivo entre dos paréntesis.

Octavio Paz (n. 1914), escritor mexicano.

567. En la vida tenemos la opción de correr junto a la masa o salir huyendo de ella.

Ingrid Bergman (1915-1982), actriz sueca.

568. La vida es como una nuez. No puede cascarse entre almohadones de plumas.

Arthur Miller (n. 1915), dramaturgo estadounidense.

569. A veces es necesario y forzoso que un hombre muera por un pueblo, pero nunca debe un pueblo morir por un solo hombre.

Salvador Espriu (1915-1986), escritor español.

570. Podría pensarse de ella que fuese una muerta sin compañía que iba sola a enterrarse, camino del cementerio.

Camilo José Cela (n. 1916), escritor español.

571. El hombre es la víctima propiciatoria que los dioses ofrecen, un sacrificio, al tiempo insaciable y jamás clemente.

Camilo José Cela (n. 1916), escritor español.

572. Buscar el sentido de la vida es darle significado.

Enrique Solari (n. 1918), escritor peruano.

573. Ser humano exige ver lo perecedero y el mismo perecimiento como elementos de nuestra propia condición.

Enrique Tierno Galván (1918-1986), intelectual y político español.

574. Vivir sin raíces es vivir en el infierno.

Peter Abrams (n. 1919), escritor sudafricano.

575. No hay un final. No existe un principio. Solamente existe una infinita pasión por la vida.

Federico Fellini (n. 1920), director de cine italiano.

576. ¿Cómo compaginar la aniquiladora idea de la muerte con este incontenible afán de vida?

Mario Benedetti (n. 1920), escritor uruguayo.

577. Lo mejor de la vida es el pasado, el presente y el futuro.

Pier Paolo Pasolini (1922-1975), escritor y director de cine italiano.

578. Hay una ley de vida, cruel y exacta, que afirma que uno debe crecer o, en caso contrario, pagar más por seguir siendo el mismo.

Norman Mailer (n. 1923), escritor estadounidense.

579. La vida es como una naranja. Por fuera, bonita. Por dentro, puede resultar ácida, pero nuestra obligación es pelarla y comérnosla.

Alfonso Paso (1926-1978), autor teatral español.

580. Hay dos momentos tristes en la vida: el nacimiento y la muerte. Todo lo demás es rodar por tierra.

Jerry Lewis (n. 1926), actor estadounidense.

581. Los románticos son seres que mueren de deseos de vida.

Francisco Nieva (n. 1927), dramaturgo español.

582. Ni los muertos pueden descansar en paz en un país oprimido.

Fidel Castro (n. 1927), político cubano.

583. Porque eso es la muerte: vivir ese instante dominado tan sólo por ese instante.

Juan Benet (1927-1993), escritor español.

584. No creo en la muerte porque uno no está presente para saber que, en efecto, ha ocurrido.

Andy Warhol (1930-1988), escritor, pintor y crítico estadounidense,

585. No es que tenga miedo a morir. Es tan sólo que no quiero estar allí cuando suceda.

Woody Allen (n. 1935), actor y director de cine estadounidense.

586. **El sentido de la vida está en vivir cada día tal como se presenta.**

Anthony Hopkins (n. 1937), actor galés.

587. **Vamos por este mundo como si tuviéramos uno de repuesto en nuestra maleta.**

Jane Fonda (n. 1937), actriz estadounidense.

588. **Una vez que salgas de la escuela, sólo lo que hagas por ti mismo dará calidad a tu vida.**

Jack Nicholson (n. 1937), actor estadounidense.

589. **La vida es aquello que te va a suceder mientras tú te empeñas en hacer otros planes.**

John Lennon (1940-1980), cantante y compositor inglés.

590. **Dale a la vida prioridad sobre todas las cosas: sobre la tierra, el dinero, las promesas, sobre todas las cosas.**

Joan Baez (n. 1941), cantante estadounidense.

591. **El que no se preocupa de nacer se está ocupando de morir.**

Robert Zimmerman Dylan, Bob Dylan (n. 1941), cantante y compositor estadounidense.

592. **Está muy bien seguir adelante, siempre y cuando puedas regresar.**

Mick P. Jagger (n. 1943), músico y cantante inglés.

593. **La vida es como el café o las castañas en otoño. Siempre huele mejor de lo que sabe.**

Maruja Torres (n. 1943), periodista y escritora española.

594. **Todos hemos venido al mundo de la misma manera, pero nos marchamos de él según hayamos construido nuestras vidas.**

Shirley MacLaine (n. 1944), actriz estadounidense.

595. **La gente se cree que es inmortal, por eso se quedan quietos y se acogen a una rutina, quedándose allí paralizados.**

Félix de Azúa (n. 1945), escritor y filósofo español.

596. **Todos llevamos dentro unas posibles vidas que vivir, y luego nos toca una u otra.**

Carmen Romero (n. 1946), política española.

597. **Las cosas que importan en nuestras vidas suceden en nuestra ausencia.**

Salman Rusdhie (n. 1947), escritor hindú.

598. **No debemos vivir según lo que se espera de nosotros. Hacerlo sería una pequeña muerte diaria.**

Richard Gere (n. 1949), actor estadounidense.

599. **La vida es mucho más pequeña que los sueños.**

Rosa Montero (n. 1951), escritora española.

600. **La vida es una película mal montada.**

Fernando Trueba (n. 1955), director de cine español.

601. **Lo terrible del siglo XX es que el hombre nace con la pregunta de ¿quién soy yo?, y se muere sin haberla contestado.**

Miguel Bosé (n. 1956), cantante español.

602. **La vida hay que vivirla, y no pasarla discutiendo sobre ella.**

Isabelle Adjani (n. 1956), actriz francesa.

603. **La vida humana es demasiado corta para empezar a quitarle cosas. Lo importante es añadirle capítulos.**

Victoria Abril (n. 1960), actriz española.

604. **La vida es como una caja de bombones, nunca sabes qué te va a tocar.**

Tom Hanks, en Forrest Gump *(1994), del director americano Robert Zemmeckis.*

605. **Vivimos con la muerte a cuestas.**

Alejandro Gándara, escritor español contemporáneo.

606. **Todo lo que está sujeto a nacimiento también está sujeto a desaparición.**

Anónimo.

607. ¿Cuándo será el fin del mundo? El día que yo muera.

Anónimo.

608. Los muertos cabalgan aprisa.

Anónimo.

609. Los muertos duermen fuera.

Anónimo.

610. La vida constituye un don de la naturaleza; pero una vida bella es un don de la sabiduría.

Anónimo.

611. La muerte es la mayor patada de todas, por eso se guarda para el final.

Anónimo.

DE LA FELICIDAD Y DE LA DESGRACIA

El objetivo del ser humano parece ser la felicidad. A menudo los autores confunden felicidad con conformismo, con autosuficiencia, con desinterés, con bondad o con otras categorías morales. En otras ocasiones, los sabios consideran la felicidad como un objeto exterior, como objetos que se poseen. En otros casos, se recurre al conocimiento negativo: la felicidad es la ausencia de desgracias.

Para un enamorado, la felicidad consiste en una mirada de su amante. Para un médico, la ausencia de enfermedades. Para un poeta, el verso feliz. Para el guerrero, la victoria. Para en niño, la felicidad representa el chocolate. En fin, cada cual, en sus circunstancias, se estima como feliz de acuerdo con sus deseos o su estado. Por tanto, nada hay tan susceptible de comentarse e indagarse como la felicidad.

A mediados del siglo XVI se publicó en España un librito que ha condicionado toda la literatura posterior: *El Lazarillo de Tormes* (1554). En él, un hombre llamado Lázaro escribe una larga carta a un señor, el la cual narra su vida y justifica su deshonroso estado final. Lázaro, hijo de padres desgraciados y ajusticiados, va a servir de mozo a un ciego: maltratado y apaleado escapa finalmente del ciego y va a parar en un clérigo, el cual lo mataba de hambre. Después estuvo con un escudero miserable, con un fraile y con un buldero. Con todos, no salió del hambre y entró en los golpes. Su situación mejoró mucho cuando logró el oficio de aguador: «Éste fue el primer escalón que yo subí para venir a alcanzar la buena vida». Finalmente llegó a tener el honroso título de pregonero de vinos. El Arcipreste lo casó con una criada, de modo que el Arcipreste pudiera reclamar a la mujer para «hacer la cama». Este estado era para Lázaro la felicidad: «En este tiempo estaba en mi prosperidad y en la cumbre de toda buena fortuna.»

612. La felicidad consiste en saber unir el final con el principio.

Pitágoras de Samos (582-497 a. C.), filósofo y escultor griego.

613. Serás doblemente desgraciado si no sabes sobrellevar tu desgracia.

Bias de Priena (fines del siglo VI-principios del siglo V a. C.), uno de los siete sabios de Grecia.

614. Sólo puede ser feliz siempre el que sepa ser feliz con todo.

Confucio (551-479 a. C.), filósofo chino.

615. Nadie es feliz durante toda su vida.

Eurípides de Salamina (480-406 a. C.), poeta trágico griego.

616. Recordad que el secreto de la felicidad está en la libertad, y el secreto de la libertad, en el coraje.

Tucídides (h. 460-h. 396 a. C.), historiador griego.

617. El ocio del espíritu es una forma de libertad.

Aristóteles (384-322 a. C.), filósofo griego.

618. Bastarse a sí mismo es también una forma de felicidad.

Aristóteles (384-322 a. C.), filósofo griego.

619. La felicidad es al mismo tiempo la mejor, la más noble y la más placentera de todas las cosas.

Aristóteles (384-322 a. C.), filósofo griego.

620. Al hombre le cuesta muy poco esfuerzo atraerse la desgracia.

Menandro de Atenas (h. 343-290 a. C.), dramaturgo griego.

621. El hombre más desgraciado es el que con más ardor desea la felicidad.

Bion de Abdera (h. 300 a. C.), filósofo griego.

622. ¡Qué felices serían los campesinos, si supieran que son felices!

Publio Virgilio Marón (70-19 a. C.), poeta latino.

623. Si tus órganos están sanos, todas las riquezas de un rey no aumentarán tu felicidad.

Horacio (65-8 a. C.), poeta latino.

624. Cuando se está en medio de las adversidades ya es tarde para ser cauto.

Lucio Anneo Séneca (4 a. C.-65), escritor y filósofo romano.

625. El desgraciado es cosa sagrada.

Lucio Anneo Séneca (4 a. C.-65), escritor y filósofo romano.

626. Nadie es desgraciado sino por su propia culpa.

Lucio Anneo Séneca (4 a. C.-65), escritor y filósofo romano.

627. En la tormenta es cuando se conoce al buen piloto.

Lucio Anneo Séneca (4 a. C.-65), escritor y filósofo romano.

628. La felicidad es no necesitarla.

Lucio Anneo Séneca (4 a. C.-65), escritor y filósofo romano.

629. Todo el mundo aspira a la vida dichosa, pero nadie sabe en qué consiste.

Lucio Anneo Séneca (4 a. C.-65), escritor y filósofo romano.

630. La adversidad acaba por encontrar al hombre junto al que había pasado.

Lucio Anneo Séneca (4 a. C.-65), escritor y filósofo romano.

631. Si quieres vivir feliz, no te importe que te crean tonto.

Lucio Anneo Séneca (4 a. C.-65), escritor y filósofo romano.

632. Generalmente la felicidad tiene un oído duro.

Publio Siro (siglo I a.C.), poeta mímico latino.

633. Ningún hombre es feliz a menos que crea serlo.

Publio Siro (siglo I a.C.), poeta mímico latino.

634. El hombre sabio ve en las desventuras ajenas las que debe evitar.

Publio Siro (siglo I a.C.), poeta mímico latino.

635. El infortunio pone a prueba a los amigos y descubre a los enemigos.

Epicteto de Frigia (h. 50-h.120), filósofo latino.

636. El hombre feliz es más raro que un cuervo blanco.

Juvenal Decimus Iunius (h. 60-h. 140), retórico y poeta latino.

637. Nada más mísero que el hombre que, girando sin cesar de un lado a otro, corriéndolo todo, averiguando hasta lo que hay en las entrañas de la tierra e indagando por conjeturas los pensamientos y secretos de su prójimo, no ha advertido que bastaba para su felicidad estar atento al espíritu que reside en él y consagrarle un culto sincero.

Marco Aurelio (121-180), emperador romano.

638. Acuérdate también de esto siempre: para vivir felizmente basta con muy poco.

Marco Aurelio (121-180), emperador romano.

639. ¿Por qué buscáis la felicidad, oh mortales, fuera de vosotros, cuando la tenéis dentro de vosotros mismos?

Severino Anicio Manlio Boecio (h. 480-524), filósofo y político romano.

640. ¡Qué descansada vida
la del que huye el mundanal ruido,
y sigue la escondida
senda por donde han ido
los pocos sabios que en el mundo han sido!

Fray Luis de León (1527-1591), teólogo y escritor español.

Estos versos pertenecen a la *Canción de la vida solitaria*, una de las más conocidas y hermosas composiciones del renacimiento español. También es conocida como la *Oda a la vida retirada*. Fray Luis de León, agustino, ejerció como profesor en la Universidad de Salamanca y trabajó en traducciones sagradas y profanas. Su carácter, apasionado y conflictivo, le granjeó enemistades en la Universidad y en el entorno eclesiástico. Una acusación de heterodoxia y judaísmo le condujo a la cárcel de Valladolid, donde permaneció durante cinco amargos años. Es autor de numerosas obras en latín y en castellano, entre las que cabe destacar *La perfecta casada, De los nombres de Cristo*, y su poesía completa en ambas lenguas. La cita que precede a este comentario ha sido erróneamente interpretada en muchas ocasiones. En general, suele decirse que Luis de León propone una vida alejada del bullicio y la agitación de las ciudades; es decir, el tópico latino denominado *beatus ille*. En realidad, el agustino quiere significar otra cosa bien distinta. La clave consiste en averiguar en qué consiste la «escondida senda». Desde luego, no se trata de un sendero agradable en mitad del bosque. Fray Luis se refería al conocimiento intuitivo de Dios: el camino de la sabiduría divina, allí donde nada de lo que sucede en el mundo puede afectarnos. Es decir, el poeta no habla de bosques, fuentes y flores auténticas, sino que está tratando de comunicar la felicidad de quien accede a la felicidad divina. A este punto «pocos sabios» han accedido.

641. **A nadie le va mal durante mucho tiempo sin que él mismo tenga la culpa.**

Michel Eyquen de Montaigne (1533-1592), escritor francés.

642. **Un hombre feliz es un bien común.**

George Chapman (1559-1634), humanista y dramaturgo inglés.

643. **Cuando llega la desgracia, nunca viene sola, sino a batallones.**

William Shakespeare (1564-1616), escritor inglés.

644. **La lluvia ligera suele tener duración larga, pero las grandes tempestades son repentinas.**

William Shakespeare (1564-1616), escritor inglés.

645. **Sería muy poco feliz si pudiera decir hasta qué punto lo soy.**

William Shakespeare (1564-1616), escritor inglés.

646. **Hablando de nuestras desgracias las aliviamos.**

Pierre Corneille (1606-1684), dramaturgo francés.

647. **No es bueno ser desgraciado, pero bueno es haberlo sido.**

Caballero de Méré, Antoine Gombaud (1607-1685), cortesano y escritor francés.

648. Es una especie de felicidad saber hasta qué punto podemos ser desgraciados.

François de la Rochefoucauld (1613-1680), escritor moralista francés.

649. La felicidad o la desgracia de los hombres depende no menos de sus cualidades que de su fortuna.

François de la Rochefoucauld (1613-1680), escritor moralista francés.

650. Ponemos más interés en hacer creer a los demás que somos felices que en tratar de serlo.

François de la Rochefoucauld (1613-1680), escritor moralista francés.

651. Nunca somos tan felices ni tan desdichados como nosotros creemos.

François de la Rochefoucauld (1613-1680), escritor moralista francés.

652. La filosofía triunfa con facilidad sobre las desventuras pasadas y futuras; pero las desventuras presentes triunfan sobre la filosofía.

François de la Rochefoucauld (1613-1680), escritor moralista francés.

653. Todos poseemos suficiente fortaleza para soportar la desdicha ajena.

François de la Rochefoucauld (1613-1680), escritor moralista francés.

654. La felicidad ininterrumpida aburre: debe tener alternativas.

Jean-Baptiste Poquelin, Molière (1622-1673), escritor francés.

Molière es uno de los autores más representativos del teatro francés en el siglo XVII, junto a Pierre Corneille (1606-1684) y Jean Racine (1639-1699); pero mientras éstos dedicaban sus esfuerzos dramáticos a la gran tragedia, de asuntos elevados y lenguaje pomposo, Molière ejercitaba su pluma con agrias sátiras y denuncias morales. Tras un duro trabajo en los teatros de los pueblos y ciudades de Francia, Molière accedió a la fama, pero sus ácidas comedias le privaron finalmente del favor de la corte y murió enfermo y miserable cuando representaba su última pieza: *El enfermo imaginario*. Otras obras suyas son *El médico a palos, El burgués gentilhombre, El misántropo* o *El Tartufo*. La cita que encabeza este breve comentario ha sido confundida, en ocasiones, con otra sentencia similar: «En la variedad está el gusto», también atribuida a Molière. En realidad, esta sentencia se debe al preceptor romano Quintiliano (35-95), quien dijo: «*In varietate, voluptas*», o lo que es lo mismo: «En la variedad se halla el placer». Pero como los errores en la aplicación de las citas son muy frecuentes, se ha pensado que Quintiliano se refería a la variedad en las comidas, en los vestidos, en los paisajes o en las mujeres/hombres. En realidad, Quintiliano, como retórico y estudioso de la literatura, sólo hablaba de la variedad y mezcla de los distintos estilos literarios; en ningún momento habla de las bondades de frivolidad en asuntos morales o sociales.

655. **El pasado y el presente solamente son medio para nosotros: el futuro es siempre nuestro fin. Por eso nunca vivimos realmente, sino que esperamos vivir. Alucinados siempre, por esta esperanza de ser felices algún día, es inevitable que no lo seamos nunca.**

Blaise Pascal (1623-1662), escritor, matemático, físico y filósofo francés.

656. **Todos los hombres consideran la felicidad como su objetivo: no hay ninguna excepción. Por diferentes que sean los medios que empleen, todos tienden al mismo fin.**

Blaise Pascal (1623-1662), escritor, matemático, físico y filósofo francés.

657. **Nunca disfrutamos de una felicidad perfecta. Los acontecimientos más afortunados se nos aparecen mezclados de tristeza. Siempre existen inquietudes que turban la realidad de nuestra satisfacción.**

Thomas Corneille (1625-1709), dramaturgo francés.

658. **La desgracia raramente viene sola.**

John Dryden (1631-1700), poeta, dramaturgo y crítico inglés.

659. **Los más desgraciados se quejan menos que los otros.**

Jean Racine (1639-1699), poeta francés.

660. **Ningún hombre es feliz sino por comparación.**

Thomas Shadwell (1642-1692), poeta inglés.

661. **Hay una especie de vergüenza de ser feliz a la vista de ciertas miserias.**

Jean de la Bruyère (1645-1696), escritor francés.

662. Si la vida es miserable, resulta penoso soportarla; si es dichosa, horroriza perderla: ambas cosas vienen a ser lo mismo.

Jean de la Bruyère (1645-1696), escritor francés.

663. El más desgraciado de todos los hombres es el que cree serlo.

François de Salignac de la Mothe, Fénelon (1651-1715), escritor francés.

664. Si procedemos a un examen de lo que se entiende generalmente por felicidad, tanto en lo relativo al entendimiento como a los sentidos, veremos que todas sus propiedades y cualidades accesorias quedan comprendidas bajo esta breve definición: es el privilegio de ser bien engañado.

Jonathan Swift (1667-1745), escritor irlandés.

665. Las desgracias, más que un castigo, son una amenaza.

Charles Louis de Secondat, barón de Montesquieu (1689-1755), escritor y filósofo francés.

666. Dichosos los pueblos cuyos anales son aburridos.

Charles Louis de Secondat, barón de Montesquieu (1689-1755), escritor y filósofo francés.

667. Un instante de felicidad vale más que mil años de felicidad.

François Marie Arouet, Voltaire (1694-1778), escritor francés.

668. Siempre la felicidad nos espera en algún sitio, pero a condición de que no vayamos a buscarla.

François Marie Arouet, Voltaire (1694-1778), escritor francés.

669. Se pretende que se es menos desgraciado cuando no se es el único en sufrir.

François Marie Arouet, Voltaire (1694-1778), escritor francés.

El ingenio y la ironía llevaron al joven Arouet al exilio cuando sólo contaba veinte años. Unos epigramas contra el Duque de Orleans le condujeron finalmente a la cárcel. Crítico impenitente, Voltaire empeñó su vida en combatir la ignorancia, en fomentar modelos de estado burgueses y en una reflexión sólida sobre la existencia humana. Aunque escribió poesía y teatro, su fama la debe a los ensayos políticos e ideológicos, y a las narraciones breves de carácter filosófico. Entre los primeros cabe destacar *Las cartas filosóficas* o *Cartas inglesas*, aparecidas en 1734, donde proclama la necesidad de la libertad y ejerce una durísima crítica a la sociedad francesa. La relación de sus cuentos debe encabezarla, sin duda, *Cándido o El optimismo* (1759), un ataque irónico contra una corriente filosófica representada por Leibniz, la cual sugería (en términos simples) que todo cuanto sucede en el mundo es bueno, y sucede porque debe suceder. Voltaire se burla de estas ideas y pone de relieve la intrínseca ferocidad e incoherencia del ser humano, el caos de la naturaleza y lo absurdo de intentar comprenderla. Otros cuentos suyos son *Zedig* (1747) o *Micromegas* (1752). No se debe olvidar que Voltaire participó en uno de los proyectos más ambiciosos y determinantes de su siglo: la *Enciclopedia*, promovida por Diderot, D'Alembert y Jaucourt.

Las recopilaciones de frases célebres suelen incluir a Voltaire por su concisión y agudeza, pero no siempre pueden comprenderse sus palabras fuera del contexto en el que se produjeron. Por ejemplo, en las últimas páginas de *Candido*, se lee: «El trabajo ahuyenta de nosotros tres grandes males: el tedio, el vicio y la necesidad.» Y también: «Trabajar sin razonar es la única manera de hacer la vida soportable.» En realidad Voltaire no propone esto tal y como puede leerse, sino que uno de los personajes adopta este comportamiento ante su incapacidad para comprender el mal, el dolor y el caos.

670. **La felicidad doméstica es el fin de todos nuestros anhelos, y la recompensa general de todos nuestros trabajos.**

Henry Fielding (1707-1754), escritor inglés.

671. **Cada período de la vida está obligado a tomar prestada la felicidad de un tiempo futuro. En la juventud no contamos con un pasado que pueda divertirnos, y en la vejez, la contemplación del pasado nos ofrece poco más que una pesadumbre irremediable.**

Samuel Johnson (1709-1784), escritor inglés.

672. **La clase de felicidad que necesito es menos hacer lo que quiero que no hacer lo que no quiero.**

Jean-Jacques Rousseau (1712-1778), filósofo ginebrino.

673. Nadie puede ser feliz si no se aprecia a sí mismo.

Jean-Jacques Rousseau (1712-1778), filósofo ginebrino.

674. Pasa con la felicidad como con los relojes, que los menos complicados son los que menos se estropean.

Sébastien Roch, Nicolas Chamfort (1741-1794), escritor francés.

675. Si la felicidad de la masa del género humano puede asegurarse a costa de una pequeña tempestad de vez en cuando, o incluso de un poco de sangre, sería una adquisición preciosa.

Thomas Jefferson (1743-1826), político estadounidense.

676. No son la riqueza ni el esplendor, sino la tranquilidad y el trabajo los que proporcionan la felicidad.

Thomas Jefferson (1743-1826), político estadounidense.

677. Puesto que era tan desgraciado, debía ser un hombre muy sensible.

Louis J. B. Maisonneuve (1745-1819), dramaturgo francés.

678. Afortunadamente, el hombre sólo puede comprender un cierto grado de desgracia; más allá de este grado, la desgracia le aniquila o le deja indiferente.

Johann Wolfang von Goethe (1749-1832), escritor alemán.

679. Podría hacerse a mucha gente feliz, con toda la felicidad que se pierde en este mundo.

Duque de Levis (1755-1830), escritor francés.

680. Pensad que hasta para ser dichoso hay que acostumbrarse.

André Chenier (1762-1794), militar y poeta francés.

681. ¿Qué es la felicidad sino el desarrollo de nuestras facultades?

Germaine Necker, Madame de Staël (1766-1817), escritora francesa.

682. La verdadera felicidad cuesta poco; si es cara, no es de buena especie.

René de Chateaubriand (1768-1848), escritor francés.

683. **El infortunio es la comadrona del genio.**

Napoleón Bonaparte (1769-1821), emperador francés.

684. **Todos los hombres tienen la misma parte de felicidad.**

Napoleón Bonaparte (1769-1821), emperador francés.

685. **Todo el que obra recta y noblemente puede, por ello mismo, sobrellevar el infortunio.**

Ludwig van Beethoven (1770-1827), compositor alemán.

686. **Los que nunca fueron desgraciados no son dignos de su felicidad.**

Ugo Foscolo (1778-1827), poeta italiano.

687. **La felicidad se halla repartida mucho más equitativamente de lo que nos figuramos.**

Charles Caleb Colton (1780-1832), poeta inglés.

688. **La mayor parte de nuestras desdichas resultan más soportables que los comentarios que de ellas hacen nuestros amigos.**

Charles Caleb Colton (1780-1832), poeta inglés.

689. **La dicha de la vida consiste en tener siempre algo que hacer, alguien a quien amar y alguna cosa que esperar.**

Thomas Chalmers (1780-1842), teólogo inglés.

690. **Siendo más desgraciados es como aprendemos a veces a serlo menos.**

Madame de Swetchine, Sophie Soynonov (1782-1857), escritora francesa.

691. **Hay personas que son desgraciadas por carecer de lo superfluo más que por faltarles lo necesario.**

P. G. Pelet de la Lozere (1785-1871), político y escritor francés.

692. **Siempre se interpone algo entre nosotros y lo que creemos que es nuestra felicidad.**

George Gordon, lord Byron (1788-1824), poeta inglés.

693. El hombre no es nunca feliz, pero se pasa toda la vida corriendo en pos de algo que cree ha de hacerle feliz. Rara vez alcanza su objetivo, y cuando lo logra solamente consigue verse desilusionado.

Arthur Schopenhauer (1788-1860), filósofo alemán.

Schopenhauer es una de las figuras centrales de la filosofía moderna y su influencia llega hasta nuestros días. Se le considera el fundador del *nihilismo*, corriente filosófica según la cual la existencia humana no tiene razón de ser: todo es para la nada. El recorrido del hombre en la vida es, para este filósofo, el siguiente: «Necesidad, miserias, quejas, dolor y muerte.» Algunos historiadores de la filosofía consideran a Schopenhauer un pesimista. Otros se acercan más a la verdad cuando dicen que el filósofo alemán tenía una idea dolorosa y desesperada del universo: para él, el mundo era un pozo oscuro y negro, lleno de dolor y miseria, donde lo más que puede hacer el hombre es intentar mitigar o aplacar el dolor. Su obra más importante es *El mundo como voluntad y como representación*, de 1818. La tesis central de su pensamiento, que se refleja en la cita seleccionada, sugiere que la voluntad, los deseos del hombre, no sirven para mucho: una fuerza cósmica nos arrastra hacia la nada.

694. Lo esencial para ser feliz es mantener bien colmado el corazón, incluso de dolor. Sí; incluso de dolor, y aun del dolor más amargo.

Auguste Comte (1789-1857), pensador francés.

695. El secreto de la dicha reside más bien en darla que en esperarla.

Louse M. Normand (1789-1874), grabador francés.

696. La dicha está donde la encuentras, muy rara vez donde la buscas.

J. Petit-Senn (1790-1870), escritor suizo.

697. La adversidad pesa a veces muy duramente; pero por un hombre que pueda resistir la prosperidad se encuentra un centenar que resistirá la desgracia.

Thomas Carlyle (1795-1881), filósofo, crítico e historiador inglés.

698. El hombre sobrelleva el infortunio sin quejarse, y por eso le hace sufrir más.

Franz Schubert (1797-1828), compositor austríaco.

699. Para la felicidad son menos nefastos los males que el aburrimiento.

Giacomo Leopardi (1798-1837), poeta italiano.

700. Las almas grandes siempre están dispuestas a hacer una virtud de una desgracia.

Honoré de Balzac (1799-1850), escritor francés.

701. Muchos buscan la felicidad como otros buscan el sombrero: lo llevan encima y no se dan cuenta.

Nikolaus Lenau (1802-1850), poeta austríaco.

702. La desgracia educa la inteligencia.

Victor Hugo (1802-1885), escritor francés.

703. ¡Aquel tiempo tan feliz en que éramos tan desgraciados!

Alejandro Dumas (1803-1870), escritor francés.

704. Llenar la hora; esto es la felicidad.

Ralph Waldo Emerson (1803-1882), escritor y político estadounidense.

705. En este mundo, la felicidad, cuando llega, llega incidentalmente. Si la perseguimos, nunca la alcanzamos. En cambio, al perseguir otros objetos, puede ocurrir que nos encontremos con ella cuando menos lo esperábamos.

Nathaniel Hawthorne (1804-1864), novelista estadounidense.

706. No cabe duda de que es posible pasarse sin la felicidad: así lo hacen involuntariamente las nueve décimas partes del género humano.

John Stuart Mill (1806-1873), político inglés.

707. Preguntaos si sois felices y dejaréis de serlo.

John Stuart Mill (1806-1873), político inglés.

708. La felicidad se compone de infortunios evitados.

Alphonse Karr (1808-1890), novelista francés.

709. La felicidad no está en la ciencia, sino en la adquisición de la ciencia.

Edgar Allan Poe (1809-1849), escritor estadounidense.

710. La vida real del hombre es feliz principalmente porque siempre está esperando que ha de serlo pronto.

Edgar Allan Poe (1809-1849), escritor estadounidense.

711. Si yo no puedo ser feliz, quiero consagrar toda mi vida a la felicidad de mis semejantes.

Nicolai Vasilievich Gogol (1809-1852), novelista ruso.

712. La felicidad es una cosa monstruosa. Quienes la buscan encuentran su castigo.

Gustave Flauvert (1821-1881), escritor francés.

713. Tres condiciones se requieren para llegar a ser felices: ser imbécil, ser egoísta y gozar de buena salud; pero bien entendido que si os falta la primera condición todo está perdido.

Gustave Flauvert (1821-1881), escritor francés.

714. El hombre debe pasar su felicidad mediante el sufrimiento: es la ley de la tierra.

Mijailovich Fiodor Dostoievski (1821-1881), escritor ruso.

715. Los golpes de la adversidad son muy amargos, pero nunca estériles.

Joseph E. Renan (1823-1892), filósofo e historiador francés.

716. Sólo hay una manera de encontrar la vida dichosa, y es buscando el bien y la verdad. Para estar contento de la vida hay que hacer buen uso de ella.

Joseph E. Renan (1823-1892), filósofo e historiador francés.

717. No hay más que una manera de felicidad: vivir para los demás.

Leon Tolstoi (1828-1910), escritor ruso.

718. **El secreto de la felicidad no está en hacer siempre lo que se quiere, sino en querer siempre lo que se hace.**

Leon Tolstoi (1828-1910), escritor ruso.

Un poeta moderno cantaba, en términos parecidos: «Uno no siempre hace lo que quiere, pero tiene el derecho a no hacer lo que no quiere.» El conde Liev Nikolaievich Tolstoi, de origen noble y acaudalado, concentró en su persona la terrible lucha entre su buena posición social y las primeras ideas liberadoras del pueblo oprimido. Este enfrentamiento entre dos ideas contrarias se resolvió a favor del hombre, en sentido abstracto: más importante que la regeneración social y política, lo imprescindible es una regeneración moral. A caballo entre sus preocupaciones como señor terrateniente y sus proyectos políticos, Tolstoi inicia la redacción de su *opera magna*: *Guerra y Paz*, publicada entre 1863 y 1869. *Guerra y Paz* es un monumental cuadro de la Rusia invadida por las tropas de Napoleón. Los amores, la política, la guerra, la necedad nobiliaria, el dolor, lo absurdo del enfrentamiento bélico... todo está en la novela, hombres y mujeres concretos arrastrados por la turbulencia y la locura de la guerra. Otras obras importantes de Tolstoi son *Ana Karenina* (1877) y un relato estremecedor: *La muerte de Ivan Illich* (1886).

Las citas seleccionadas de este autor muestran esa tendencia a comprender al individuo en su ámbito concreto, a saber que las pasiones individuales son únicas, y a entender que la vida es una cuestión de fe.

719. **Todas las felicidades se parecen, pero cada desgracia tiene una fisonomía especial.**

Leon Tolstoi (1828-1910), escritor ruso.

720. **El día en que las desgracias hayan aprendido el camino de tu casa, múdate.**

Juan Manuel Palacio (1831-1906), poeta español.

721. **La única felicidad que se tiene proviene de la felicidad que hemos procurado.**

Edouard Pailleron (1834-1899), comediógrafo francés.

722. **Hasta cuando está justificada, la felicidad es un privilegio.**

Edmond Thiaudière (1837-1898), filósofo y escritor francés.

723. **Los más desgraciados no son nunca los más rebeldes.**

Hughes-Bernard Maret (1837-1917), político y escritor francés.

724. **El joven busca la felicidad en lo imprevisto; el anciano, en el hábito.**

Pierre Courty (1840-1892), poeta y periodista.

725. **Lo que no me mata, me fortalece.**

Friedrich Nietzsche (1844-1900), filósofo alemán.

726. **Nunca un hombre hace feliz a otro. La felicidad es un manantial interior. Los hombres que se han ocupado de la felicidad de los otros han hecho desgraciados a los que han tenido al alcance. Lo mejor que podemos esperar de un apóstol o de un héroe es que no se dé cuenta de nosotros y nos pase por alto.**

Anatole France (1844-1924), escritor francés.

727. **La vida nos enseña que no podemos ser felices sino al precio de cierta ignorancia.**

Anatole France (1844-1924), escritor francés.

728. **Tener todo para ser feliz no es, en manera alguna, una razón para serlo.**

Jacques Normand (1848-1931), escritor francés.

729. **Si quieres ser feliz, como me dices,
¡no analices, muchacho, no analices!**

Joaquín M. Bartrina (1850-1880), poeta español.

730. **El placer es la única cosa por la que se debe vivir. Nada envejece como la felicidad.**

Oscar Wilde (1854-1900), escritor irlandés.

731. **Nunca he deseado ser feliz, me siento capaz de soportar muchas cosas, pero no de soportar una vida feliz.**

George Bernard Shaw (1856-1950), escritor irlandés.

732. **Del mismo modo que no tenemos derecho a consumir riqueza sin producirla, tampoco lo tenemos a consumir la felicidad sin producirla.**

George Bernard Shaw (1856-1950), escritor irlandés.

733. La felicidad no consiste, como cree la gente, en ser dichoso, ni tampoco en no ser desgraciado, sino en procurar lo primero y en no resignarse a ser lo segundo.

George Bernard Shaw (1856-1950), escritor irlandés.

734. La felicidad no existe. Lo único que existe es el deseo de ser feliz.

Anton Pavlovich Chejov (1860-1904), escritor ruso.

735. La única verdadera y profunda felicidad del hombre es ésta: que puede esperar la muerte.

Maurice Maeterlinck (1862-1949), escritor belga.

736. Cuando se es feliz es cuando hay que tener más miedo; nada amenaza tanto como la felicidad.

Maurice Maeterlinck (1862-1949), escritor belga.

737. El hombre más feliz es el que mejor conoce su felicidad; y el que mejor la conoce es el que más hondamente sabe que la felicidad sólo está separada de la desgracia por una idea humana, alta, infatigable y valiente.

Maurice Maeterlinck (1862-1949), escritor belga.

738. Cuando uno dice que sabe lo que es la felicidad, se puede suponer que la ha perdido.

Maurice Maeterlinck (1862-1949), escritor belga.

739. La felicidad es mejor imaginarla que tenerla.

Jacinto Benavente (1866-1954), dramaturgo español.

740. No eres ambicioso: te contentas con ser feliz.

Jacinto Benavente (1866-1954), dramaturgo español.

741. La felicidad no es el fin, sino el medio de la vida.

Paul Claudel (1868-1955), poeta y diplomático francés.

742. Es muy difícil descubrir la esencia de la felicidad. Todos los filósofos están de acuerdo en que desear aquello que no tenemos nos hace desgraciados, y también en que nos hace desgraciados poseer aquello que deseábamos. Pero nadie ha afirmado aún que en la posesión de aquello que deseábamos se encuentra la felicidad, o el placer, o el bienestar o sólo el equilibrio.

Pierre Louÿs (1870-1925), poeta y novelista francés.

743. **Nos buscamos en la felicidad pero nos encontramos en la desgracia.**

Henri Bataille (1872-1970), poeta, dramaturgo y pintor inglés.

744. **Carecer de algunas de las cosas que uno desea es condición indispensable de la felicidad.**

Bertrand Arthur William Russell (1872-1970), filósofo y matemático inglés.

745. **Los hombres que son desgraciados, como los que duermen mal, se enorgullecen siempre del hecho.**

Bertrand Arthur William Russell (1872-1970), filósofo y matemático inglés.

746. **No me gusta ser feliz. Cuando estoy triste siento que no puede durar, que un día u otro no lo estaré y este sentimiento me da valor; pero cuando soy feliz siento que se acabará y esto me desespera.**

Edmond Jacoux (1878-1949), novelista y crítico francés.

747. **Para muchos hombres y mujeres, la felicidad que da el amor consiste, sobre todo, en la posibilidad de hacer sufrir a otro. De aquí este culto tan antiguo y tan redondeado: el culto de los celos.**

Hermann Alexander von Keyserling (1880-1946), filósofo alemán.

748. **La mayoría de los hombres prefieren los substitutivos de la felicidad a la felicidad verdadera que, con un pequeño esfuerzo, podrían alcanzar. Y es que el hombre es inerte y rutinario y lo que más teme es el esfuerzo individual.**

Hermann Alexander von Keyserling (1880-1946), filósofo alemán.

749. **¿Cuáles son los hombres verdaderamente felices? Son los que han vencido y dominado desde el interior condiciones exteriores,**

si no muy duras, por lo menos difíciles. El prototipo de hombre
feliz sobre la tierra es el santo. Un santo auténtico siempre
ha conocido la profunda alegría, a veces aun en medio
de crueles torturas. Es el gozo de la emoción propia de la vida
completamente espiritualizada, como lo es la del santo que,
pobre o rico, está desligado de todo bien terrenal.
Se ha concentrado en la lucha contra su naturaleza, que él
considera defectuosa.

Hermann Alexander von Keyserling (1880-1946), filósofo alemán.

750. El programa de la vida feliz apenas ha variado a lo largo
de la vida humana.

José Ortega y Gasset (1883-1955), filósofo español.

751. Una acción colectiva es la que creen todos los que en ella tienen
parte; he aquí, me parece, una de las recetas de la felicidad.

André Maurois (1885-1967), escritor francés.

752. La fortuna, el triunfo, la gloria, el poder, pueden aumentar
la felicidad, pero no pueden crearla. Sólo los afectos la dan.

André Maurois (1885-1967), escritor francés.

753. ¿Qué hace falta para ser feliz? Un poco de cielo azul encima
de nuestras cabezas, un vientecillo tibio, la paz del espíritu.

André Maurois (1885-1967), escritor francés.

754. Ella creía que sería feliz si podía reunirse con él, porque él tenía
para ella el prestigio del ser que se ha visto poco y que, no
estando aún agotado, parece rico de posibles inéditos.

André Maurois (1885-1967), escritor francés.

755. El secreto de mi felicidad es tratar las catástrofes como molestias
y no las molestias como catástrofes.

André Maurois (1885-1967), escritor francés.

756. Es raro que cuando nos conmueve una cierta felicidad, no se deje
oír a nuestro lado una voz que nos advierta: «Por mucho que
vivas no tendrás más felicidad que estas horas; saboréalas
a fondo, porque cuando se desvanezcan ya se habrá terminado

para ti. Este primer manantial que has encontrado en el camino, es también el último. Apaga tu sed de una vez por todas; ya no beberás más.»

François Mauriac (1885-1970), novelista francés.

757. Nada nos puede impedir sentir esta maravillosa felicidad de ser preferidos a otros.

François Mauriac (1885-1970), novelista francés.

758. La felicidad es fundamentalmente un sentimiento negativo: la ausencia de dolor. Usar la palabra «bienestar» en vez de «felicidad», sería más exacto.

Gregorio Marañón (1887-1960), médico y pensador español.

759. Es muy difícil hacer bella la felicidad. Una felicidad que sólo es ausencia de desdicha es cosa fea.

Jean Cocteau (1889-1963), escritor francés.

760. Pienso en su buena suerte con alegría y después con dolor, porque en esta vida no es bueno ser demasiado afortunado. El aire y la tierra abundan en espíritus malignos que no pueden sufrir la felicidad de los mortales, especialmente de los pobres.

Pearl Buck (1892-1973), escritora estadounidense.

761. Muchas personas se pierden las pequeñas alegrías mientras aguardan la gran felicidad.

Pearl Buck (1892-1973), escritora estadounidense.

762. El bien de la humanidad debe consistir en que cada uno goce al máximo de la felicidad que pueda, sin disminuir la felicidad de los demás.

Leonard Aldous Huxley (1894-1963), escritor inglés.

763. La felicidad no es nunca grandiosa.

Leonard Aldous Huxley (1894-1963), escritor inglés.

764. Quien es capaz de hospedar bien la desgracia, puede hospedar serenamente a la felicidad.

Luis L. Franco (1898-1973), poeta argentino.

765. La felicidad es ese placer que se deriva del sentido de la virtud y de la conciencia de los hechos justos.

Henry Moore (1898-1986), escultor y pintor inglés.

766. He cometido el peor de los pecados que un hombre puede cometer. No he sido feliz.

Jorge Luis Borges (1899-1986), escritor argentino.

767. Al cabo de los años he observado que la belleza, como la felicidad, es frecuente. No pasa un día en que no estemos, un instante, en el paraíso.

Jorge Luis Borges (1899-1986), escritor argentino.

768. El secreto de la dicha es encontrar una monotonía simpática.

Victor S. Pritchett (n. 1900), escritor inglés.

769. Hay dos maneras de conseguir la felicidad: una, hacerse el idiota; otra, serlo.

Enrique Jardiel Poncela (1901-1952), escritor español.

770. Un hombre feliz es aquel que durante el día, por su trabajo, y a la noche, por su cansancio, no tiene tiempo de pensar en sus cosas.

Gary Cooper (1901-1961), actor estadounidense.

771. Si eres feliz, escóndete. No se puede andar cargado de joyas por un barrio de mendigos. No se puede pasear una felicidad como la tuya por un mundo de desgraciados.

Alejandro Casona (1903-1965), dramaturgo español.

772. El hombre que hace la felicidad de una mujer es un hombre ejemplar; y el que hace la felicidad de tres mujeres a la vez, un caso perdido.

Noel Clarasó (1905-1985), escritor español.

773. Entre el dinero y la felicidad hay la misma relación que entre las plumas y las gallinas; una gallina sin plumas sigue siendo una gallina, pero no acaba de convencer a nadie.

Noel Clarasó (1905-1985), escritor español.

774. Si el objeto de tu vida es tu propia felicidad, cásate con una mujer que no piense igual.

Noel Clarasó (1905-1985), escritor español.

775. He leído en un texto de André Maurois, que para ser feliz basta con un poco de cielo azul encima de nuestras cabezas, un vientecillo tibio y la paz del espíritu. Yo creo que no hace falta tanto y que basta con la paz del espíritu. Y si es así, ya lo único que hace falta es saber cómo se consigue la paz del espíritu.

León Dandú (1905-1985), escritor español.

776. La felicidad no se experimenta... se recuerda.

Oscar Levant (1906), escritor estadounidense.

777. La felicidad consiste en tener buena salud y mala memoria.

Edwinge Feuillere (1907-1962), actriz francesa.

778. La felicidad es tanto más grande cuanto menos se advierte.

Alberto Moravia (1907-1990), escritor italiano.

779. Siempre habrá un perro perdido en alguna parte que me impedirá ser feliz.

Jean Anouilh (1910-1987), escritor francés.

780. La felicidad es una estación en el camino entre lo demasiado y lo muy poco.

Jackson Pollock (1912-1956), pintor estadounidense.

781. La felicidad para mí consiste en gozar de buena salud, en dormir sin miedo y despertarme sin angustia.

Françoise Sagan (1935), novelista francesa.

782. Ser feliz consiste en no darse cuenta de que uno está viviendo.

Manuel Vicent (1936), escritor y periodista español.

783. Es un error fatal que la felicidad sea siempre subterránea y la desgracia tan evidente.

Montserrat Roig (1947-1991), escritora y periodista española.

784. **Lo único estable es la felicidad que no se compra ni se da en caridad.**

Pablo Milanés, poeta y músico cubano contemporáneo.

785. **A fuerza de ir todo mal, comienza a ir todo bien.**

Anónimo.

786. **Las desgracias y los paraguas son fáciles de llevar cuando pertenecen a otros.**

Anónimo.

787. **El regalo de la felicidad pertenece a quienes lo desenvuelven.**

Anónimo.

788. **La felicidad viaja de incógnito; sólo cuando ha pasado sabemos de ella.**

Anónimo.

DE LA VIRTUD Y DEL VICIO

Llamamos virtudes y vicios a los comportamientos morales (positivos o negativos) en la sociedad y para con uno mismo. Sin embargo, la virtud y el vicio no han sido considerados de modo uniforme a lo largo de la Historia. La virtud romana no es la virtud renacentista. Ni los vicios romanos eran los vicios cristianos en la Edad Media.

En términos generales, los *antiqui* solían estimar como virtudes aquellas actuaciones morales que contribuían al progreso social: un hombre era virtuoso si era un buen ciudadano. En cambio, trataban como cosa natural ciertos vicios intolerables en la Edad Media cristiana. La gula, la pereza y la lujuria del Imperio decadente llamarían la atención en la actualidad. La Edad Media sostuvo como principal la fe. En el Renacimiento y en los siglos XVI y XVII, la virtud consistía en la prudencia, pero la prudencia se asemejaba a la sagacidad y la astucia para lograr ciertos objetivos. De modo que esta virtud se asemejaba al vicio que hoy conocemos como avaricia. El honor invadió todos los aspectos de la vida social y se convenía que una persona virtuosa era también una persona de honor, es decir, de *apariencia* intachable. El siglo XVIII trajo una moralidad bastante relajada, en general, y las virtudes eran más aparentes que reales. El romanticismo permitió individualizar todos los comportamientos, y desde entonces las fronteras entre los vicios y las virtudes han quedado bastante difuminadas.

Los vicios y las virtudes no siempre han tenido, por tanto, relación con estructuras religiosas. Se trata, en cambio, de actitudes morales que hacen referencia a la sociedad en que se desarrollan.

En 1740 aparecieron los primeros volúmenes de una novela titulada *Pamela o la virtud recompensada*, del autor inglés Samuel Richardson (1689-1761). Es una novela epistolar en la que cierta joven se ve acosada, raptada y casi violada por un caballero. En este caso, toda la virtud de la joven Pamela consiste en mantener intacta su virginidad. En el polo opuesto, unos años antes, en 1733, aparecía *Manon Lescaut*, de Antoine-François Prévost (1697-1763), en la cual se narran, como decía la crítica de la época, «las andanzas de un bribón y de una puta».

789. **No envidies la riqueza del prójimo.**

Homero (siglo VIII a. C.), poeta griego.

790. **El hombre superior piensa siempre en la virtud; el hombre vulgar piensa en la comodidad.**

Confucio (h. 551-h. 479 a. C.), filósofo chino.

791. **La virtud nunca se queda sola: aquel que la posee tendrá vecinos.**

Confucio (h. 551-h. 479 a. C.), filósofo chino.

792. **No he visto todavía a nadie que ame tanto la virtud como se ama la belleza física.**

Confucio (h. 551-h. 479 a. C.), filósofo chino.

793. **La mayor parte de los hombres prefieren parecer que ser.**

Esquilo de Eleusis (525-456 a. C.), poeta trágico griego.

794. **Pocos hombres tienen la fuerza de carácter suficiente para alegrarse del éxitos de un amigo sin sentir cierta envidia.**

Esquilo de Eleusis (525-456 a. C.), poeta trágico griego.

795. **Los que no son envidiosos nunca son completamente felices.**

Esquilo de Eleusis (525-456 a. C.), poeta trágico griego.

796. **Constituye un destino más noble ser envidiado que ser compadecido.**

Píndaro de Cinoscéfalos (h. 521-h. 441 a. C.), poeta griego.

797. **Primero es la virtud;
luego el renombre,
si ambos obtiene,
¿qué más quiere el hombre?**

Píndaro de Cinoscéfalos (h. 521-h. 441 a. C.), poeta griego.

798. Solamente es duradero lo que con la virtud se consigue.

Sófocles (495-406 a. C.), poeta trágico griego.

799. Los hombres pueden soportar que se elogie a los demás mientras crean que las acciones elogiadas pueden ser ejecutadas también por ellos; pero en caso contrario sienten envidia.

Tucídides (h. 460-h. 396 a. C.), historiador griego.

800. La virtud es una especie de salud, de belleza y de buenas costumbres del alma.

Platón (428-347 a. C.), filósofo griego.

801. Los espíritus superiores, si dirigen bien su vuelo, difunden paz y bienestar. Los espíritus vulgares no tienen destino.

Platón (428-347 a. C.), filósofo griego.

802. Hay poetas que al alabar la virtud la representan, sin embargo, como difícil y trabajosa y muy inferior al vicio en cuanto al deleite que éste proporciona.

Platón (428-347 a. C.), filósofo griego.

803. La virtud, como el arte, se consagra constantemente a lo que es difícil de hacer, y cuanto más dura es la tarea más brillante es el éxito.

Aristóteles (384-322 a. C.), filósofo griego.

804. Las virtudes más grandes son aquellas que más utilidad reportan a otras personas.

Aristóteles (384-322 a. C.), filósofo griego.

805. La virtud resplandece en las desgracias.

Aristóteles (384-322 a. C.), filósofo griego.

806. El sacrificio de sí mismo es la condición de la virtud.

Aristóteles (384-322 a. C.), filósofo griego.

807. El que muere por amor a la virtud, no perece.

Tito Maccio Plauto (254-184 a. C.), dramaturgo latino.

808. **Cuanto más virtuoso es el hombre, menos acusa de vicios a los demás.**

Marco Tulio Cicerón (106-43 a. C.), político, orador, filósofo y literato romano.

809. **El hombre que cultiva un campo no piensa en hacer mal a nadie.**

Marco Tulio Cicerón (106-43 a. C.), político, orador, filósofo y literato romano.

810. **La virtud encuentra su recompensa en sí misma.**

Marco Tulio Cicerón (106-43 a. C.), político, orador, filósofo y literato romano.

811. **La virtud es la razón perfeccionada.**

Marco Tulio Cicerón (106-43 a. C.), político, orador, filósofo y literato romano.

812. **Con la virtud por guía, con la fortuna por compañera.**

Marco Tulio Cicerón (106-43 a. C.), político, orador, filósofo y literato romano.

La mayoría de los eruditos están de acuerdo cuando se trata de elegir al escritor más puro y perfecto de la antigua Roma: su nombre es Cicerón. Por encima de su pasión por la filosofía, de la política o de la ciencia, Cicerón se esforzó en elaborar una obra donde «el bien decir», la oratoria, fuera su eje central. Sus tratados políticos (*Sobre la República*) o morales (*De la amistad, De la vejez*), o sus cartas, ofrecen todos los rasgos de un pensador sereno y de un escritor impecable. Para Cicerón, la virtud es un servicio a la sociedad: es una cualidad moral que se ofrece a los demás. Por esta razón el autor vincula la virtud con la amistad: «Os aconsejo, sobre todo, que valoréis la virtud. Sin ella, es imposible la amistad. Excepto la virtud, nada debéis apreciar tanto como la amistad.» Este tipo de argumentos deben entenderse en función de la cultura romana: Roma no era una civilización individualista, todo cuanto se hacía o se pensaba, contribuía a engrandecer o perfeccionar la República o el Imperio Romano. El hombre no era un «individuo», sino un «ciudadano», un «esclavo» o un «soldado». El valor del hombre se estimaba en virtud de lo que significaba dentro de un ámbito mayor: la sociedad.

813. La plata cede al oro; el oro, a la virtud.

Horacio (65-8 a. C.), poeta latino.

814. Todos los tiranos de Sicilia no han inventado nunca un tormento mayor que la envidia.

Horacio (65-8 a. C.), poeta latino.

815. La virtud es el punto medio entre dos vicios opuestos.

Horacio (65-8 a. C.), poeta latino.

816. Huir del vicio es virtud, y la primera condición para ser sabio es no ser necio.

Horacio (65-8 a. C.), poeta latino.

817. Nadie nace libre de vicios; y el hombre más perfecto es el que tiene menos.

Horacio (65-8 a. C.), poeta latino.

818. Los necios, cuando quieren esquivar unos vicios, dan en sus contrarios.

Horacio (65-8 a. C.), poeta latino.

819. La envidia, el más mezquino de los vicios, se arrastra por el suelo como una serpiente.

Publio Nasón Ovidio (43 a. C.-17), poeta latino.

820. Nosotros no podemos soportar ni nuestros vicios ni sus remedios.

Tito Livio (59 a.C.-17), historiador romano.

821. La naturaleza no nos otorga la virtud: ser bueno es un arte.

Lucio Anneo Séneca (4 a. C.-65), escritor y filósofo romano.

822. Por el vicio ajeno, enmienda el sabio el suyo.

Lucio Anneo Séneca (4 a. C.-65), escritor y filósofo romano.

823. Toda virtud se funda en la medida.

Lucio Anneo Séneca (4 a. C.-65), escritor y filósofo romano.

824. La virtud que se adorna y se alaba ya tiene un defecto.

Lucio Anneo Séneca (4 a. C.-65), escritor y filósofo romano.

825. Tenemos los vicios ajenos delante de los ojos y los propios a la espalda.

Lucio Anneo Séneca (4 a. C.-65), escritor y filósofo romano.

826. La virtud está en hacer beneficios que de cierto no se han de corresponder.

Lucio Anneo Séneca (4 a. C.-65), escritor y filósofo romano.

827. Aunque la virtud procede en sus principios de la naturaleza, recibe sus toques finales de la instrucción.

Marco Fabio Quintiliano (h. 35-h. 95), escritor y retórico latino.

828. Quien tiene muchos vicios, tiene muchos amos.

Plutarco (h. 46-48- h. 120-125), historiador y moralista griego.

829. Mientras haya hombres habrá vicios.

Tácito (h. 54-57-h. 125), historiador y orador latino.

830. La envidia es el adversario de los afortunados.

Epicteto de Frigia (h. 50-h.120), filósofo latino.

831. Cuando la virtud es alabada, se hiela.

Juvenal Decimus Iunius (h. 60-h. 140), retórico y poeta latino.

832. El vicio que se representa bajo apariencia o máscara de virtud, con continente adusto y con rostro y hábito severo, es muy engañador.

Juvenal Decimus Iunius (h. 60-h. 140), retórico y poeta latino.

833. Proceded en todos vuestros actos, palabras y pensamientos como el hombre que está preparado para abandonar esta vida en cualquier momento.

Marco Aurelio (121-180), emperador romano.

834. No hay un vicio que sea tan contrario a la naturaleza que oscurezca toda huella de ésta.

San Agustín (354-430), teólogo y Padre de la Iglesia.

835. **La virtud es el arte de vivir bien y con rectitud.**

San Agustín (354-430), teólogo y Padre de la Iglesia.

836. **Nuestros propios vicios, si los pisoteamos, nos sirven para hacernos una escala con que remontarnos a las alturas.**

San Agustín (354-430), teólogo y Padre de la Iglesia.

837. **No fuisteis criados para vivir como bestias, sino para seguir en pos de la virtud y de la sabiduría.**

Dante Alighieri (1265-1321), poeta italiano.

838. **Si todos los años arrancáramos un vicio, pronto seríamos perfectos.**

Thomas A. Kempis (1379-1471), teólogo flamenco.

839. **Tengo tres perros peligrosos: la ingratitud, la soberbia y la envidia. Cuando muerden dejan una herida muy profunda.**

Martin Lutero (1483-1546), teólogo alemán.

840. **Es gran virtud tener a todos por mejores que nosotros.**

Santa Teresa de Jesús (1515-1582), escritora mística española.

841. **No piense, aunque parezca que sí, que está ya ganada una virtud, si no la experimenta con su contrario.**

Santa Teresa de Jesús (1515-1582), escritora mística española.

842. **No hay hombre más engañado que el que a otros engaña.**

Alonso de Barros (1522-1604), escritor español.

843. **La virtud no teme la luz, antes desea venir siempre a ella; porque es hija de ella, y criada para resplandecer y ser vista.**

Fray Luis de León (1527-1591), teólogo y poeta español.

844. **A cada virtud la sigue e imita otra que no es ella, ni es virtud. Como la osadía parece fortaleza y no lo es, y el malgastador no es liberal, aunque lo parece.**

Fray Luis de León (1527-1591), teólogo y poeta español.

845. De todos los beneficios que nos reporta la virtud, uno de los más grandes es el desprecio a la muerte.

Michel Eyquen de Montaigne (1533-1592), escritor francés.

846. La mejor virtud que yo poseo contiene cierto sabor a vicio.

Michel Eyquen de Montaigne (1533-1592), escritor francés.

847. No hay virtud más bella ni mayor victoria que saber gobernarse y vencerse a sí mismo.

Pierre de Bourdeilles, Brantome (1540-1614), escritor francés.

848. La senda de la virtud es muy estrecha, y el camino del vicio, ancho y espacioso.

Miguel de Cervantes Saavedra (1547-1616), escritor español.

849. La sangre se hereda, el vicio se apega.

Mateo Alemán (1547-1614), escritor español.

850. Si la virtud te falta, nada tienes.

Lupercio Leonardo de Argensola (1559-1613), poeta español.

851. La virtud es como los perfumes preciosos, que exhalan sus mejores aromas cuando son quemados y machacados.

Francis Bacon (1561-1626), filósofo inglés.

852. Las personas deformes y los eunucos, los viejos y los bastardos suelen ser envidiosos porque el que no puede remediar su propio estado hará lo posible por dañar el de los demás.

Francis Bacon (1561-1626), filósofo inglés.

853. La virtud es intrépida y la bondad nunca es medrosa.

William Shakespeare (1564-1616), escritor inglés.

854. Hasta la propia virtud se convierte en vicio cuando es mal aplicada.

William Shakespeare (1564-1616), escritor inglés.

855. Los dioses son justos y emplean nuestros vicios deleitosos como instrumentos para castigarnos.

William Shakespeare (1564-1616), escritor inglés.

856. **Siempre hay quien ponga malos nombres a la virtud, mas siempre son los que no merecen conocerla.**

Francisco de Quevedo y Villegas (1580-1645), escritor español.

Borges dijo: «Quevedo es menos un hombre que una dilatada y compleja literatura.» Otros críticos aseguran, en cambio, que la obra de Quevedo es «la expresión de la autenticidad de un hombre». Francisco de Quevedo ha tenido que cargar con toda la incomprensión posible: se le achacan obras falsas y episodios ridículos, se le acusa de frívolo o de escatológico, su crítica social ha sido, en general, mal comprendida, y su enemistad con otros poetas ha sido llevada al absurdo. ¿Quién y qué era, pues, Quevedo? En primer lugar, Francisco de Quevedo era un erudito, un sabio humanista, traductor, moralista, satírico, novelista y poeta. Un hombre apasionado, de vida turbulenta y desgraciada, que volcó todo su arrebatador ímpetu en su obra, así lo asegura, entre otros, Dámaso Alonso. También en palabras de Dámaso Alonso, Quevedo es el autor de la mejor poesía en lengua castellana: «Amor constante más allá de la muerte»; y es autor del soneto más conocido, también: «A un hombre de gran nariz.»

La obra de este autor puede sugerir que la poesía era, para él, un juego: su dominio de la lengua, la perfección del verso y su ingenio desbordante sugieren que su poesía es falsa, una especie de máscara: nada más lejos de la verdad. En su trabajo hay crítica feroz, lamento desgarrador y amor apasionado. En uno de sus sonetos más conocidos preguntaba a su amante: «¿Qué sangre de mis venas no te he dado?»

857. **Dentro de mí hay otro hombre que está contra mí.**

Sir Thomas Browne (1605-1682), escritor inglés.

858. **Los vicios se aprenden sin maestro.**

Thomas Fuller (1609-1661), escritor inglés.

859. **La envidia es más irreconciliable que el odio.**

François de la Rochefoucauld (1613-1680), escritor moralista francés.

860. **Nuestra envidia sobrevive siempre a la felicidad de aquellos a quienes envidiamos.**

François de la Rochefoucauld (1613-1680), escritor moralista francés.

861. **La verdadera prueba de que se ha nacido con grandes cualidades estriba en haber nacido sin envidia.**

François de la Rochefoucauld (1613-1680), escritor moralista francés.

862. **A menudo hacemos ostentación de nuestras pasiones, incluso de las más criminales; pero la envidia es una pasión tímida y vergonzosa que nunca nos atrevemos a confesar.**

François de la Rochefoucauld (1613-1680), escritor moralista francés.

863. **Las mujeres más virtuosas son como los tesoros ocultos: están a salvo mientras nadie los busca.**

François de la Rochefoucauld (1613-1680), escritor moralista francés.

864. **La virtud de las mujeres se reduce muchas veces al amor por su reputación y su tranquilidad.**

François de la Rochefoucauld (1613-1680), escritor moralista francés.

865. **Hay pocas mujeres virtuosas que no estén cansadas de su profesión.**

François de la Rochefoucauld (1613-1680), escritor moralista francés.

866. **Lo que tomamos por virtud no es a menudo otra cosa que un conjunto de acciones diferentes y de diferentes intereses que el azar o nuestra industria acierta a cambiar. No siempre es por valentía o castidad por lo que los hombres son valientes y las mujeres castas.**

François de la Rochefoucauld (1613-1680), escritor moralista francés.

867. **Cuando los vicios nos dejan, nos envanecemos con la creencia de que lo hemos dejado.**

François de la Rochefoucauld (1613-1680), escritor moralista francés.

868. **La virtud no iría muy lejos si la vanidad no la hiciese compañía.**

François de la Rochefoucauld (1613-1680), escritor moralista francés.

869. **Los vicios entran en la composición de las virtudes como los venenos en la de las medicinas. La prudencia los reúne y los combina para utilizarlos beneficiosamente contra los males de la vida.**

François de la Rochefoucauld (1613-1680), escritor moralista francés.

870. No despreciamos a todos los que tienen vicios; pero sentimos desprecio por los que no tienen una sola virtud.

François de la Rochefoucauld (1613-1680), escritor moralista francés.

871. Prefiero un vicio tolerante que una virtud obstinada.

Jean-Baptiste Poquelin, Molière (1622-1673), escritor francés.

872. El envidioso puede morir, pero la envidia, nunca.

Jean-Baptiste Poquelin, Molière (1622-1673), escritor francés.

873. El papel de hombre de bien es el más fácil de representar.

Jean-Baptiste Poquelin, Molière (1622-1673), escritor francés.

874. No nos mantenemos en la virtud por nuestra propia fuerza, sino por el contrapeso de dos vicios opuestos, al igual que permanecemos de pie entre dos vientos contrarios: suprimid uno de los vicios y caeremos en el otro.

Blaise Pascal (1623-1662), escritor, matemático, físico y filósofo francés.

875. La virtud de un hombre no debe medirse por sus esfuerzos, sino por sus obras cotidianas.

Blaise Pascal (1623-1662), escritor, matemático, físico y filósofo francés.

876. Si el hombre procurase ser tan bueno como procura parecerlo, conseguiría su objetivo.

Cristina Vasa, Cristina de Suecia (1626-1689), reina de Suecia.

877. Si el orador se limita a fustigar los vicios, la iglesia será siempre el cuartel de las viejas.

Abraham de Santa Clara (1644-1709), predicador alemán.

878. La envidia y el odio siempre unidos. Se fortalecen recíprocamente por el hecho de perseguir el mismo objeto.

Jean de la Bruyère (1645-1696), escritor francés.

879. La virtud, no por estar de moda, deja de ser virtud.

Jean de la Bruyère (1645-1696), escritor francés.

880. Los mismos vicios que nos parecen enormes e intolerables en los demás no los advertimos en nosotros.

Jean de la Bruyère (1645-1696), escritor francés.

881. Cuando los hombres se tornan virtuosos en la vejez, no hacen sino sacrificar a Dios las obras de lo sacrificado al diablo.

Jonathan Swift (1667-1745), escritor irlandés.

882. Algunas virtudes sólo aparecen en medio de la aflicción, y otras en medio de la prosperidad.

Joseph Addison (1672-1719), político y escritor inglés.

883. La virtud debe tener límites.

Charles Louis de Secondat, barón de Montesquieu (1689-1755), escritor y filósofo francés.

884. Ante un hombre envidioso, alabo siempre a los que le hacen palidecer.

Charles Louis de Secondat, barón de Montesquieu (1689-1755), escritor y filósofo francés.

885. La virtud, el estudio y la alegría son tres hermanos que no deben vivir separados.

François Marie Arouet, Voltaire (1694-1778), escritor francés.

886. Un vicio cuesta más que dos hijos.

Benjamin Franklin (1706-1790), científico y político estadounidense.

887. Toda cualidad del espíritu que es útil o agradable a la propia persona o a otras, proporciona un placer al espectador, suscita su estimación y es admitida bajo la honrosa denominación de virtud o mérito.

David Hume (1711-1776), filósofo e historiador escocés.

888. No es nada fácil abandonar la virtud; ella atormenta durante mucho tiempo a los que la abandonan.

Jean-Jacques Rousseau (1712-1778), filósofo ginebrino.

889. El hombre más feliz es el que hace el mayor número de hombres felices.

Denis Diderot (1713-1784), escritor francés.

890. La única virtud verdaderamente sublime es la humanidad, ya que encierra en sí todas las demás.

Claude Adrien Helvetius (1715-1771), poeta alemán.

891. La virtud que necesita ser vigilada apenas merece que se la vigile.

Oliver Goldsmith (1728-1774), escritor inglés.

892. No hay virtud tan fuerte que pueda estar segura contra la tentación.

Immanuel Kant (1724-1804), filósofo alemán.

893. Rara vez hablamos de la virtud que poseemos; pero en cambio lo hacemos mucho más a menudo de las que nos faltan.

Gotthold Ephraim Lessing (1729-1781), escritor alemán.

894. Muchos hombres ven la virtud más en el arrepentimiento de los pecados que en el hecho de evitarlos.

Georg Christoph Lichtenberg (1742-1799), escritor y científico alemán.

895. La virtud no es hereditaria.

Thomas Jefferson (1743-1826), político estadounidense.

896. El hombre se cree siempre ser más de lo que es y se estima en menos de lo que vale.

Antoine de Rivaroli, Rivarol (1753-1821), escritor francés.

897. Todo se aprende, hasta la virtud.

Joseph Joubert (1754-1824), moralista francés.

898. La virtud por cálculo es la virtud del vicio.

Joseph Joubert (1754-1824), moralista francés.

899. Los hombres son pervertidos no tanto por la riqueza como por el afán de riqueza.

Louis Gabriel Ambroise de Bonald (1754-1840), filósofo francés.

900. El vicio no es más que el sacrificio del porvenir al presente.

Jean Baptiste Say (1767-1832), economista francés.

901. Quien practica alguna virtud sólo con la esperanza de alcanzar así un gran nombre, está muy próximo al vicio.

Napoleón Bonaparte (1769-1821), emperador francés.

902. La debilidad del hombre consiste en estar siempre rodeado de apetitos.

Daniel Zschokke (1771-1848), escritor alemán.

903. El vicio nos atormenta aun en medio de nuestros placeres; la virtud, empero, nos conforta aun en medio de nuestras aflicciones.

Charles Caleb Colton (1780-1832), poeta inglés.

904. Honro con el nombre de virtud el hábito de realizar acciones penosas y útiles a los demás.

Henry Beyle, Stendhal (1783-1842), escritor francés.

905. Nada es tan grande en la vida como el hombre, si éste es tan grande como su mente.

William Hamilton (1788-1856), filósofo escocés.

906. La envidia hace muecas, no se ríe.

George Gordon, lord Byron (1788-1824), poeta inglés.

907. Una mujer virtuosa tiene en su corazón una fibra más o una fibra menos que las demás mujeres, o es estúpida o sublime.

Honoré de Balzac (1799-1850), escritor francés.

908. La virtud, en las mujeres, puede ser una cuestión de temperamento.

Honoré de Balzac (1799-1850), escritor francés.

Balzac es considerado uno de los novelistas más importantes, junto a Stendhal, Flauvert y Zola, del siglo XIX en Francia. Empeñado en ser escritor y viviendo en la miseria, inició su carrera con lo que los eruditos llaman «pésimos novelones históricos». Gastaba lo que no tenía y se arruinaba en sus proyectos editoriales. Cambia de estilo literario, pero su vida continúa entre el despilfarro y los excesos: amantes, hijos perdidos, y casamiento por dinero. «Quiero vivir con exceso», decía uno de sus personajes. Su hallazgo literario consistió en su nuevo modo de observar la sociedad en la que vivía. La obra de Balzac se muestra como un cuadro general de la vida francesa y de la vida parisina, en particular. Sus novelas, recogidas con el título general de *La comedia humana* (1842), son un reflejo crítico de una sociedad de la que él había gozado, pero de la que se distanciaba con el tiempo. En *Eugenia Grandet* o en *Papá Goriot*, Balzac ensaya de manera magistral lo que será el movimiento literario más productivo del siglo: el realismo.

909. **La única recompensa de la virtud es la virtud.**

Ralph Waldo Emerson (1803-1882), escritor y político estadounidense.

910. **Si los animales supieran hablar, seguramente dirían de muchos vicios: «Esto es humano», con el mismo tono que el hombre dice: «Esto es bestial.»**

M. G. Saphir (1805-1858), escritor y humanista alemán.

911. **Siempre verás que el vicio se labra por sus manos el suplicio.**

Juan Eugenio de Hartzenbusch (1806-1880), dramaturgo español.

912. **En el ejercicio de la virtud están armonizadas todas las facultades del hombre.**

Jaime Balmes (1810-1848), sacerdote y filósofo español.

913. **Las gentes virtuosas desacreditan a la virtud.**

Christian Friedrich Hebbel (1813-1863), escritor alemán.

914. **Nuestras virtudes son a menudo hijas bastardas de nuestros vicios.**

Christian Friedrich Hebbel (1813-1863), escritor alemán.

915. **Ya tanto tu virtud exteriorizas, que, a fuerza de pudor, escandalizas.**

Ramón de Campoamor (1817-1901), poeta español.

916. **La virtud purifica los lugares que visita, lejos de mancharse en ellos.**

Concepción Arenal (1820-1893), escritora española.

917. Toda virtud tiene sus privilegios: por ejemplo, el de contribuir con su pequeña tea a la hoguera de los condenados.

Friedrich Nietzsche (1844-1900), filósofo alemán.

918. Cuanto más posee el hombre, menos se posee a sí mismo.

Arturo Graf (1848-1913), escritor italiano.

919. La virtud no consiste en abstenerse del vicio, sino en no desearlo.

George Bernard Shaw (1856-1950), escritor irlandés.

920. El vicio es un derroche de vida. La pobreza, la obediencia y el celibato son los vicios canónicos.

George Bernard Shaw (1856-1950), escritor irlandés.

921. La envidia es mil veces más terrible que el hambre, porque es hambre espiritual.

Miguel de Unamuno (1864-1936), escritor español.

922. La virtud está compuesta por los vicios que no se tienen.

Jacinto Benavente (1866-1954), dramaturgo español.

923. Ni el vicio me seduce ni adoro la virtud.

Manuel Machado (1874-1947), poeta español.

Manuel Machado, traductor, crítico y poeta, se ha visto oscurecido por la personalidad de su hermano menor, Antonio, con quien inició su carrera literaria (algunas obras dramáticas) y con el que conoció la vida parisina de los últimos años del siglo XIX. De su poesía se valora el colorido de su etapa modernista y, muy especialmente, su faceta más reflexiva y grave: aquella en la que se vuelca en el análisis lírico de la existencia. Manuel Machado muestra también los rasgos distintivos del pensamiento de principios de siglo: apatía, desinterés, pesimismo y la honda tristeza del que sabe que su vida carece de interés: «¡Que la vida se tome el trabajo de matarme, ya que yo no me tomo la pena de vivir...!» En otro lugar, dice: «Sé que voy a morir; porque no amo ya nada.»

La cita seleccionada pertenece a un poema titulado «Adelfos». En él pone de manifiesto su desinterés por todo cuanto la vida le ofrece: «Mi voluntad se ha muerto una noche de luna / en que era muy hermoso no pensar ni querer... / Mi ideal es tenderme, sin ilusión ninguna... / De cuando en cuando un beso y un nombre de mujer.» La cita, por tanto, no ha de entenderse como un consejo de moderación: Manuel Machado hace referencia a la ausencia de sentimientos: el vicio y la virtud han muerto en él, y ya nada importa: «¡Ambición!, no la tengo. ¡Amor!, no lo he sentido.»

924. La mayoría de las personas abandonan sus vicios sólo cuando les causan molestias.

William Somerset Maugham (1874-1965), escritor inglés.

925. La carencia de vicios añade muy poco a la virtud.

Antonio Machado (1875-1939), poeta español.

926. De lo que llaman los hombres virtud, justicia y bondad, una mitad es envidia, y la otra no es caridad.

Antonio Machado (1875-1939), poeta español.

927. El verdadero tesoro del hombre es el tesoro de sus errores.

José Ortega y Gasset (1883-1955), filósofo español.

928. Un hombre debe tener por lo menos dos vicios, uno solo es demasiado.

Bertold Brecht (1898-1956), dramaturgo alemán.

929. No hay virtud más eminente que el hacer sencillamente lo que tenemos que hacer.

José María Pemán (1898-1981), escritor español.

930. El hombre tiene corazón, señor mío, aunque no siga sus dictados.

Ernest Hemingway (1898-1961), novelista estadounidense.

931. Hay dos clases de virtudes: las que hacen ganar el cielo y las que hacen ganar la tierra.

Noel Clarasó (1905-1985), escritor español.

932. El hombre tiene una obligación moral: ser inteligente.

Ashley Montagu (1905-1969), antropólogo estadounidense.

933. Es difícil ser bueno y fuerte a la vez. Y, por lo común, cuanto más fuerte se es, menos razón se tiene.

Enrique Tierno Galván (1917-1986), intelectual y político español.

934. La virtud, negándose a recibir el aplauso, es la modestia.

Anónimo.

935. En nuestro actual estado, la perseverancia en el bien consiste no tanto en no caer nunca, cuanto en levantarse cada vez que uno cae.

Anónimo.

936. La honradez y la hombría de bien no necesitan parabienes.

Anónimo.

937. Donde hay verdadero valor encuéntrase también verdadera modestia.

Anónimo.

DE LA riqueza Y DE LA pobreza

Parece existir, en el caso de la riqueza y la pobreza, una contradicción eterna: todos los sabios están de acuerdo en despreciar el dinero; pero, por otro lado, no hay nadie lo suficientemente desprendido como para renunciar al oro. Otro tópico curioso es el que señala las preocupaciones del rico, las incomodidades de ser un hombre adinerado y las molestias que causan las tierras, los negocios y los criados. También suele argumentarse que el dinero no es garantía de felicidad.

Entre los personajes citados a continuación, se encuentran filósofos acaudalados, emperadores, políticos, nobles, poetas de fama, obispos, etc., de modo que podemos conocer con bastante fiabilidad las ideas que los poderosos tienen de la riqueza y de la pobreza. Sin embargo, resulta difícil tener constancia de las opiniones de los miserables, precisamente porque la mayoría de los infelices han ocupado más su existencia en buscar alimento que en componer poesías y ensayos. Para ello debemos recurrir a alguno de los muchos poetas que han tenido una vida desdichada y pordiosera, por ejemplo, Gérard Labrunie, más conocido como Gérard de Nerval (1808-1855). Considerado uno de los poetas más puros y más influyentes en la poesía posterior, Nerval acabó sus días colgado de una cuerda, abrumado por las deudas, loco y enfermo. Su amigo Gautier describe el lugar donde fue hallado su cuerpo: «Las altas casas leprosas, la reja de la alcantarilla, siniestra como un tragaluz infernal, la escalera de peldaños callosos, la baranda herrumbrosa de donde pende un trozo de cuerda; todo ese sombrío poema de fetidez y horror, ese teatro dispuesto para los dramas de la desesperación». Nerval escribió de sí mismo: «Soy el que anda en las tinieblas, el viudo, ajeno al consuelo.»

938. La riqueza más sirve para la maldad que para la conducta honrosa.

Chilón de Lacedemonia (siglo IV a. C.), sabio griego.

939. La riqueza es la cosa que más honran los hombres y la fuente del más grande poder.

Eurípides de Salamina (480-406 a. C.), poeta trágico griego.

940. La pobreza tiene este defecto: incita al hombre a cometer malas acciones.

Eurípides de Salamina (480-406 a. C.), poeta trágico griego.

941. Reconocer la pobreza no deshonra a un hombre, pero sí no hacer ningún esfuerzo para salir de ella.

Tucídides (h. 460-h. 396 a. C.), historiador griego.

942. No hay mayor cobardía que la riqueza.

Aristófanes de Atenas (h. 448-h. 386 a. C.), poeta griego.

943. Los ricos que no saben usar sus riquezas son de una pobreza incurable, porque es pobreza de espíritu.

Jenofonte de Atenas (h. 430-h. 355 a. C.), historiador y político griego.

944. Los ricos tienen muchos consuelos.

Platón (428-347 a. C.), filósofo griego.

945. La pobreza no viene por la disminución de las riquezas, sino por la multiplicación de los deseos.

Platón (428-347 a. C.), filósofo griego.

946. El afán de riquezas oscurece el sentido de lo justo y lo injusto.

Antífanes (388-311 a. C.), dramaturgo griego.

947. Preferid siempre una pobreza sin tacha a las riquezas mal adquiridas; éstas no pueden sernos útiles sino durante la vida.

Aristóteles (384-322 a. C), filósofo griego.

948. El dinero es una garantía de que se podrá obtener lo que se quiera en el futuro.

Aristóteles (384-322 a. C), filósofo griego.

949. El carácter que produce la riqueza es el de un necio próspero.

Aristóteles (384-322 a. C), filósofo griego.

950. Ningún hombre justo se ha hecho rico de pronto.

Menandro de Atenas (h. 343-290 a. C.), dramaturgo griego.

951. El pobre está lleno de temores y se imagina que todo el mundo le desprecia.

Menandro de Atenas (h. 343-290 a. C.), dramaturgo griego.

952. ¿Quieres ser rico? Pues no te afanes en aumentar tus bienes, sino en disminuir tu codicia.

Epicuro de Samos (341-270 a.C.), filósofo griego.

953. El hombre es rico desde el momento en que ha sabido familiarizarse con la escasez.

Epicuro de Samos (341-270 a.C.), filósofo griego.

954. La pobreza es un maestro de todas las artes.

Tito Maccio Plauto (254-184 a. C.), dramaturgo latino.

955. Llevo conmigo mi riqueza «Omnia mea mecum porto».

Marco Tulio Cicerón (106-43 a. C.), político, orador, filósofo y literato romano.

956. Nada prueba mejor un carácter estrecho y ruin que el amor al dinero; y nada es más noble y excelso que despreciarlo, si no se tiene, y emplearlo, cuando se tiene, de forma benéfica y generosa.

Marco Tulio Cicerón (106-43 a. C.), político, orador, filósofo y literato romano.

957. El populacho puede silbarme, pero cuando voy a mi casa y pienso en mi dinero me aplaudo a mí mismo.

Horacio (65-8 a. C.), poeta latino.

958. Consigue dinero ante todo; la virtud vendrá después.

Horacio (65-8 a. C.), poeta latino.

959. La virtud, la gloria, el honor, todas las cosas humanas y divinas, son esclavas de las riquezas.

Horacio (65-8 a. C.), poeta latino.

960. La alta alcurnia y las hazañas meritorias, si no van unidas a la riqueza, son tan inútiles como las algas del mar.

Horacio (65-8 a. C.), poeta latino.

961. La pobreza nos incita a hacer y soportar cualquier cosa con tal de librarnos de ella, y, por eso, nos aparta de la virtud.

Horacio (65-8 a. C.), poeta latino.

962. La abundancia me hizo pobre.

Publio Nasón Ovidio (43 a. C.-17), poeta latino.

963. Nada se clava más hondo que la pérdida de dinero.

Tito Livio (59 a.C.-17), historiador romano.

964. Acomodarse con la pobreza es ser rico; se es pobre, no por tener poco, sino por desear mucho.

Lucio Anneo Séneca (4 a. C.-65), escritor y filósofo romano.

965. Grandes riquezas, gran esclavitud.

Lucio Anneo Séneca (4 a. C.-65), escritor y filósofo romano.

966. La verdadera medida de la riqueza es el no estar demasiado cerca ni demasiado lejos de la pobreza.

Lucio Anneo Séneca (4 a. C.-65), escritor y filósofo romano.

967. El dinero cae en las manos de algunos hombres como una moneda cae en la alcantarilla.

Lucio Anneo Séneca (4 a. C.-65), escritor y filósofo romano.

968. Aquel goza perfectamente de sus riquezas, que para nada las necesita.

Lucio Anneo Séneca (4 a. C.-65), escritor y filósofo romano.

969. El camino más corto para llegar a la riqueza es despreciarla.

Lucio Anneo Séneca (4 a. C.-65), escritor y filósofo romano.

970. Bienaventurados los pobres, porque de ellos será el reino de los cielos.

Jesús de Nazaret (siglo I).

971. Las riquezas que entregues a otros serán las únicas que realmente poseerás siempre.

Marco Valerio Marcial (h. 40-h. 104), poeta satírico latino.

972. No fue Filipo, sino el oro de Filipo, quien tomó las ciudades de Grecia.

Plutarco (h. 46-48- h. 120-125), historiador y moralista griego.

973. Es difícil que una persona rica sea modesta o que una persona modesta sea rica.

Epicteto de Frigia (h. 50-h.120), filósofo latino.

974. Tan difícil es para los ricos adquirir la sabiduría como para los sabios adquirir la riqueza.

Epicteto de Frigia (h. 50-h.120), filósofo latino.

975. El dinero se llora con un pesar más profundo que a los amigos o a los parientes.

Juvenal Decimus Iunius (h. 60-h. 140), retórico y poeta latino.

976. La mayor desdicha de la pobreza es que hace ridículos a los hombres.

Juvenal Decimus Iunius (h. 60-h. 140), retórico y poeta latino.

977. Nadie pregunta cómo te has hecho rico; y todos te reciben mejor si saben que lo eres.

Juvenal Decimus Iunius (h. 60-h. 140), retórico y poeta latino.

978. Nada es más intolerable que una mujer rica.

Juvenal Decimus Iunius (h. 60-h. 140), retórico y poeta latino.

979. El que desea llegar a rico quiere serlo pronto.

Juvenal Decimus Iunius (h. 60-h. 140), retórico y poeta latino.

980. Aquélla se podrá llamar suma y verdadera riqueza, que poseída se desprecia, que sólo sirve al remedio de las necesidades, que se comunica con los buenos y se reparte con los amigos.

Marco Aurelio (121-180), emperador romano.

981. Nada de lo que es de Dios puede obtenerse con dinero.

Quintus Septimius Florens Tertuliano (h. 155-h. 222), escritor y doctor de la Iglesia, latino.

982. ¿De qué aprovechan las riquezas superfluas en este mundo, cuando no pueden socorreros ni en el nacimiento ni en la muerte?, pues nacemos desnudos y desnudos nos marchamos, y en la tumba no hay posesiones.

San Ambrosio (340-397), arzobispo de Milán.

983. ¿Acaso porque eres rico tienes dos estómagos que llenar?

San Agustín (354-430), teólogo y Padre de la Iglesia.

984. Nada debe ensalzar la pobreza excepto los pobres.

San Bernardo (1090-1153), doctor de la Iglesia, francés.

985. Si eres rico, haz otro rico.

Raimundo Lulio (1233-1315), filósofo y escritor español.

986. Ya verás cuán amargo sabe el pan ajeno, y cuán áspero camino es bajar y subir por la escalera de otros.

Dante Alighieri (1265-1321), poeta italiano.

987. El que non ha dineros, non es de sy señor.

Juan Ruiz, Arcipreste de Hita (h. 1296-h. 1353), poeta castellano.

988. Cristo no llama bienaventurados a los pobres de dinero, sino a los pobres de espíritu.

Juan Luis Vives (1492-1540), humanista español.

Juan Luis Vives desarrolló toda su vida profesional fuera de España. Fue profesor en la Sorbona, en París, y trabajó después en las universidades de Lovaina y Oxford. Aunque se le ofreció una cátedra en España, no volvió jamás. Su padre, acusado de judaísmo fue quemado en la hoguera inquisitorial, y su madre fue desenterrada para quemar sus huesos, por la misma razón. España era, en aquellos momentos, la expresión más violenta del cristianismo. La Santa Inquisición pretendía de este modo preservar la pureza de la religión y actuar como policía política de un nuevo estado. Ante esta situación, la labor de un erudito (teólogo, ensayista político, moralista, pedagogo, etc.) era imposible en España.

Un humanista no era una persona que amaba a los seres humanos. Un humanista era un profesional de los estudios humanísticos: literatura, arte, lenguas, teología, leyes, etc. Como Vives, estos profesores y eruditos escribían siempre en latín (lengua universal), entablaban correspondencia con otros sabios (Vives con Erasmo, por ejemplo) y trataban de progresar en las disciplinas que les concernían. Era frecuente encontrarlos en las cancillerías, aconsejando a los príncipes, o en las universidades, o elaborando complicados ensayos filológicos y filosóficos.

Sus obras más importantes son *De prima philosophia* y *De anima et vita*.

989. **La riqueza es el más mezquino y pequeño don que en este mundo puede conceder Dios a un hombre. Por eso nuestro Señor da de ordinario las riquezas a los mayores pollinos, que no saben apetecer otra cosa.**

Martin Lutero (1483-1546), teólogo alemán.

990. **Pues es mayor miseria la pobreza
para quien se vio en próspera riqueza.**

Alonso de Ercilla (1533-1594), poeta español.

991. **Ni se condena al rico ni se salva el pobre, por ser el uno pobre y el otro rico, sino por el uso de ello; que si el rico atesora y el pobre codicia, ni el rico es rico, ni el pobre pobre, y se condenan ambos.**

Mateo Alemán (1547-1614), escritor español.

992. **El mejor cimiento y zanja del mundo es el dinero.**

Miguel de Cervantes Saavedra (1547-1616), escritor español.

993. **El dinero es como el estiércol: no es bueno a no ser que se esparza.**

Francis Bacon (1561-1626), filósofo inglés.

994. **Que pobreza no es vileza mientras no hace cosas malas.**

Félix Lope de Vega y Carpio (1562-1635), escritor español.

995. **Mendigo como soy, también soy pobre en agradecimiento.**

William Shakespeare (1564-1616), escritor inglés.

996. **Poderoso caballero es don dinero.**

Francisco de Quevedo y Villegas (1580-1645), escritor español.

997. **Mal abriga al pobre la costumbre de no tener abrigo.**

Francisco de Quevedo y Villegas (1580-1645), escritor español.

998. **Lo mismo por lo que se refiere a los hombres que a las demás cosas, no es el vendedor sino el comprador el que determina el precio.**

Thomas Hobbes (1588-1679), filósofo inglés.

999. **Tener dinero es fuente de temor; no tenerlo, es fuente de dolor.**

George Herbert (1593-1633), poeta galés.

1000. **El que tiene lo bastante para poder hacer bien a otros, es rico.**

Sir Thomas Browne (1605-1682), escritor inglés.

1001. **Un hombre sin dinero es como un arco sin flecha.**

Thomas Fuller (1609-1661), escritor inglés.

1002. **El dinero no crea tantos enemigos sinceros como enemigos verdaderos.**

Thomas Fuller (1609-1661), escritor inglés.

1003. **Lo peor de la pobreza es no saber soportarla.**

Thomas Fuller (1609-1661), escritor inglés.

1004. **La riqueza se consigue con dolor, se conserva con preocupación y se pierde con pesadumbre.**

Thomas Fuller (1609-1661), escritor inglés.

1005. **La sabiduría en un hombre pobre es como un diamante montado en plomo.**

Thomas Fuller (1609-1661), escritor inglés.

1006. El esfuerzo corporal nos libra de los dolores espirituales: por eso son felices los pobres.

François de la Rochefoucauld (1613-1680), escritor moralista francés.

1007. El desprecio que muestran los filósofos por la riqueza es, muchas veces, un camino para alcanzar la consideración que no podrían alcanzar por medio de las riquezas que no tenían.

François de la Rochefoucauld (1613-1680), escritor moralista francés.

1008. El dinero presta una apariencia de belleza incluso a la fealdad. La pobreza, en cambio, todo lo vuelve horrible.

Nicholas Boileau Despréaux (1636-1711), poeta, gramático y crítico francés.

1009. Todo cuanto la pobreza toca se torna horrible.

Nicholas Boileau Despréaux (1636-1711), poeta, gramático y crítico francés.

1010. Nada dura más que una fortuna moderada y nada llega antes a su término que una gran fortuna.

Jean de la Bruyère (1645-1696), escritor francés.

1011. Es empresa vana tratar de ridiculizar a un necio rico: las carcajadas están de su parte.

Jean de la Bruyère (1645-1696), escritor francés.

1012. Ningún hombre aceptará un consejo, pero todos aceptarán dinero. De donde se deduce que el dinero vale más que el consejo.

Jonathan Swift (1667-1745), escritor irlandés.

1013. No hay nada tan escandaloso como los harapos, ni crimen más vergonzoso que la pobreza.

George Farquhar (1678-1707), dramaturgo irlandés.

1014. La pobreza seduce y aparta a los hombre del cielo tanto como la riqueza.

Emanuel Swedenborg (1688-1772), teósofo ruso.

1015. El que tiene miedo a la pobreza no es digno de ser rico.

François Marie Arouet, Voltaire (1694-1778), escritor francés.

1016. No siempre depende de nosotros ser pobres; pero siempre depende de nosotros hacer respetar nuestra pobreza.

François Marie Arouet, Voltaire (1694-1778), escritor francés.

1017. No hay nada más dulce que la miel, excepto el dinero.

Benjamin Franklin (1706-1790), científico y político estadounidense.

1018. De aquel que opina que el dinero puede hacerlo todo, cabe sospechar con fundamento que será capaz de hacer cualquier cosa por dinero.

Benjamin Franklin (1706-1790), científico y político estadounidense.

1019. Más de un hombre hubiera sido peor si su fortuna hubiese sido mejor.

Benjamin Franklin (1706-1790), científico y político estadounidense.

1020. Si queréis ser ricos, no aprendáis solamente a saber cómo se gana, sino también cómo se ahorra.

Benjamin Franklin (1706-1790), científico y político estadounidense.

1021. La pobreza priva a menudo al hombre de la virtud y del ánimo.

Benjamin Franklin (1706-1790), científico y político estadounidense.

1022. La pobreza es un gran enemigo de la felicidad humana. Destruye la libertad y hace impracticables algunas virtudes y sumamente difíciles otras.

Samuel Johnson (1709-1784), escritor inglés.

1023. La igualdad en la riqueza debe consistir en que ningún ciudadano sea tan opulento que pueda comprar a otro, ni ninguno tan pobre que se vea necesitado de venderse.

Jean-Jacques Rousseau (1712-1778), filósofo ginebrino.

1024. No puede haber una sociedad floreciente y feliz cuando la mayor parte de sus miembros son pobres y desdichados.

Adam Smith (1723-1790), filósofo y economista inglés.

1025. La riqueza ennoblece las circunstancias del hombre, pero no al hombre mismo.

Immanuel Kant (1724-1804), filósofo alemán.

1026. De la misma manera que la riqueza es poder, todo poder atrae infaliblemente hacia sí la riqueza por uno u otro medio.

Edmund Burke (1729-1797), escritor y político irlandés.

1027. El dinero, y no la moral, es el principio de las naciones comerciales.

Thomas Jefferson (1743-1826), político estadounidense.

1028. El espíritu egoísta del comercio no reconoce patria ni siente ninguna pasión o principio salvo el del lucro.

Thomas Jefferson (1743-1826), político estadounidense.

1029. Nunca he observado que la honradez de los hombres aumenta con su riqueza.

Thomas Jefferson (1743-1826), político estadounidense.

1030. Pasar de la pobreza a la opulencia no es más que cambiar de miseria.

Johann G. Oxenstierna (1750-1818), escritor sueco.

1031. Precisa tener el apetito del pobre para gozar la riqueza del rico.

Antoine de Rivaroli, Rivarol (1753-1821), escritor francés.

1032. Hay personas que de sus riquezas no tienen más que el miedo de perderlas.

Antoine de Rivaroli, Rivarol (1753-1821), escritor francés.

1033. La riqueza no es tan corruptora del hombre cuanto la ambición de la riqueza.

Louis Gabriel Ambroise de Bonald (1754-1840), filósofo francés.

1034. Hay muchas personas que son llevadas a un estado de verdadera pobreza por su excesiva preocupación de que se las considere pobres.

William Cobbett (1762-1835), político y periodista inglés.

1035. **Pobreza e independencia son términos incompatibles.**

William Cobbett (1762-1835), político y periodista inglés.

1036. **El método más seguro de permanecer pobre es ser una persona franca.**

Napoleón Bonaparte (1769-1821), emperador francés.

1037. **Muchos hablan sinceramente cuando dicen que desprecian las riquezas, pero se refieren a las riquezas que poseen los demás.**

Charles Caleb Colton (1780-1832), poeta inglés.

1038. **La riqueza es como el agua salada: cuanto más se bebe más sed da; lo mismo ocurre con la gloria.**

Arthur Schopenhauer (1788-1860), filósofo alemán.

1039. **El dinero a la mano es como la lámpara de Aladino.**

George Gordon, lord Byron (1788-1824), poeta inglés.

1040. **El que sabe ser pobre lo sabe todo.**

Jules Michelet (1789-1874), historiador francés.

1041. **La riqueza es un poder usurpado por la minoría para obligar a la mayoría a trabajar en su provecho.**

Percy Bysshe Shelley (1792-1822), poeta inglés.

Junto al lord Byron y a Keats, Shelley es uno de los grandes poetas románticos ingleses. La cita que encabeza este breve comentario es una muestra de sus convicciones sociales y políticas; convicciones que llevó a la práctica en su propia vida y en su poesía, negándose a admitir las normas estrechas e hipócritas de la sociedad inglesa. Fue expulsado de Oxford por un panfleto titulado *La necesidad del ateísmo*. Enamorado de Mary Goodwin (hija de un revolucionario ácrata) abandona a su mujer y huye con su amante a Suiza. Allí se casan, y su amada se convierte en Mary Shelley, la prodigiosa autora de *Frankenstein*. Amigo de Byron, muere, como él, muy joven. (La tormentosa vida de estos románticos está maravillosamente reflejada en la película titulada *Remando al viento*, del director de cine español Gonzalo Suárez.) El reflejo poético de su pensamiento y de su vida es *Prometeo desencadenado* (1820), una obra donde se pone de manifiesto la ira del poeta contra

Dios y contra el destino. En el acto I, Prometeo (el Hombre) se dirige a los dioses y les dice: «Tres mil años sin descanso, instantes divididos por el dolor agudo, tortura y soledad, desesperanza, escarnio: eso es mi reino.»

1042. **El dinero es un buen sirviente, pero un mal amo.**

Henry George Bohn (1796-1884), editor inglés.

1043. **He sabido lo que es ser pobre al desear la fortuna para dársela a mi hijo.**

Honoré de Balzac (1799-1850), escritor francés.

1044. **¡Ah, si el rico fuera rico al modo en que el pobre piensa!**

Ralph Waldo Emerson (1803-1882), escritor y político estadounidense.

1045. **Lo difícil es ganar miles honradamente. Los millones se amontonan sin trabajo.**

Nicolai Vasilievich Gogol (1809-1852), novelista ruso.

1046. **Muchas veces compramos el dinero demasiado caro.**

William Makepeace Thackeray (1811-1864), novelista inglés.

1047. **Sólo es pobre aquel que siempre desea más.**

Mariano Aguilo (1815-1897), poeta español.

1048. **La riqueza superflua sólo puede comprar cosas superfluas.**

Henry David Thoreau (1817-1862), escritor estadounidense.

1049. **El hombre es rico en proporción a las cosas que puede desechar.**

Henry David Thoreau (1817-1862), escritor estadounidense.

1050. **¿Los pobres serían lo que son, si nosotros fuéramos lo que debiéramos ser?**

Concepción Arenal (1820-1893), escritora española.

1051. **El dinero es una nueva forma de esclavitud, que sólo se distingue de la antigua por el hecho de que es impersonal, de que no existe una relación humana entre amo y esclavo.**

Leon Tolstoi (1828-1910), escritor ruso.

1052. El que tiene dinero tiene en el bolsillo a los que no lo tienen.

Leon Tolstoi (1828-1910), escritor ruso.

1053. El pobre no debe avergonzarse de su pobreza ni desdeñar la caridad del rico, pues debe pensar en Jesucristo, que pudiendo haber nacido en medio de la opulencia, se hizo pobre para ennoblecer la pobreza y enriquecerla con incomparables méritos para el cielo.

Papa X (1835-1914).

1054. Dios, aunque invisible, tiene siempre una mano tendida para levantar por un extremo la carga que abruma al pobre.

Gustavo Adolfo Bécquer (1836-1870), poeta español.

1055. No hay que atarse demasiado a los bienes perecederos de este mundo y hay que saber abandonar lo que nos abandona.

Anatole France (1844-1924), escritor francés.

1056. El que no tiene más que dinero, es un pobre diablo.

Arturo Graf (1848-1913), escritor italiano.

1057. La tragedia del pobre es que no puede permitirse nada más que la abnegación.

Oscar Wilde (1854-1900), escritor irlandés.

1058. Sólo hay una clase de la sociedad que piensa más en el dinero que los ricos, y son los pobres. Los pobres no pueden pensar en otra cosa. En eso consiste la tragedia de ser pobre.

Oscar Wilde (1854-1900), escritor irlandés.

1059. Un pobre ingrato, no ahorrativo, descontentadizo y rebelde, probablemente es una verdadera personalidad y lleva algo dentro de sí. Por lo menos es una saludable protesta. En cuanto al pobre virtuoso, claro está que se le puede compadecer, pero ¿quién sería capaz de admirarlo?

Oscar Wilde (1854-1900), escritor irlandés.

1060. El dinero es sin duda la cosa más importante del mundo, y toda moral, personal y nacional, sana y acertada debe tener este hecho en cuenta.

George Bernard Shaw (1856-1950), escritor irlandés.

1061. Los hombres ricos sin convicciones son más peligrosos en la sociedad moderna que las mujeres pobres sin castidad.

George Bernard Shaw (1856-1950), escritor irlandés.

1062. La taberna, caballero, es el club del pobre.

George Bernard Shaw (1856-1950), escritor irlandés.

1063. En un mundo feo y desdichado el hombre más rico no puede comprar nada más que fealdad y desdicha.

George Bernard Shaw (1856-1950), escritor irlandés.

1064. El más terrible enemigo del heroísmo es la vergüenza de aparecer pobre.

Miguel de Unamuno (1864-1936), escritor español.

1065. Los ricos no quieren asombrarse de nada. Quieren reconocer al primer vistazo que dan a una bella obra el defecto que les dispensará de admirarla. La admiración es para ellos un sentimiento vulgar.

Jacinto Benavente (1866-1954), dramaturgo español.

1066. A los pobres, a los oprimidos, hay que socorrerlos aunque no tengan razón. Han tenido tanto tiempo razón los oprimidos, que bien tienen derecho a no tenerla alguna vez.

Jacinto Benavente (1866-1954), dramaturgo español.

1067. ¡Ah! Sí, señor, los pobres son muy ingratos; se les socorre por amor de Dios, porque ellos, con raras excepciones, no lo merecen.

Jacinto Benavente (1866-1954), dramaturgo español.

1068. Si has sido alguna vez pobre de verdad, seguirás siéndolo en lo íntimo de tu corazón durante el resto de tu vida.

Arnold D. Bennett (1867-1931), novelista inglés.

1069. La respetabilidad es tener dinero.

Pío Baroja (1872-1956), escritor español.

Los filólogos suelen decir que la literatura de Pío Baroja es la expresión de una gran catástrofe en la que sólo el autor parece quedar a salvo. Con esta opinión se quiere dar a conocer la implacable ferocidad literaria del autor vasco, su escepticismo, su mirada crítica o su pesimismo. Sin embargo, la extensión de su obra y la evolución ideológica del autor no permiten hacer resúmenes simples de su trayectoria. Junto a una búsqueda filosófica y espiritual (*Camino de perfección*, 1902) encontramos la violencia o la desesperación (*La busca*, 1904, y *El árbol de la ciencia*, 1911). Con todo, su pensamiento crítico se puede resumir en las palabras de Ortega y Gasset: «La vida en general, y sobre todo la suya, le parecía una cosa fea y turbia, dolorosa y abominable».

José Martínez Ruiz, *Azorín*, (1874-1967) fue el inventor de la llamada *Generación del 98*, en la que se incluye habitualmente a Pío Baroja, aunque éste y otros autores (Maeztu, Valle-Inclán o Machado) siempre negaron pertenecer a esa agrupación literaria imaginaria. Actualmente, la expresión *Generación del 98* sirve para enseñar en las escuelas ciertos rasgos ideológicos de escritores españoles nacidos al final del siglo XIX.

1070. **De todas las ideas engendradas por la nueva riqueza, la peor es ésta: que la vida doméstica es aburrida y rutinaria. La verdad es que, para un vulgar trabajador, el honor no sólo no es el único lugar de sujeción en un mundo de aventuras, sino todo lo contrario: el único lugar libre en un mundo de reglas y tareas preestablecidas.**

Gilbert Keith Chesterton (1874-1936), escritor inglés.

1071. **Sin riqueza económica concentrada en pocas manos es imposible el esplendor de las artes plásticas, del espíritu, de los hábitos distinguidos y del lujo.**

Oswald Spengler (1880-1936), filósofo e historiador alemán.

1072. **Solamente los pobres que saben de veras que son pobres, padecen su pobreza.**

Giovanni Papini (1881-1956), escritor italiano.

1073. **Nada más común entre los hombres que el deseo de riqueza. Amontonar dinero de todos modos, aun los más infames, ha parecido siempre la mejor y más respetada educación.**

Giovanni Papini (1881-1956), escritor italiano.

1074. La pobreza conviene a la buena fama del artista, porque la envidia de los hombres sólo le perdona la gloria al que no tiene una peseta.

Felipe Sassone (1884-1959), escritor peruano.

1075. Es preciso que los ricos tengan el alma muy fuerte, para poder abstenerse con tal firmeza del placer que se experimenta en dar a otros.

Abel Bonnard (1884-1968), escritor francés.

1076. Los pobres se jactan de sus gastos, y los ricos de sus economías.

Abel Bonnard (1884-1968), escritor francés.

1077. Los nuevos ricos tienen una ventaja segura: que son ricos.

Alexandre Pierre Georges Sacha Guitry (1885-1957), dramaturgo y actor ruso.

1078. Poder reflexionar sobre el dolor en un ambiente de cierto lujo, ya no es sufrir. La gente que vive en el lujo todo lo supedita a él, y su mismo dolor es un lujo. Poderse encerrar en una habitación y llorar. Y el dinero que aparece siempre en la mano para satisfacer un capricho. Todo esto es contrario al verdadero dolor.

François Mauriac (1885-1970), novelista francés.

1079. Tenía aquel doble sentimiento propio de los orientales: desear los bienes de este mundo y darse cuenta de su vanidad.

André Maurois (1885-1967), escritor francés.

1080. Hay muchas cosas en la vida más importantes que el dinero. ¡Pero cuestan tanto!

Groucho Marx (1890-1977), humorista estadounidense.

1081. La miseria es una enfermedad que si no se cura a los treinta, se hace crónica.

Dino Segre, Pitigrilli (1893-1975), escritor italiano.

1082. Los hombres ricos, que pasan el día ocupados en sus negocios y por la noche roncan como vacas, no contribuyen mucho, ciertamente, al bien común.

Li Yutang (1895-1976), escritora estadounidense.

1083. Un tonto pobre siempre será tonto. Un tonto rico será siempre rico.

Paul Lafitte (1898-1976), ingeniero francés.

1084. Esos que pretenden, para reformarnos, vencer nuestro instinto criminal, que nos den primero de comer. De moral hablaremos después. Esos que no se olvidan de cuidar nuestra formación, sin que por ello dejen de engordar, escuchen esto: por más que le den vueltas, primero es comer, y después de hartos ¡venga moral!

Bertold Brecht (1898-1956), dramaturgo alemán.

1085. El problema de ser pobre es que te ocupa todo el tiempo.

Willem de Kooning (1904-1987), pintor estadounidense.

1086. He leído que lo bueno es ser rico y saber disfrutar al mismo tiempo de los placeres de la pobreza. Me parece bien, pero mejor me pareciera si a continuación se enumeraran uno a uno esos placeres.

León Dandú (1905-1985), escritor español.

1087. Todo el mundo cuenta cómo ganó sus primeras cien pesetas; nadie cuenta cómo ganó el último millón.

Noel Clarasó (1905-1985), escritor español.

1088. Nadie puede ser verdaderamente rico si sus vecinos son pobres.

John Fitzgerald Kennedy (1917-1963), político estadounidense.

1089. El dinero es mejor que la pobreza, aun cuando sólo sea por razones financieras.

Woody Allen (n. 1921), actor y director de cine estadounidense.

1090. Daría lo que fuera por tener algo más.

José Luis Coll (n. 1931), humorista español.

1091. Quiero dinero sólo para ser rico.

John Lennon (1940-1980), cantante y compositor inglés.

1092. El dinero es otra especie de sangre. *(Pecunia alter sanguis.)*

Anónimo.

1093. La pobreza no es un vicio. *(Paupertas non est vitium.)*
Anónimo.

1094. El pobre es un extranjero en su patria.
Anónimo.

1095. El pobre puede morir, lo que no puede es estar enfermo.
Anónimo.

1096. La pobreza y un rostro feo no se pueden ocultar.
Anónimo.

1097. Es más fácil predicar y alabar la pobreza que soportarla.
Anónimo.

1098. Hasta los más estúpidos comprenden lo que quiere decir el rico, pero ni los más sabios entienden lo que dice el pobre.
Proverbio.

1099. El hombre que hace su fortuna en un año debería ser ahorcado doce meses antes.
Anónimo.

DE LA PAZ Y DE LA GUERRA

En la historia de los pueblos siempre hay un necio que lleva a los suyos al desastre.

Cuando los hebreos fueron liberados de Egipto, Yaveh les concedió la Tierra Prometida. Daba la casualidad de que estas tierras estaban ocupadas por los filisteos, los amalequitas, los edomitas, los moabitas y otros, de modo que fue preciso que miles de hombres murieran para que los descendientes de Jacob cumplieran la palabra de Dios. El rapto de Helena por un troyano llamado Paris, fue la causa de la guerra de Troya. Esta ciudad fue construida y asolada nueve veces. Los romanos pasaron a sangre y fuego toda Europa, y cuando no tuvieron rival, se enzarzaron en guerras civiles. Los árabes conquistaron el Mediterráneo a base de cimitarras y los cristianos combatieron en aras del cristianismo contra el infiel. Castilla envió más soldados que frailes al Nuevo Mundo para enseñar la doctrina cristiana. Europa ardía por disputas territoriales y religiosas, por sucesiones al trono o por ambiciones personales. Napoleón consideró atractivo invadir todos los países de Europa: las batallas y los muertos se esparcían también en busca de la independencia de los pueblos. El siglo XX se inaugura con la Primera Guerra mundial, seguida de la Guerra Civil española y, a continuación, la Segunda Guerra mundial. Curiosamente, siempre ha habido soldados dispuestos a morir por sus generales o por sus reyes.

En realidad, la Historia no es tan simple como se ha esbozado. Ni siquiera la guerra ha sido considerada en todos los tiempos de la misma manera. En Roma, por ejemplo, no había un sentimiento religioso de la guerra: en general, los soldados eran profesionales que necesitaban la guerra para subsistir, o ciudadanos que buscaban extensiones de tierra para asentarse. En la Edad Media existía un impulso religioso contra los musulmanes, pero Castilla nació más de un deseo expansionista y lucrativo que de un sentimiento nacional, que no existía. En los siglos XVI y XVII era común oír «Para medrar: la milicia, la mar o la casa real». En el siglo XIX, en cambio, los sentimientos de exaltación nacionalista fueron los impulsores de la guerra. En el siglo XX, por el contrario, parece que son los intereses económicos de las naciones o la pura sinrazón lo que lleva a los soldados a la batalla.

Sin embargo, y a pesar de los diferentes motivos y actitudes ante la guerra, siempre ha habido pensadores que se han opuesto firmemente a ella y que siempre han conocido que la violencia entre los pueblos sólo beneficia a los poderosos y a los sepultureros.

1100. **Los hombres se cansan antes de dormir, de amar, de cantar y bailar que de hacer la guerra.**

Homero (siglo VIII a. C.), poeta griego.

1101. **Ni el hombre más bravo puede luchar más allá de lo que le permiten sus fuerzas.**

Homero (siglo VIII a. C.), poeta griego.

Homero, «el poeta divino» o, como lo llamaban Aristófanes y Demócrito, es el punto de referencia de la literatura clásica griega, pero, en muchos aspectos, es también la base de toda la literatura occidental, desde Virgilio a Kazantzakis, y desde Dante a Joyce. Las dos obras monumentales que se le atribuyen (*Ilíada* y *Odisea*), estaban compuestas para ser recitadas, y así lo entendían los maestros en los *gimnasios*: los jóvenes memorizaban fragmentos de estas obras y aprendían, de este modo, lengua, poesía, religión y filosofía.

En su obra, Homero despliega un cuadro de acción y reflexión: los argumentos (la guerra de Troya y los viajes de Ulises) han mantenido su atractivo a lo largo de casi tres mil años; la batalla entre los hombres y los dioses es un argumento eterno; la paz y la guerra, la felicidad y la desgracia, la alegría y el dolor; todo está en la inmortal obra de Homero. En los primeros versos de la *Odisea* Zeus habla a los mortales: «¡Ay, cómo culpan los mortales a los dioses!, pues dicen que de nosotros vienen todos sus males. Pero también ellos, por su estupidez, soportan más desgracias de las que les corresponden». Un pasaje representativo del pensamiento homérico respecto a la posición del hombre en el mundo podría ser éste: en el canto octavo de la *Ilíada*, Zeus amenaza a todos los dioses y les ordena no interferir en la guerra de Troya. Esto suponía que la batalla sería igual, y que resultaría vencedor aquel que más valor demostrase. Pero la hermosa Atenea pretende proteger a uno de los bandos y sugiere a su padre que le sea propicio, a lo cual Zeus responde: «Tranquila Atenea, no estaba hablando en serio.»

1102. **El dios de la guerra detesta a los que le vacilan.**

Eurípides de Salamina (480-406 a. C.), poeta trágico griego.

1103. **La fortaleza de un ejército estriba en la disciplina rigurosa y en la obediencia inflexible a sus oficiales.**

Tucídides (h. 460-h. 396 a. C.), historiador griego.

1104. **La derrota en la guerra no es el mayor de los males, salvo cuando la inflige un enemigo indigno.**

Esquines (h. 393-h. 314 a. C.), orador griego.

1105. **Las tropas regulares pierden el valor cuando se encuentran ante peligros mayores que los que esperaban y superadas por el número y las armas del enemigo. Son los primeros en volver la espalda. En cambio, los hombres de la milicia mueren en su puesto.**

Aristóteles (384-322 a. C.), filósofo griego.

1106. **Cuando los soldados huyen, nunca se culpan a sí mismos: culpan a un general o a sus compañeros.**

Demóstenes (384-322 a. C.), orador y político griego.

1107. **En la guerra debemos contar siempre con los golpes del azar y con los accidentes que no pueden preverse.**

Polibio (h. 210-h. 128 a. C.), historiador y político griego.

1108. **El objeto de la guerra no es aniquilar a los que la han provocado, sino hacerles que se enmienden; no destruir a los inocentes y a los culpables por igual, sino salvar a ambos.**

Polibio (h. 210-h. 128 a. C.), historiador y político griego.

1109. **Tiene sin duda mucho mérito vencer en el campo de batalla; pero se necesita más sabiduría y más destreza para hacer uso de la victoria.**

Polibio (h. 210-h. 128 a. C.), historiador y político griego.

1110. **Siempre la mala paz es mejor que la mejor guerra.**

Marco Tulio Cicerón (106-43 a. C.), político, orador, filósofo y literato romano.

1111. **Las leyes guardan silencio cuando suenan las armas.**

Marco Tulio Cicerón (106-43 a. C.), político, orador, filósofo y literato romano.

1112. **En la guerra, causas triviales producen acontecimientos trascendentales.**

Julio César (100-44 a. C.), emperador romano.

1113. **Es la ley de la guerra que los vencedores traten a los vencidos a su antojo.**

Julio César (100-44 a. C.), emperador romano.

1114. **Llegué, vi y vencí.** *(Veni, vidi, vici.)*

Julio César (100-44 a. C.), emperador romano.

1115. **Guerras, horrendas guerras.**

Publio Virgilio Marón (70-19 a. C.), poeta latino.

1116. **No hay nada peor que una guerra civil, pues los vencidos son destruidos por sus propios amigos.**

Dionisio de Halicarnaso (h. 68-h. 8 a. C.), retórico e historiador griego.

1117. **Las guerras son el espanto de las madres.** *(Bella detestata matribus.)*

Horacio (65-8 a. C.), poeta latino.

1118. **La adversidad revela el genio de un general; la buena fortuna lo oculta.**

Horacio (65-8 a. C.), poeta latino.

1119. **En la guerra más que en ningún otro caso, los acontecimientos no corresponden a las esperanzas.**

Tito Livio (59 a.C.-17), historiador romano.

1120. **Para un buen general, la muerte no tiene importancia.**

Tito Livio (59 a.C.-17), historiador romano.

1121. **El temor a la guerra es peor que la guerra misma.**

Lucio Anneo Séneca (4 a. C.-65), escritor y filósofo romano.

1122. **La fortuna de la guerra es siempre dudosa.**

Lucio Anneo Séneca (4 a. C.-65), escritor y filósofo romano.

1123. **Haznos enemigos de todos los pueblos de la tierra, pero sálvanos de la guerra civil.**

Marco Anneo Lucano (39-65), poeta épico latino.

1124. **Aníbal sabía lograr victorias, pero no hacer uso de ellas.**

Plutarco (h. 46-48- h. 120-125), historiador y moralista griego.

1125. **El oro y las riquezas son las causas principales de la guerra.**

Tácito (h. 54-57-h. 125), historiador y orador latino.

1126. **Una mala paz es todavía peor que la guerra.**

Tácito (h. 54-57-h. 125), historiador y orador latino.

1127. **Las cualidades de un general son el juicio y la prudencia.**

Tácito (h. 54-57-h. 125), historiador y orador latino.

1128. **La paz es para el mundo lo que la levadura para la masa.**

Talmud (siglos IV-V), texto sagrado del judaísmo.

1129. **La guerra es puro ardid: si no puedes vencer, engaña.**

Abd Allah (siglo XI), rey de Granada y escritor.

1130. **La paz más desventajosa es mejor que la guerra más justa.**

Erasmo de Rotterdam (1466-1536), humanista holandés.

1131. **La guerra es dulce para los que no la conocen.**

Erasmo de Rotterdam (1466-1536), humanista holandés.

1132. **Aunque el engaño sea detestable en otras actividades, su empleo en la guerra es laudable y glorioso, y el que vence a un enemigo**

por medio del engaño merece tantas alabanzas como el que
lo logra por la fuerza.

Nicolás Maquiavelo (1469-1527), historiador, político y teórico italiano.

1133. Los cimientos principales de todos los Estados son las buenas
leyes y las buenas armas, y no puede haber buenas leyes donde
no hay buenas armas.

Nicolás Maquiavelo (1469-1527), historiador, político y teórico italiano.

1134. Todos los profetas armados han triunfado; todos los desarmados
han perecido.

Nicolás Maquiavelo (1469-1527), historiador, político y teórico italiano.

1135. No pasa de ser natural que los príncipes deseen extender sus
dominios, y cuando no intentan nada más que lo que pueden
lograr, son aplaudidos. Sin embargo, si son incapaces de lograrlo,
se les condena, y a decir verdad, no sin razón.

Nicolás Maquiavelo (1469-1527), historiador, político y teórico italiano.

Niccolò Machiavelli, hombre de pensamiento y de acción política, es
el autor de *El príncipe* (1513), una de las obras más representativas del
Renacimiento europeo. Se trata de un ensayo de teoría política, lo
que los eruditos llaman un *espejo de príncipes*: enseñanzas para reyes y
gobernantes. A lo largo de una vida agitada, como profesional de las
cancillerías y de la corte, Maquiavelo va configurando su teoría política, fruto de su experiencia y de sus conocimientos históricos. Maquiavelo enseña a Laurencio de Médicis cómo se ha de gobernar: la cuestión principal ha de ser mantener el poder. Un príncipe debe
ocuparse de la guerra. Respecto a todo, el príncipe debe obrar con
virtud. La virtud consiste en salir beneficiado de cualquier asunto y a
toda costa. La razón de estado, su conservación y firme asentamiento,
es el pilar de su doctrina política: «Procure pues el príncipe ganar y
conservar el estado; los medios serán siempre juzgados honorables y
serán alabados si se logra el éxito: el vulgo se deja cautivar por la apariencia y el éxito.» Estas propuestas, carentes de toda caballerosidad y
de dignidad moral, le acarrearon toda suerte de desgracias a Maquiavelo y una fama de miserable que ha perdurado en el lenguaje común: se dice de una persona que tiene intenciones *maquiavélicas*
cuando tiene tendencia a la falsedad, la traición y la perfidia.

1136. La guerra es la mayor plaga que puede afligir a la humanidad. Destruye la religión, destruye los Estados, destruye las familias. Cualquier calamidad es preferible a ésta.

Martin Lutero (1483-1546), teólogo alemán.

1137. Se combate con gran desventaja cuando se lucha contra los que no tienen nada que perder.

Francesco Guicciardini (1483-1540), historiador italiano.

1138. No hay victoria si no se pone fin a la guerra.

Michel Eyquen de Montaigne (1533-1592), escritor francés.

1139. Las mismas razones que nos llevan a reñir con un vecino originan la guerra entre dos príncipes.

Michel Eyquen de Montaigne (1533-1592), escritor francés.

1140. No pidas por favor lo que puedas obtener por la fuerza.

Miguel de Cervantes Saavedra (1547-1616), escritor español.

1141. Las cosas de la guerra más que otras están sujetas a continua mudanza.

Miguel de Cervantes Saavedra (1547-1616), escritor español.

1142. La ley primera y fundamental de la naturaleza es buscar la paz.

Thomas Hobbes (1588-1679), filósofo inglés.

1143. Sólo hay una gran guerra general en cada siglo.

Baltasar Gracián (1601-1658), escritor español.

1144. Todas las victorias engendran odio.

Baltasar Gracián (1601-1658), escritor español.

1145. Vencer sin peligro es triunfar sin gloria.

Pierre Corneille (1606-1684), dramaturgo francés.

1146. El comienzo de toda guerra puede descubrirse, no en el primer acto de hostilidad, sino en los consejos y los preparativos que la anteceden.

John Milton (1608-1674), poeta inglés.

1147. ¿Puede haber algo más ridículo que la pretensión de que un hombre tenga derecho a matarme porque habita al otro lado del agua y porque un príncipe tenga una querella con el mío, aunque yo no la tenga con él?

Blaise Pascal (1623-1662), escritor, matemático, físico y filósofo francés.

1148. La mayor parte de las diversiones a que se entregan los hombres, los niños y otros animales son imitaciones de la lucha.

Jonathan Swift (1667-1745), escritor irlandés.

1149. La verdadera fuerza de un príncipe no consiste tanto en su capacidad para vencer a sus vecinos como en lo difícil que puede ser para éstos atacarlo.

Charles Louis de Secondat, barón de Montesquieu (1689-1755), escritor y filósofo francés.

1150. Dios está siempre al lado de los batallones más fuertes.

François Marie Arouet, Voltaire (1694-1778), escritor francés.

1151. Nunca existió una buena guerra ni una mala paz.

Benjamin Franklin (1706-1790), científico y político estadounidense.

1152. Más vale una paz relativa que una guerra ganada.

María Teresa de Austria (1717-1780), emperatriz austríaca.

1153. Puesto que la razón condena la guerra y hace de la paz un deber absoluto, y puesto que la paz no puede ser lograda ni garantizada sin una unión compacta de naciones, éstas deben formar una alianza de índole peculiar, que podría llamarse una alianza pacífica, diferente de un tratado de paz, puesto que pondría fin para siempre a todas las guerras, en tanto que el tratado de paz sólo pone fin a una.

Immanuel Kant (1724-1804), filósofo alemán.

1154. No debe considerarse válido ningún tratado de paz en el que haya reservas tácitas para preparar una guerra futura.

Immanuel Kant (1724-1804), filósofo alemán.

1155. Durante la guerra, un Estado no debe admitir que las hostilidades revistan tal carácter que hagan imposible la confianza recíproca en una paz posterior.

Immanuel Kant (1724-1804), filósofo alemán.

1156. El estado natural de los hombres no es de paz, sino de guerra; cuando no de guerra abierta, de guerra que puede estallar en cualquier momento.

Immanuel Kant (1724-1804), filósofo alemán.

1157. La guerra no requiere un motivo determinado; parece hallarse arraigada en la naturaleza humana; incluso se tiene por un acto de grandeza para aquellos que se sienten impulsados únicamente por el amor a la gloria.

Immanuel Kant (1724-1804), filósofo alemán.

1158. No existe un Estado cuyo jefe no desee asegurarse una paz constante por medio de la conquista del universo entero si ello fuera posible.

Immanuel Kant (1724-1804), filósofo alemán.

1159. Cada gobierno acusa al otro de perfidia, intriga y ambición como medio de caldear la imaginación de sus respectivas naciones para llevarlas a las hostilidades.

Thomas Paine (1737-1809), escritor inglés.

1160. La guerra no es el momento más favorable para arrebatar el poder a una monarquía. Por el contrario, es el momento en que la energía de una sola mano se presenta en su forma más seductora.

Thomas Jefferson (1743-1826), político estadounidense.

1161. He visto lo bastante de una guerra para no desear volver a ver otra.

Thomas Jefferson (1743-1826), político estadounidense.

1162. Opino con los romanos de antaño que el general de hoy debe ser mañana, si es necesario, soldado raso.

Thomas Jefferson (1743-1826), político estadounidense.

1163. En la guerra, la fortuna es variable. Por eso, el guerrero prudente no debe menospreciar al enemigo.

Johann Wolfang von Goethe (1749-1832), escritor alemán.

1164. Cada soldado lleva en su mochila un bastón de mariscal.

Napoleón Bonaparte (1769-1821), emperador francés.

1165. La guerra es para el hombre un estado natural.

Napoleón Bonaparte (1769-1821), emperador francés.

1166. La guerra es un arte singular. Yo he sostenido sesenta batallas y no he aprendido más de lo que sabía cuando sostuve la primera.

Napoleón Bonaparte (1769-1821), emperador francés.

1167. Un general que ve con los ojos de otro nunca será capaz de mandar un ejército como es debido.

Napoleón Bonaparte (1769-1821), emperador francés.

1168. Los generales deben mezclarse con los simples soldados. El sistema espartano era excelente.

Napoleón Bonaparte (1769-1821), emperador francés.

1169. Yo no merezco más de la mitad del mérito por las batallas que he pasado. Por regla general, son los soldados lo que ganan las batallas y los generales los que se llevan la fama.

Napoleón Bonaparte (1769-1821), emperador francés.

1170. Yo estimo a un soldado valeroso que ha sufrido su bautismo de fuego, cualquiera que sea la nación a que pertenezca.

Napoleón Bonaparte (1769-1821), emperador francés.

1171. Para tener buenos soldados, una nación debe estar siempre en guerra.

Napoleón Bonaparte (1769-1821), emperador francés.

1172. A veces una batalla lo decide todo, y a veces la cosa más insignificante decide la suerte de una batalla.

Napoleón Bonaparte (1769-1821), emperador francés.

La imagen de Napoleón ha variado sustancialmente con el paso de los tiempos y dependiendo de las interpretaciones que se han hecho de su vida y de la Historia. Heredero de la Revolución de 1789, Napoleón no era más que un soldado ambicioso que asombró a Europa. Los grandes tiranos siempre han buscado un enemigo: ésta es la única manera de mantener activo al pueblo y producir la ilusión de la grandeza y el heroísmo. Europa no esperaba a Napoleón, y éste se lanzó a la conquista del continente de un modo desaforado. La enemistad con Inglaterra o Prusia, los deseos expansionistas, o su simple voluntad, llevaron el fuego y la guerra desde Cádiz hasta Moscú. Lo cierto es que, en aquellos primeros años del siglo XIX, Napoleón era un hombre admirado: su tenacidad, su valor, su inteligencia estratégica, su determinación, su poder implacable y un sinfín de leyendas, lo convirtieron en el centro de todas las tertulias, en el objeto de todas las miradas. León Tolstoi (1828-1910) aseguraba, por el contrario, que Napoleón ganaba las guerras porque no encontraba con quién luchar y que, tanto sus victorias como sus derrotas, no se debían a su inteligencia o a su valor: él no participaba en las batallas y el fragor del combate nunca le permitió ver con claridad las posiciones y los recursos. De modo que las batallas sólo las ganaban los soldados, y dependía de la voluntad o el interés de los soldados ganar o perder la guerra. «Para los historiadores, los príncipes y los generales son genios; para los soldados siempre son unos cobardes.»

1173. **Un gran país no puede tener una guerra pequeña.**

Arthur Colley Wellesley, Duque de Wellington (1769-1852), general y político inglés.

1174. **La guerra es un acto de violencia cuyo objeto es obligar al enemigo a realizar nuestra voluntad.**

Carl von Clausewitz (1780-1831), historiador, general y tratadista prusiano.

1175. **La guerra no es más que un duelo en gran escala.**

Carl von Clausewitz (1780-1831), historiador, general y tratadista prusiano.

1176. **La guerra no es simplemente un acto político, sino también un instrumento político, una continuación de las relaciones políticas, una ejecución de la misma cosa por otros medios.**

Carl von Clausewitz (1780-1831), historiador, general y tratadista prusiano.

1177. La decisión final de una guerra no debe considerarse como absoluta. La nación vencida suele mirar la derrota como un mal pasajero que puede repararse en tiempos posteriores por medio de combinaciones políticas.

Carl von Clausewitz (1780-1831), historiador, general y tratadista prusiano.

1178. Si nunca hubiera habido guerras, nunca hubiese habido tiranía en el mundo.

Percy Bysshe Shelley (1792-1822), poeta inglés.

1179. El culto a los héroes existe, ha existido y existirá siempre con carácter universal en el seno de la humanidad.

Thomas Carlyle (1795-1881), filósofo, crítico e historiador inglés.

1180. La paz perdurable es un sueño, y ni siquiera un sueño hermoso.

Helmut von Moltke (1800-1891), general prusiano.

1181. La guerra forma parte del orden creado por Dios. En ella se manifiestan las virtudes más nobles del hombre: el valor y la abnegación, el espíritu del deber y el sacrificio de sí mismo. Sin la guerra el mundo se hundiría en el materialismo.

Helmut von Moltke (1800-1891), general prusiano.

1182. El éxito de una guerra se mide por la cantidad de daños que causa.

Victor Hugo (1802-1885), escritor francés.

1183. Una guerra contra el extranjero es un arañazo en el brazo; una guerra civil es una úlcera que devora las vísceras de una nación.

Victor Hugo (1802-1885), escritor francés.

1184. Es perfectamente comprensible la afición de la humanidad a la guerra, porque ésta viene a quebrar el estancamiento de la sociedad y sirve para poner de manifiesto los méritos personales de todos los hombres.

Ralph Waldo Emerson (1803-1882), escritor y político estadounidense.

1185. Las diferencias de raza son una de las causas por las que es de temer que existan siempre las guerras; porque la raza implica diferencia, la diferencia implica superioridad, y la superioridad conduce al predominio.

Benjamin Disraeli (1804-1881), político y escritor inglés.

1186. Todo lo referente a la guerra es una bofetada al buen sentido.

Hermann Melville (1819-1891), novelista estadounidense.

1187. Tanto la paz como la guerra son nobles o innobles según su especie y según la ocasión.

John Ruskin (1819-1900), escritor inglés.

1188. Dos leyes parecen estar luchando hoy entre sí. Una es una ley de sangre y de muerte que imagina sin cesar nuevos medios de destrucción y obliga a las naciones a estar constantemente preparadas para el campo de batalla. La otra es una ley de paz, de trabajo y de salud, que desarrolla nuevamente nuevos medios para librar al hombre de los males que le asedian.

Louis Pasteur (1822-1895), químico francés.

1189. Los gobiernos necesitan ejércitos que los protejan contra súbditos esclavizados y oprimidos.

Leon Tolstoi (1828-1910), escritor ruso.

1190. El ejército ha sido siempre la base del poder, y lo sigue siendo. El poder está siempre en manos de los que tienen el mando del ejército.

Leon Tolstoi (1828-1910), escritor ruso.

1191. Solamente puedes tener paz si tú la proporcionas.

Marie Ebuer-Eschenbach (1830-1916), escritora austríaca.

1192. Dios se encargará de que las guerras se produzcan siempre como una medicina drástica para la humanidad doliente.

Von Treitsche (1834-1896), historiador alemán.

1193. Lo que necesitamos descubrir ahora en el terreno social es un equivalente moral de la guerra: algo heroico que hable a los hombres con un lenguaje tan universal como el que emplea la guerra y que sea, sin embargo, tan compatible con su personalidad espiritual como ha resultado ser incompatible la guerra.

William James (1842-1910), filósofo estadounidense.

1194. La guerra es el estado habitual de Europa. Siempre se tiene a mano una abundante provisión de causas de guerra.

Pedro Kropotkin (1842-1921), escritor ruso.

1195. Lo más terrible de la guerra es que mata todo amor a la verdad.

Georges Brandes (1842-1927), escritor danés.

1196. La guerra vuelve estúpido al vencedor y rencoroso al vencido.

Friedrich Nietzsche (1844-1900), filósofo alemán.

1197. El arte de la guerra consiste en ordenar las tropas de tal modo que no puedan huir.

Anatole France (1844-1924), escritor francés.

1198. Mientras la guerra sea considerada como una cosa mala, ejercerá su fascinación. Cuando se la considere como algo vulgar, dejará de ser popular.

Oscar Wilde (1854-1900), escritor irlandés.

1199. Tarde o temprano toda guerra comercial se convierte en una guerra sangrienta.

Eugene V. Debs (1855-1926), político estadounidense.

1200. Un soldado es un anacronismo del que debemos desembarazarnos.

George Bernard Shaw (1856-1950), escritor irlandés.

1201. La conquista de la tierra, que la mayor parte de las veces significa arrebatar un territorio a veces de diferente color o de nariz más aplastada que la nuestra, no es una cosa nada agradable cuando se la mira de cerca.

Joseph Conrad (1857-1924), escritor inglés.

1202. Hasta que el mundo llegue a su fin, se recurrirá siempre en última instancia a la espada.

Guillermo II (1859-1921), emperador de Prusia y Alemania.

1203. Esta guerra, como la que venga después, es para poner término a la guerra.

David Lloyd George (1863-1945), escritor inglés.

1204. La disciplina consiste en que un imbécil se haga obedecer por otros que son más inteligentes.

Jacinto Benavente (1866-1954), dramaturgo español.

1205. La guerra terminaría si los muertos pudiesen regresar.

Stanley Baldwin (1867-1947), escritor inglés.

1206. El hombre que ha tenido algo que hacer en este mundo nunca ha sido guerrero. Lo que gusta de la guerra es que la guerra «se hace». Y es una solución para el que no tiene otra cosa emocionante que hacer.

Émile-Auguste Chartier, Alain (1868-1951), filósofo y escritor francés.

1207. Para hacer la paz se necesitan por los menos dos; mas para hacer la guerra basta uno solo.

Neville Chamberlain (1869-1940), político inglés.

1208. No hay camino para la paz; la paz es el camino.

Mahatma Gandhi (1869-1948), líder pacifista hindú.

1209. El imperialismo ruso, en cierto sentido, es la etapa de transición del capitalismo al socialismo. Es el capitalismo agonizante, pero no muerto.

Vladimir Lenin (1870-1924), revolucionario y político ruso.

1210. Rigen la vida de la paz, pierden todo su valor y lo que antes era considerado un crimen se convierte muchas veces en una virtud.

Hermann Alexander von Keyserling (1880-1946), filósofo alemán.

1211. El único medio de vencer en una guerra es evitarla.

George C. Marshall (1880-1959), militar y político estadounidense.

1212. No se puede ganar una guerra, como tampoco se puede ganar un terremoto.

Jeannette Rankin (1880-1973), pacifista estadounidense.

1213. La guerra es, sin duda, despúes del claustro, la más grande escuela de humildad.

Pierre Benoit (1885-1962), novelista francés.

1214. Nada parece, de momento, más raro en la guerra que oír las mismas voces de mando que tanto se oyeron repetir en el período de instrucción. Se ha de proclamar bien alto; nadie jamás en Francia había pensado que un día pudieran servir de veras.

Pierre Benoit (1885-1962), novelista francés.

1215. La guerra no es más natural que la tuberculosis o la mortalidad infantil.

Fraus E. Sillanpaa (1888-1964), escritor finlandés.

1216. Por lo que al humanitarismo respecta, ya Moltke dijo que la guerra radicaba en la celeridad del procedimiento, es decir, que el humanitarismo suponía en consecuencia el empleo de los medios de lucha más eficaces; según eso, las armas más crueles eran humanitarias, si es que aceleraban la consecución de la victoria y sólo eran buenos aquellos métodos capaces de contribuir a asegurarle a la nación la dignidad de su autonomía.

Adolf Hitler (1889-1945), dictador alemán.

1217. Los caballos en la guerra eran más felices que nosotros los soldados, porque aunque ellos también soportaban la guerra como nosotros, por lo menos no se les obligaba a creer en ella. Desgraciados, pero libres, los caballos.

Louis Ferdinand Céline (1894-1961), escritor francés.

1218. El derecho es más precioso que la paz, y lucharemos por las cosas que más cerca han estado siempre de nuestro corazón: por la democracia, por el derecho de aquellos que se someten a la autoridad a tener voz en su propio gobierno, por los derechos y las libertades de las pequeñas naciones, por el dominio universal del derecho mediante un concierto de pueblos libres que traiga la paz y la seguridad a todas las naciones y dé al fin la libertad al mundo.

Edmund Wilson (1895-1972), ensayista estadounidense.

1219. **Las madres de los soldados muertos son jueces de la guerra.**

Bertold Brecht (1898-1956), dramaturgo alemán.

Bertold Brecht es uno de los dramaturgos más importantes de la época contemporánea. Además de su producción literaria, su labor consistió en renovar los objetivos y las técnicas teatrales. En términos sencillos, Brecht recomendaba un teatro crítico, inconformista, transformador. Él hacía teatro para modificar el mundo, no para ofrecer un divertimento. Su obra dramática y su pensamiento ha de entenderse como una rebelión contra los poderosos, como una agitación ante la opresión política, social y económica. En su poesía, muy popular a lo largo del siglo, lo expresa así: «Pero cuando crecí y miré a mi alrededor, no me gustó la gente rica, ni el mandar, ni el recibir servicio, y abandoné mi clase y me uní a los pobres.» Respecto a la guerra, ésta es otra opinión de Brecht: «Con la guerra aumentan las propiedades de los hacendados, aumenta la miseria de los miserables, aumentan los discursos del general, y crece el silencio de los hombres.» Sus obras de teatro más valoradas son: *Tambores en la noche* (1919), *Santa Juana de los Mataderos* (1930), *La buena persona de Sezuan* (1940) y la más conocida de sus obras, *Madre Coraje* (1939).

1220. **He aquí un soldado en plena guerra. Primero es valiente porque cree que nada le ha de suceder, que él no es como los otros, que tiene una virtud especial y una media incertidumbre de que no le han de tocar.**

Ernest Hemingway (1898-1961), novelista estadounidense.

1221. **La guerra es una enfermedad, como el tifus.**

Antoine Marie Roger de Saint-Exupéry (1900-1944), escritor francés.

1222. **Cuando los ricos se hacen la guerra, son los pobres los que mueren.**

Jean Paul Sartre (1905-1980), escritor y filósofo francés.

1223. La vuelta a la normalidad es el esfuerzo realizado después de una guerra, para volver a las mismas condiciones que llevaron a ella.

Noel Clarasó (1905-1985), escritor español.

1224. Morir por la patria es una gloria; pero son más útiles los que saben hacer morir por la patria a los soldados enemigos.

Noel Clarasó (1905-1985), escritor español.

1225. Hablar de paz, según los precedentes históricos es inhumano. El mundo ha glorificado siempre a los guerreros; y la heroicidad se ha considerado una suprema virtud guerrera. Según la estimación humana, si diez consiguen vencer a cien, aunque les maten a todos, son héroes; y si de los diez mueren nueve en la lucha, el que queda deja escrito su nombre en la heroicidad universal.

León Dandú (1905-1985), escritor español.

1226. Todos las guerras son santas. Os desafío a que encontréis un beligerante que no crea tener el cielo de su parte.

Jean Anouilh (1910-1987), escritor francés.

1227. Cuando los pacíficos pierden toda esperanza, los violentos encuentran motivo para disparar.

Harold Wilson (n. 1916), político inglés.

1228. El hombre ha de fijar un final para la guerra. Si no, la guerra fijará un final para el hombre.

John Fitzgerald Kennedy (1917-1963), político estadounidense.

1229. La última voz audible antes de la explosión del mundo será la de un experto que dirá: «Es técnicamente imposible».

Peter Ustinov (n. 1921), escritor, actor y director inglés.

1230. Las guerras seguirán mientras el color de la piel siga siendo más importante que el de los ojos.

Bob Marley (1945-1981), cantante y compositor jamaicano.

1231. Las guerras más grandes nacen de las causas más triviales.

Anónimo.

1232. Un buen soldado sobre todo debe pensar en tres cosas:
en la patria, en Dios y en nada.

Anónimo.

1233. Mala cosa es la guerra, que mata a los hombres buenos y deja
vivos a los malos.

Anónimo.

1234. Si el rey, el presidente, el primer ministro y el general en jefe
debieran ser los primeros en ir a la línea de fuego al declararse
la guerra, ésta no tendría lugar.

Anónimo.

1235. Las altas partes contratantes declaran solemnemente, en nombre
de sus respectivos pueblos, que condenan la apelación a la guerra
para la solución de los conflictos internacionales y renuncian
a ella como instrumento de política nacional en sus relaciones
recíprocas. Las altas partes contratantes convienen en que
la solución de todas las disputas o conflictos de cualquier
naturaleza u origen que pueden surgir entre ellos no será buscada
nunca sino por medios pacíficos.

Pacto Kellog (Pacto Internacional Antibélico).

DE LA RELIGIÓN

1236. La religión es una enfermedad, pero una enfermedad noble.

Heráclito de Éfeso (540-475 a. C.), filósofo griego.

1237. Si Dios es bueno, no es el autor de todas las cosas, sino sólo de unas cuantas, y no de la mayor parte de las que le ocurren al hombre.

Platón (428-347 a. C.), filósofo griego.

1238. Es verdad que hay dioses; pero lo que la multitud cree de ellos no es cierto, pues lo que la multitud cree cambia con el tiempo.

Epicuro de Samos (341-270 a. C.), filósofo griego.

1239. La religión no se suprime suprimiendo la superstición.

Marco Tulio Cicerón (106-43 a. C.), político, orador, filósofo y literato romano.

1240. Los dioses han existido siempre y nunca han nacido.

Marco Tulio Cicerón (106-43 a. C.), político, orador, filósofo y literato romano.

1241. No hay nada que Dios no pueda realizar.

Marco Tulio Cicerón (106-43 a. C.), político, orador, filósofo y literato romano.

1242. La naturaleza misma ha impreso en la mente de todos la idea de un Dios.

Marco Tulio Cicerón (106-43 a. C.), político, orador, filósofo y literato romano.

1243. La naturaleza, el destino, la suerte: todo esto no son más que nombres del mismo Dios.

Lucio Anneo Séneca (4 a. C.-65), escritor y filósofo romano.

1244. Dios no se arrepiente nunca de sus primeras decisiones.

Lucio Anneo Séneca (4 a. C.-65), escritor y filósofo romano.

1245. La invención de los dioses se debe fundamentalmente al miedo.

Petronio (siglo I), escritor latino.

1246. Cuando sufrimos es cuando veneramos a los dioses. El hombre feliz rara vez se acerca al altar.

Silio Itálico (25-101), poeta latino.

1247. Dios lo gobierna todo. (*Regnator omnium Deus.*)

Tácito (h. 54-57-h. 125) historiador y orador latino.

1248. El hombre no puede crear un gusano, pero es capaz de crear dioses por docenas.

Michel Eyquen de Montaigne (1533-1592), escritor francés.

1249. Nuestra idea de Dios implica la existencia necesaria y eterna. Por tanto, la conclusión manifiesta es que Dios existe.

René Descartes (1596-1650), matemático y filósofo francés.

1250. La verdad de la religión estriba en su misma oscuridad, en la escasa luz que tenemos sobre ella y en nuestra indiferencia por esa luz.

Blaise Pascal (1623-1662), escritor, matemático, físico y filósofo francés.

1251. Los hombres sienten desprecio por la religión y temor porque sea cierta. Para remediar esto, es necesario empezar por demostrar que la religión no es contraria a la razón; después, que es venerable y digna de respeto; a continuación, hacerla amable e inducir a los buenos a desear que sea cierta, y, por último, probar que lo es.

Blaise Pascal (1623-1662), escritor, matemático, físico y filósofo francés.

1252. Dios es un ser absolutamente infinito; una substancia que consta de atributos infinitos, cada uno de los cuales expresa su esencia eterna e infinita.

Baruch Benedict Spinoza (1632-1677), filósofo holandés.

1253. **Dios es una cosa que piensa.**

Baruch Benedict Spinoza (1632-1677), filósofo holandés.

1254. **El sentimiento me dice que existe un Dios y no me dice que no existe. Con esto me basta.**

Jean de la Bruyère (1645-1696), escritor francés.

1255. **Dios es para sus criaturas, no sólo lo que un inventor es para su máquina, sino también lo que un príncipe es para sus súbditos y un padre para sus hijos.**

Gottfried Wilhem von Leibnitz (1646-1716), filósofo alemán.

1256. **Tenemos la suficiente religión para odiarnos unos a otros, pero no la bastante para amarnos.**

Jonathan Swift (1667-1745), escritor irlandés.

1257. **Si los triángulos hicieran un dios, lo idearían con tres lados.**

Charles Louis de Secondat, barón de Montesquieu (1689-1755), escritor y filósofo francés.

1258. **No hay quien comprenda mejor las verdades de la religión que los que han perdido la facultad de razonar.**

François Marie Arouet, Voltaire (1694-1778), escritor francés.

1259. **La religión y la moral ponen un freno a las energías de la naturaleza, pero no las destruyen. El borracho encerrado en un claustro y reducido a medio jarro de sidra por cada comida, ya no se emborrachará, pero no por ello dejará de gustarle el vino.**

François Marie Arouet, Voltaire (1694-1778), escritor francés.

1260. **La razón me dice que Dios existe, pero también me dice que nunca podré saber lo que es.**

François Marie Arouet, Voltaire (1694-1778), escritor francés.

1261. **Si Dios no existiera, sería necesario inventarlo.**

François Marie Arouet, Voltaire (1694-1778), escritor francés.

1262. Siempre que un acontecimiento importante, una revolución o una calamidad redunda en beneficio de la iglesia, pretender verse en ello el dedo de Dios.

François Marie Arouet, Voltaire (1694-1778), escritor francés.

1263. Las primeras ideas de la religión han surgido, no de la contemplación de las obras de la naturaleza, sino de la preocupación por los sucesos de la vida, y de las esperanzas y temores incesantes que actúan en la mente humana.

David Hume (1711-1776), filósofo e historiador escocés.

1264. La religión es un asunto demasiado importante a los ojos de sus devotos para que pueda ser ridiculizada. Si éstos se entregaran a cosas absurdas, se les debe compadecer, pero no ridiculizarlos.

Immanuel Kant (1724-1804), filósofo alemán.

1265. La religión es la base de la sociedad civil, y la fuente de todo bien y de todo consuelo.

Edmund Burke (1729-1797), escritor y político irlandés.

1266. Las diversas clases de culto que prevalecieron en el mundo romano eran miradas todas por el pueblo como igualmente verdaderas; por los filósofos, como igualmente falsas, y por los magistrados, como igualmente útiles.

Edward Gibbon (1737-1794), historiador inglés.

1267. La única idea que el hombre puede aplicar al nombre de Dios es la de una primera causa, la causa de todas las cosas. Pese a lo incomprensible y difícil que es para el hombre concebir una primera causa, llega a creer en ella debido a la dificultad mucho mayor de no creer en ella.

Thomas Paine (1737-1809), escritor inglés.

1268. Las diferentes religiones no son más que otros tantos dialectos religiosos.

Georg Christoph Lichtenberg (1742-1799), escritor y científico alemán.

1269. Una nación debe tener una religión, y esta religión debe hallarse bajo el control del gobierno.

Napoleón Bonaparte (1769-1821), emperador francés.

1270. **Si yo hubiera creído en un Dios de recompensas y castigos, puede que hubiera perdido el ánimo en las batallas.**

Napoleón Bonaparte (1769-1821), emperador francés.

1271. **Las religiones, como las luciérnagas, necesitan de oscuridad para brillar.**

Arthur Schopenhauer (1788-1860), filósofo alemán.

1272. **La religión es la obra maestra del arte de la educación de los seres, pues enseña a la gente cómo debe pensar.**

Arthur Schopenhauer (1788-1860), filósofo alemán.

1273. **En la historia del mundo no volverá a haber ningún hombre, por grande que sea, a quien sus conciudadanos conviertan en un dios.**

Thomas Carlyle (1795-1881), filósofo, crítico e historiador inglés.

1274. **Yo estoy al lado de la religión y en contra de las religiones.**

Victor Hugo (1802-1885), escritor francés.

1275. **La religión está en el corazón, no en la rodillas.**

William Douglas Jorrold (1803-1857), escritor y humorista inglés.

1276. **El dios de los caníbales será un caníbal, el de los cruzados, un cruzado, y el de los mercaderes, un mercader.**

Ralph Waldo Emerson (1803-1882), escritor y político estadounidense.

1277. **¿Es menos filosófico creer en un dios personal, omnipotente y omnisciente, que en fuerzas naturales inconscientes e irresistibles? ¿Es antifilosófico combinar el poder con la inteligencia?**

Benjamin Disraeli (1804-1881), político y escritor inglés.

1278. **Después de leer todo lo que se ha escrito y después de pensar todo cuanto puede pensarse sobre Dios y el alma, el hombre que pueda decir que piensa se encontrará frente a la conclusión de que, en estas cuestiones, el pensamiento más profundo es el que menos fácilmente puede distinguirse del sentimiento más superficial.**

Edgar Allan Poe (1809-1849), escritor estadounidense.

1279. **No hay Estado sin religión ni que pueda pasarse sin ella. Considérense los estados más libres del mundo —los Estados Unidos y la Confederación Suiza— y adviértase cómo la Divina Providencia figura en todas sus manifestaciones públicas.**

Mijail Alexandrovich Bakunin (1814-1876), revolucionario ruso.

1280. **Los sacerdotes, los reyes, los estadistas, los generales, los banqueros y los funcionarios públicos de toda índole; los policías, los carceleros y los verdugos; los capitalistas, los usureros, los hombres de negocios y los propietarios; los abogados, los economistas y los políticos: todos ellos, hasta llegar al más ruin tendero, repiten a coro las palabras de Voltaire de que si no hubiera Dios sería necesario inventarlo.**

Mijail Alexandrovich Bakunin (1814-1876), revolucionario ruso.

1281. **El hombre religioso sólo piensa en sí mismo.**

Friedrich Nietzsche (1844-1900), filósofo alemán.

La mayoría de las citas de Nietzsche que se recogen en las colecciones de frases célebres pertenecen a una serie de libros donde el autor prefirió concentrar su pensamiento en sentencias cortas, ingeniosas e intensas: *Humano, demasiado humano, Aurora, La gaya ciencia* y otros. Sin embargo, entender a un filósofo de esta altura no es tan fácil ni tan simple. De hecho, a este autor se le ha interpretado torcidamente y se le ha querido ver como el filósofo del nazismo o como propagador de la ideología fascista. Sucede, como con todos los grandes pensadores, que cada cual lo utiliza de acuerdo con sus intereses. En realidad, la extensa obra de Nietzsche tiene muchas ramificaciones: si algo une toda su producción es el deseo de acabar con el régimen del pensamiento moral cristiano, que él entendía como prisión. Su alto concepto de la humanidad le hace renegar de los hombres, reducidos y minimizados en sus posibilidades. El *nihilismo* es, según Nietzsche, la cultura moral existente, no la que él propone: él propone liberarse de las ataduras de una moral que tiene gran semejanza con unos grilletes. Su pensamiento lo describió perfectamente en *Ecce homo* (1908): «Yo no soy un hombre: yo soy dinamita.» Otras obras son: *Así habló Zaratustra* (1884) y *El Anticristo*, publicado en 1895.

1282. **La religión es una sociología concebida como una explicación física, metafísica y moral de todas las cosas; es la reducción** de todas las fuerzas naturales e incluso sobrenaturales a un tipo humano, y la reducción de sus relaciones a las relaciones sociales.

Jean Marie Guyau (1854-1888), filósofo francés.

1283. Las religiones mueren cuando se demuestra que son verdaderas. La ciencia es el archivo de las religiones muertas.

Oscar Wilde (1854-1900), escritor irlandés.

1284. En cuestión de religión, la verdad es simplemente la opinión que ha sobrevivido.

Oscar Wilde (1854-1900), escritor irlandés.

1285. Me opongo a toda superstición, sea musulmana, cristiana, judía o budista.

Bertrand Arthur William Russell (1872-1970), filósofo y matemático inglés.

1286. La divinidad está en ti, no en conceptos o libros.

Hermann Hesse (1877-1962), escritor alemán.

1287. Soy ateo, gracias a Dios.

Luis Buñuel (1900-1983), director de cine español.

1288. Estoy convencido de que el ateo no existe, que el ateo es una invención de los curas.

Leonardo Sciascia (1921-1989), escritor italiano.

1289. Demos gracias a Dios de que Dios no existe.

Anónimo.

DE LA *L*ENGUA Y DEL *L*ENGUAJE

1290. Se debe hablar a Dios en castellano; a los hombres en francés; a las mujeres en italiano, y a los caballos en alemán.

Cita atribuida a Carlos V (1500-1558), rey de España y emperador de Alemania.

1291. El lenguaje que a mí me gusta, es un lenguaje sencillo y espontáneo, lo mismo en el papel que en la boca, un lenguaje suculento y nervioso, conciso y apretado.

Michel Eyquen de Montaigne (1533-1592), escritor francés.

1292. Que la lengua más rica y más copiosa, si no trata de amor es engañosa.

Alonso de Ercilla (1533-1594), poeta español.

1293. La lengua es el vestido del pensamiento.

Samuel Johnson (1709-1784), escritor inglés.

1294. La palabra exacta empleada en su lugar exacto rara vez deja algo que desear en cuanto a armonía.

Walter Savage Landor (1775-1864), escritor inglés.

1295. El genio más íntimo de cada pueblo, su alma profunda, está sobre todo en su lengua.

Jules Michelet (1789-1874), historiador francés.

1296. Emplea el lenguaje que quieras y nunca podrás expresar sino lo que eres.

Ralph Waldo Emerson (1803-1882), escritor y político estadounidense.

1297. Una lengua es una lógica.

Émile Zola (1840-1902), novelista francés.

1298. La lengua no es la envoltura del pensamiento, sino el pensamiento mismo.

Miguel de Unamuno (1864-1936), escritor español.

1299. Las lenguas, como las religiones, viven de herejías.

Miguel de Unamuno (1864-1936), escritor español.

1300. Gracias al desarrollo del barbarismo, del neologismo y del solecismo en el bajo latín, pudieron brotar los romances; del antiguo latín clásico jamás habrían surgido.

Miguel de Unamuno (1864-1936), escritor español.

1301. **La sangre de mi espíritu es mi lengua. Y mi patria es allí donde resuena.**

Miguel de Unamuno (1864-1936), escritor español.

1302. **El lenguaje no es aya, sino madre del pensamiento.**

Karl Kraus (1874-1936), escritor austríaco.

1303. **Todos los órganos humanos se cansan alguna vez, salvo la lengua.**

Konrad Adenauer (1876-1967), político alemán.

1304. **Se ha dicho que hace falta poseer muchas lenguas para poder pensar conscientemente en la propia. No hay nada más exacto. Cada idioma es una visión del mundo.**

Hermann Alexander von Keyserling (1880-1946), filósofo alemán.

1305. **La lengua, tal como se habla, sólo está adaptada a un plano del ser que, por otra parte, es muy superficial.**

Hermann Alexander von Keyserling (1880-1946), filósofo alemán.

1306. **El individuo se posee a sí mismo, se conoce, expresando lo que lleva dentro, y esa expresión sólo se cumple por medio del lenguaje.**

Pedro Salinas (1892-1951), poeta español.

1307. **Entre el lenguaje hablado y el escrito sólo hay una diferencia; que el lenguaje hablado no se escribe y el escrito no se habla.**

Noel Clarasó (1905-1985), escritor español.

1308. **No hay forma más alta de pertenencia a un pueblo que escribir en su lengua.**

Heinrich Böll (1917-1985), escritor alemán.

DEL _M_ATRIMONIO

1309. **Me preguntas si debes o no casarte; pues de cualquier cosa que hagas, te arrepentirás.**

Sófocles (495-406 a. C.), poeta trágico griego.

1310. ¡Cómo! ¿Qué se ha casado? ¡Y pensar que lo dejé gozando de tanta salud!

Antífanes de Rodas (388-311 a. C.), dramaturgo griego.

1311. Si quieres casarte bien, despósate con una que se te parezca.

Publio Nasón Ovidio (43 a. C.-17), poeta latino.

1312. El segundo matrimonio es un adulterio decente.

Atenágoras de Atenas (siglo II), filósofo griego.

1313. El estado de los casados es estado noble y santo y muy preciado de Dios.

Fray Luis de León (1527-1591), poeta español.

1314. No hay marido peor que el mejor de los hombres.

William Shakespeare (1564-1616), escritor inglés.

1315. Vedamos a todo marido sufrido el poder de hacer testamento; porque no es justo que tenga última voluntad en la muerte quien nunca la supo tener en vida.

Francisco de Quevedo y Villegas (1580-1645), escritor español.

1316. Ten tus ojos muy abiertos antes del matrimonio, y medio cerrados después de él.

Jean-Baptiste Poquelin, Molière (1622-1673), escritor francés.

1317. El amor es una cosa ideal; el matrimonio, una cosa real; la confusión de lo real con lo ideal jamás queda impune.

Johann Wolfang von Goethe (1749-1832), escritor alemán.

1318. Es mucho más fácil quedar bien como amante que como marido, porque es mucho más fácil ser oportuno e ingenioso de vez en cuando que todos los días.

Honoré de Balzac (1799-1850), escritor francés.

1319. El matrimonio es como la muerte: pocos llegan a él suficientemente preparados.

Niccolo Tommaseo (1802-1874), político y pintor italiano.

1320. El amor es física; el matrimonio, química.

Alejandro Dumas (1803-1870), escritor francés.

1321. Como es el marido es la mujer.

Alfred Tennyson (1809-1892), escritor inglés.

1322. El matrimonio lo inventó el mismo demonio con ayuda de una suegra.

Luis de Eguilaz (1830-1874), escritor español.

1323. Cuando un hombre se casa por segunda vez es porque adoraba a su primera mujer.

Oscar Wilde (1854-1900), escritor irlandés.

1324. La mejor base para el matrimonio es la mutua incomprensión.

Oscar Wilde (1854-1900), escritor irlandés.

1325. En el matrimonio se puede ser absolutamente feliz; pero la felicidad de un hombre casado depende de las personas con las que no se ha casado.

Oscar Wilde (1854-1900), escritor irlandés.

1326. En el matrimonio sucede que cada uno tiene sus gustos, y éstos son incompatibles con los del otro y cada uno tira hacia los suyos. Uno tira hacia el norte y el otro hacia el sur, y el resultado es que se dirigen al este, a donde ninguno de los dos quería ir.

George Bernard Shaw (1856-1950), escritor irlandés.

1327. En el matrimonio feliz, no hay sitio para la neurosis.

Sigmund Freud (1856-1939), médico austríaco.

1328. Solamente el bígamo cree de verdad en el matrimonio.

Gilbert Keith Chesterton (1874-1936), escritor inglés.

1329. El matrimonio es como la cautividad, o irrita, o domestica.

Jean Rostand (1894-1977), moralista francés.

1330. El matrimonio es una gran institución para quienes admiran las instituciones.

Graham Greene (1904-1991), novelista inglés.

1331. Hombres y mujeres se casan todos por el mismo motivo; porque ni ellos ni ellas saben lo que se hacen.

León Dandú (1905-1985), escritor español.

1332. Ningún hombre casado compadece a otro por ser soltero; y si a veces le dice que le compadece, miente para quedar bien.

León Dandú (1905-1985), escritor español.

1333. El único matrimonio que siempre hace feliz al hombre es el de sus hijos.

Noel Clarasó (1905-1950), escritor español.

1334. El matrimonio es un puente que conduce al cielo, a través del infierno.

Anónimo.

1335. El matrimonio es un dúo o un duelo.

Anónimo.

DE LA SOCIEDAD

1336. Fuera de la sociedad, el hombre es una bestia o un dios.

Aristóteles (384-322 a. C.), filósofo griego.

1337. Hemos nacido para unirnos con nuestros semejantes y vivir en comunidad con la raza humana.

Marco Tulio Cicerón (106-43 a. C.), político, orador, filósofo y literato romano.

1338. La inteligencia del universo es social. Ha hecho a los inferiores para beneficio de los superiores, y a los superiores para que se adapten unos a otros.

Marco Aurelio (121-180), emperador romano.

1339. Lo que no es bueno para el enjambre no es bueno para la abeja.

Marco Aurelio (121-180), emperador romano.

1340. La base de todas las sociedades grandes y duraderas ha consistido, no en la mutua buena voluntad que los hombres se tenían, sino en el recíproco temor.

Thomas Hobbes (1588-1679), filósofo inglés.

1341. No buscamos la sociedad por amor a ella misma, sino por los honores o los beneficios que puede reportarnos.

Thomas Hobbes (1588-1679), filósofo inglés.

1342. Los hombres no vivirían mucho tiempo en sociedad si no se engañaran unos a otros.

François de la Rochefoucauld (1613-1680), escritor moralista francés.

1343. En la sociedad, el hombre sensato es el primero que cede siempre. Por eso, los más sabios son dirigidos por los más necios y extravagantes.

Jean de la Bruyère (1645-1696), escritor francés.

1344. La sociedad humana constituye una asociación de las ciencias, las artes, las virtudes y las perfecciones. Como los fines de la misma no pueden ser alcanzados en muchas generaciones, en esta asociación participan no sólo los vivos, sino también los que han muerto y los que están por nacer.

Edmund Burke (1729-1797), escritor y político irlandés.

1345. Ningún hombre es capaz de atender a sus propias necesidades sin la ayuda de la sociedad. Estas necesidades, al actuar sobre cada individuo, impelen a la totalidad de ellos hacia la sociedad, de la misma manera que la fuerza de gravitación impele hacia un centro.

Thomas Paine (1733-1809), escritor y político inglés.

1346. La vida carece de valor si no nos produce satisfacciones. Entre éstas, la más valiosa es la sociedad racional, que ilustra la mente, suaviza el temperamento, alegra el ánimo y promueve la salud.

Thomas Jefferson (1743-1826), político estadounidense.

1347. El hombre se equivoca tanto como lucha.

Antoine de Rivaroli, Rivarol (1753-1821), escritor francés.

1348. Aunque el mundo contiene muchas cosas decididamente malas, la peor de todas ellas es la sociedad.

Arthur Schopenhauer (1788-1860), filósofo alemán.

1349. Cuando un hombre encuentra a su pareja, comienza la sociedad.

Ralph Waldo Emerson (1803-1882), escritor y político estadounidense.

1350. El secreto del éxito en la vida del hombre consiste en estar dispuesto a aprovechar la ocasión que se le depare.

Benjamin Disraeli (1804-1881), político y escritor inglés.

1351. Si no hubiera sido inventada la sociedad, el hombre hubiera seguido siendo una bestia salvaje, o, lo que viene a ser lo mismo, un santo.

Mijail Alexandrovich Bakunin (1814-1876), revolucionario ruso.

1352. La sociedad humana, tal como ha sido establecida por Dios, se halla compuesta de elementos desiguales, lo mismo que son desiguales las partes del cuerpo humano. Hacer iguales todos esos elementos es imposible, y significaría la destrucción de la sociedad humana misma.

Papa Pío X (1835-1914).

1353. La sociedad es un manicomio cuyos guardianes son los funcionarios y la policía.

Johann August Strindberg (1849-1912), escritor sueco.

1354. En las cosas que son puramente sociales podemos ser tan diferentes y separados como los dedos, pero hemos de ser uno solo como la mano en todas las cosas esenciales para el progreso mutuo.

Booker Tallaferro Washington (1856-1915), líder estadounidense.

1355. Cuando un hombre mata un tigre, lo llaman deporte; cuando un tigre mata a un hombre, lo llaman ferocidad.

George Bernard Shaw (1856-1950), escritor irlandés.

1356. Un hombre puede ser un mal juez; pero el hombre, en conjunto, es buen juez siempre.

Émile-Auguste Chartier, Alain (1868-1951), filósofo y escritor francés.

1357. **Conozco las costumbres y las almas**
y ese dialecto de alusiones
que se urde en todo agrupamiento humano.

Jorge Luis Borges (1899-1986), escritor argentino.

1358. **Mi humanidad consiste en sentir que somos voces de la misma**
penuria.

Jorge Luis Borges (1899-1986), escritor argentino.

1359. **Todo hombre es sociable, pero acaba siempre por reñir con sus**
socios.

Enrique Jardiel Poncela (1901-1952), escritor español.

1360. **Sólo el golpeo del otro en mí**
me hace el que creo que soy en sí.

Gabriel Celaya (1911-1991), poeta español.

1361. **Si un hombre fracasa en conciliar la justicia y la libertad, fracasa**
en todo.

Albert Camus (1913-1960), escritor francés.

DE LA *N*ECEDAD *H*UMANA

1362. **Siempre hay una mayoría de necios.**
Heráclito de Éfeso (540-475 a. C.), filósofo griego.

1363. **El necio sólo dice necedades.**
Eurípides de Salamina (480-406 a. C.), poeta trágico griego.

1364. **En la naturaleza humana hay generalmente más del necio que**
del sabio.
Francis Bacon (1561-1626), filósofo inglés.

1365. **Nadie es necio siempre; todo el mundo lo es a veces.**
George Hebert (1593-1633), poeta galés.

1366. El que no reconoce al necio nada más verlo, es un necio también.

Baltasar Gracián (1601-1658), escritor español.

1367. El necio es más feliz pensando bien de sí mismo que el hombre sabio al saber que los demás piensan bien de él.

Thomas Fuller (1609-1661), escritor inglés.

1368. A veces es necesario hacerse el tonto para evitar ser engañado por los sujetos demasiado listos.

François de la Rochefoucauld (1613-1680), escritor moralista francés.

1369. Pocas cosas bastan para hacer feliz a un hombre sensato; pero nada puede satisfacer a un necio: por eso son desdichados casi todos los hombres.

François de la Rochefoucauld (1613-1680), escritor moralista francés.

1370. Algunos necios tienen ingenio, pero ninguno tiene discreción.

François de la Rochefoucauld (1613-1680), escritor moralista francés.

1371. No hay necios tan cargantes como los que tienen algún ingenio.

François de la Rochefoucauld (1613-1680), escritor moralista francés.

1372. La necedad nos persigue en todos los períodos de la vida. Si alguien parece sensato sólo se debe a que sus necedades están en proporción con su edad y su fortuna.

François de la Rochefoucauld (1613-1680), escritor moralista francés.

1373. El que vive sin alguna locura no es tan sabio como se imagina.

François de la Rochefoucauld (1613-1680), escritor moralista francés.

1374. Hay locuras tan contagiosas como las infecciones.

François de la Rochefoucauld (1613-1680), escritor moralista francés.

1375. Un necio instruido es más necio que un ignorante.

Jean-Baptiste Poquelin, Molière (1622-1673), escritor francés.

1376. Los hombres son tan necesariamente necios que sería una necedad mayor no ser un necio.

Blaise Pascal (1623-1662), escritor, matemático, físico y filósofo francés.

1377. El necio encuentra siempre otro mucho mayor que le admire.

Nicholas Boileau Despréaux (1636-1711), poeta, gramático y crítico francés.

1378. El necio no entra en una habitación, ni sale de ella, ni se sienta, ni se levanta, ni está callado, ni permanece de pie, como un hombre de buen sentido.

Jean de la Bruyère (1645-1696), escritor francés.

1379. El necio es un autómata. Es una máquina movida por un resorte. Fuerzas naturales irresistibles le hacen moverse y dar vueltas, siempre al mismo paso y sin detenerse nunca. Jamás está en contradicción consigo mismo. Quien le ha visto una vez le ha visto siempre.

Jean de la Bruyère (1645-1696), escritor francés.

1380. Las locuras de los padres no sirven de lección a sus hijos.

Bernard le Bouvier de Fontenelle (1657-1757), escritor francés.

1381. No conozco nada en el mundo que no sea un monumento a la necedad del género humano.

Bernard le Bouvier de Fontenelle (1657-1757), escritor francés.

1382. El primer grado de locura consiste en creerse uno sabio; el segundo, en proclamarlo; el tercero, en desdeñar el consejo.

Benjamin Franklin (1706-1790), científico y político estadounidense.

1383. Es contrario a las buenas costumbres hacer callar a un necio, pero es una crueldad dejarle seguir hablando.

Benjamin Franklin (1706-1790), científico y político estadounidense.

1384. Los necios más grandes, más peligrosos y más insoportables son los que razonan.

Christoph Martin Wieland (1733-1813), escritor alemán.

1385. Hay necedades bien adobadas, como hay necios bien vestidos.

Nicolas Sébastian Roch, Chamfort (1740-1794), escritor francés.

1386. Los necios y las personas modestas son igualmente inofensivos. Los verdaderamente peligrosos son los medio necios y medio sabios.

Johann Wolfang von Goethe (1749-1832), escritor alemán.

1387. Contra la estupidez, hasta los mismos dioses luchan en vano.

Friedrich Schiller (1759-1805), dramaturgo y filósofo alemán.

1388. Las necedades del necio son conocidas del mundo, pero quedan ocultas a sus ojos; las necedades del hombre sensato son conocidas por éste, pero el mundo las ignora.

Charles Caleb Colton (1780-1832), poeta inglés.

1389. Los necios son hombres sensatos en cuestión de mujeres.

Henry George Bohn (1796-1884), editor inglés.

1390. Las nociones y los sentimientos de una persona estúpida pueden deducirse fácilmente por los que prevalecen en el círculo de que dicha persona se halla rodeada.

John Stuart Mill (1806-1873), político inglés.

1391. Todo hombre es tonto de remate al menos durante cinco minutos al día. La sabiduría consiste en no rebasar el límite.

Elbert Hubbard (1856-1915), escritor estadounidense.

1392. Tonterías son los disparates que no pruducen dinero.

Jacinto Benavente (1866-1954), dramaturgo español.

1393. De diez cabezas, nueve embisten y una piensa. Nunca extrañéis que un bruto se descuerne luchando por la idea.

Antonio Machado (1875-1939), poeta español.

1394. Todo necio confunde valor y precio.

Antonio Machado (1875-1939), poeta español.

1395. Lo terrible de la necedad es que puede semejarse a la sabiduría más profunda.

Valéry Larbaud (1881-1957), escritor francés.

1396. Decir correctamente tonterías es uno de los frutos más acabados de las modernas enseñanzas.

Anónimo.

DE LA F E Y EL F ANATISMO

1397. Lo creo porque es absurdo. *(Credo quia absurdum.)*

Quintus Septimius Florens Tertuliano (h. 155-h. 222), escritor y doctor de la Iglesia latino.

1398. Si la cosa creída es increíble, también es increíble que lo increíble pueda ser creído.

San Agustín (354-430), teólogo y Padre de la Iglesia.

1399. Sabed que quien cambia la fe por la incredulidad, deja lo bello en medio del camino.

Mahoma (570-632), profeta del Islam.

1400. En verdad, hay signos en la tierra para los hombres que creen firmemente.

Mahoma (570-632), profeta del Islam.

1401. La fe se refiere a cosas que no se ven, y la esperanza, a cosas que no están al alcance de la mano.

Santo Tomás de Aquino (1225-1274), teólogo y filósofo italiano.

1402. Cree que lo tienes y lo tendrás. *(Credo quod habes, et habes.)*

Erasmo de Rotterdam (1466-1536), humanista holandés.

1403. Debemos estar siempre dispuestos a creer que lo que nos parece blanco es en realidad negro, si la jerarquía de la Iglesia así lo decide.

San Ignacio de Loyola (1491-1556), religioso español, fundador de la Compañía de Jesús.

1404. ¡Cuántas cosas que ayer eran artículos de fe son fábulas hoy!

Michel Eyquen de Montaigne (1533-1592), escritor francés.

1405. Todo el mundo cree con facilidad aquello que teme o que desea.

Jean de La Fontaine (1621-1645), novelista francés.

1406. La fe afirma lo que no afirman los sentidos, pero no lo contrario de lo que éstos perciben. Está por encima de ellos, pero no en contra.

Blaise Pascal (1623-1662), escritor, matemático, físico y filósofo francés.

1407. No obliguéis nunca a vuestros súbditos a cambiar de religión. La violencia no sirve nunca para persuadir a los hombres: sólo sirve para hacerles hipócritas.

François de Salignac de la Mothe, Fénelon (1651-1715), escritor francés.

1408. La fe separada del amor no es fe, sino mera ciencia, la cual se halla desprovista de vida espiritual.

Emanuel Swedenborg (1688-1772), teósofo ruso.

1409. Adorar a Dios y dejar que cada cual le adore a su manera; amar al prójimo, ilustrarle si uno puede y compadecer a los que se obstinan en el error; desdeñar como intranscendentes todas las cuestiones que no hubieran creado ningún trastorno si no se les hubiese concedido importancia: tal es mi religión, y vale tanto como todos vuestros sistemas y símbolos.

François Marie Arouet, Voltaire (1694-1778), escritor francés.

1410. ¿Qué es más peligroso, el fanatismo o el ateísmo? Sin duda lo es mil veces más el fanatismo, pues el ateísmo no inspira pasiones sanguinarias, mientras que el fanatismo, sí. El ateísmo no se opone al crimen, pero el fanatismo es causa de que se cometan crímenes.

François Marie Arouet, Voltaire (1694-1778), escritor francés.

1411. En los asuntos de este mundo, los hombres se salvan, no por la fe, sino por la falta de ella.

Benjamin Franklin (1706-1790), científico y político estadounidense.

1412. Sabemos los crímenes que ha causado el fanatismo en la religión. Cuidemos de no introducir el fanatismo en la filosofía.

Federico II el Grande (1712-1786), emperador de Prusia.

1413. No hay más que un paso del fanatismo a la barbarie.

Denis Diderot (1713-1784), escritor francés.

1414. Todo hombre que se conduzca como un buen ciudadano debe ser protegido para que pueda adorar a la divinidad según los dictados de su propia conciencia.

Georges Washington (1732-1799), político estadounidense.

1415. Creo en Dios, y nada más espero la felicidad más allá de esta vida. Creo en la igualdad del hombre, y creo que los deberes religiosos consisten en hacer justicia, amar a la piedad y esforzarse por hacer felices a nuestros semejantes.

Thomas Paine (1737-1809), escritor inglés.

1416. En el fondo de la intolerancia religiosa hay sin duda cierta suma de verdad, y por tanto, cierta utilidad.

Georg Christoph Lichtenberg (1742-1799), escritor y científico alemán.

1417. Yo soy partidario de la libertad de religión y estoy en contra de todas las maniobras encaminadas a lograr el predominio legal de una secta sobre otra.

Thomas Jefferson (1743-1826), político estadounidense.

1418. Todos los fanatismos se ahorcan unos a otros.

Thomas Jefferson (1743-1826), político estadounidense.

1419. La víctima del fanatismo descubrirá que cuanto más fuertes sean los motivos que pueda alegar para obtener piedad, menores serán sus probabilidades de lograrla, pues el mérito de su destrucción se considerará que aumenta en proporción al sacrificio de todo sentimiento de justicia y de humanidad.

Charles Caleb Colton (1780-1832), poeta inglés.

1420. La fe es como el amor: no puede ser impuesta por la fuerza.

Arthur Schopenhauer (1788-1860), filósofo alemán.

1421. **La fe estriba en la lealtad a algún maestro inspirado, a algún héroe espiritual.**

Thomas Carlyle (1795-1881), filósofo, crítico e historiador inglés.

1422. **Todas las épocas de fe han sido grandes; todas las de incredulidad han sido mezquinas.**

Ralph Waldo Emerson (1803-1882), escritor y político estadounidense.

1423. **La fe es el antiséptico del alma.**

Walt Whitman (1819-1892), poeta estadounidense.

1424. **La tolerancia religiosa es una especie de infidelidad.**

Ambrose Bierce (1842-1914), escritor estadounidense.

1425. **Suspirar por una fe sólida no es la prueba de un convencimiento sólido, sino todo lo contrario. El hombre que tiene una fe verdaderamente fuerte puede permitirse el lujo del escepticismo.**

Friedrich Nietzsche (1844-1900), filósofo alemán.

1426. **La estrechez espiritual origina casi infaliblemente la intolerancia.**

H. Marion (1846-1896), pedagogo y moralista francés.

1427. **Yo puedo creer cualquier cosa, con tal de que sea increíble.**

Oscar Wilde (1854-1900), escritor irlandés.

1428. **El hombre puede creer lo imposible, pero jamás creerá lo improbable.**

Oscar Wilde (1854-1900), escritor irlandés.

1429. **Sin un poco de fanatismo no se hacen milagros en filosofía ni en ninguna otra ciencia humana.**

Marcelino Menéndez y Pelayo (1856-1912), erudito español.

1430. **El que tiene fe en sí mismo no necesita que los demás crean en él.**

Miguel de Unamuno (1864-1936), escritor español.

1431. **Lo que ha sido creído por todos siempre y en todas partes, tiene todas las probabilidades de ser falso.**

Paul Ambroise Valéry (1871-1945), poeta francés.

1432. Nada es evidentemente tan provechoso para el hombre, como considerarse elegido; todo aquel que cree en sí mismo, sea quien fuere, es superior al inseguro.

Hermann Alexander von Keyserling (1880-1946), filósofo alemán.

DEL CARÁCTER

1433. El carácter es aquello que revela la finalidad moral, poniendo de manifiesto la clase de cosas que un hombre prefiere o evita.

Aristóteles (384-322 a. C.), filósofo griego.

1434. Un buen carácter favorece en el más alto grado que una cosa sea creída.

Aristóteles (384-322 a. C.), filósofo griego.

1435. El carácter de cada hombre es el árbitro de su fortuna.

Publio Siro (siglo I a. C.), poeta mímico latino.

1436. Tantos hombres, tantos pareceres: cada uno tiene su manera.

Publio Terencio (185-159 a. C.), poeta latino.

1437. Los hombres no tienen dificultades por las cosas mismas, sino por la opinión que tienen de ellas.

Epicteto de Frigia (h. 50-h.120), filósofo latino.

1438. El carácter más elevado es aquel que está dispuesto a perdonar los errores morales de los demás como si él mismo fuera culpable de ellos cada día, y que tiene tanto cuidado de no cometer una falta como si nunca las perdonara.

Plinio el Joven (62-114), político y escritor latino.

1439. Ningún hombre es una isla, entera en sí misma; cada humano es una parte del continente, una parte del todo.

John Donne (1572-1631), poeta inglés.

1440. Si en algunos hombres no aparece el lado ridículo, es que no lo hemos buscado bien.

François de la Rochefoucauld (1613-1680), escritor moralista francés.

1441. El hombre revela su carácter hasta en las cosas más simples.

Jean de La Bruyère (1645-1696), escritor francés.

1442. No debemos quejarnos de los hombres por su rudeza, su ingratitud, su injusticia, su arrogancia, su amor a sí mismos o su olvido de los demás: están hechos así. Tal es su naturaleza. Irritarse contra ellos es como censurar a la piedra porque cae o al fuego porque quema.

Jean de La Bruyère (1645-1696), escritor francés.

1443. Es imposible elevarse en este mundo sobre los demás sin dignidad de carácter.

Philip Dormer Stanhope, lord Chesterfield (1694-1773), político inglés.

1444. Hay algo en el carácter de cada hombre que no puede ser modificado: es el esqueleto de su carácter. Tratar de modificarlo es como tratar de enseñar a una oveja a tirar de un carro.

Georg Christoph Lichtenberg (1742-1799), escritor y científico alemán.

1445. No son los ingenios sutiles los que forman las naciones, sino los caracteres austeros y fuertes.

Massimo D'Azeglio (1778-1866), político y escritor italiano.

1446. Un hombre superior acepta siempre los acontecimientos para conducirlos.

Honoré de Balzac (1799-1850), escritor francés.

1447. No hay malas hierbas ni hombres malos, tan sólo hay malos cultivadores.

Victor Hugo (1802-1885), poeta y novelista francés.

1448. Carácter firme es aquel que puede pasar sin éxitos.

Ralph Waldo Emerson (1803-1882), escritor y político estadounidense.

1449. Lo que llamamos carácter es una fuerza reservada que actúa directamente por presencia y sin medios. Puede concebirse como una fuerza indemostrable cuyos impulsos guían al hombre, pero cuyos consejos no puede comunicar a otro.

Ralph Waldo Emerson (1803-1882), escritor y político estadounidense.

1450. El hombre ha de valer tanto que todas las circunstancias han de serle indiferentes.

Ralph Waldo Emerson (1803-1882), escritor y político estadounidense.

1451. Nada revela tan seguramente el carácter de una persona como su voz.

Benjamin Disraeli (1804-1881), político y escritor inglés.

1452. Las circunstancias caen fuera del dominio del hombre; pero la manera de conducirse en ellas es cosa que está en su mano.

Benjamin Disraeli (1804-1881), político y escritor inglés.

1453. Lo que ennoblece al hombre no es un acto, sino un deseo.

Robert Browning (1812-1889), poeta inglés.

1454. Cuando la lucha del hombre empieza dentro de sí, ese hombre vale algo.

Robert Browning (1812-1889), poeta inglés.

1455. El hombre que se levanta aún es más grande que el que no ha caído.

Concepción Arenal (1820-1893), escritora española.

1456. El hombre se eleva por la inteligencia, pero no es hombre más que por el corazón.

Henri-Frédéric Amiel (1821-1881), escritor suizo.

1457. ¿Cuál es el primer deber del hombre? La respuesta es muy breve: ser uno mismo.

Henrik Ibsen (1828-1906), escritor noruego.

1458. Nadie puede remontarse más allá de los límites de su propio carácter.

John Morley, vizconde de Blackburn (1838-1923), político y crítico literario inglés.

1459. Hay dos clases de hombres que nunca alcanzarán grandes éxitos: aquellos que no pueden hacer lo que se les manda y aquellos que no pueden hacer sino lo que se les manda.

Cyrus H. K. Curtis (1850-1933), escritor estadounidense.

1460. Un hombre debe ser capaz de soportar todo lo que le brinde la vida, con coraje en el corazón y la sonrisa en los labios; de lo contrario no es un hombre.

Selma Lagerlöf (1858-1949), escritora sueca.

1461. La fuerza del carácter con frecuencia no es más que debilidad de sentimientos.

Arthur Schnitzler (1862-1931), dramaturgo austríaco.

1462. Un hombre de mucho carácter no tiene buen carácter.

Jules Renard (1864-1910), escritor francés.

1463. El carácter independiente surge de poder bastarse a sí mismo.

Francisco Grandmontagne (1866-1936), periodista español.

1464. Los hombres son semejantes más que nada por su odiosa pretensión de ser diferentes y enemigos.

Henri Barbusse (1872-1935), novelista francés.

1465. El hombre juicioso sólo piensa en sus males cuando ello conduce a algo práctico; todos los demás momentos los dedica a otras cosas.

Bertrand Arthur William Russell (1872-1970), filósofo y matemático inglés.

1466. El hombre de acción es ante todo un poeta.

André Maurois (1885-1967), escritor francés.

1467. **El carácter es la suma de las tendencias para actuar en cierta dirección.**

Leonard Aldous Huxley (1894-1963), escritor inglés.

1468. **El carácter es una voluntad fuerte, dirigida por una conciencia tierna.**

Leonard Aldous Huxley (1894-1963), escritor inglés.

1469. **Un hombre que no cambia nunca de opinión, en vez de demostrar la buena calidad de la opinión sostenida, demuestra la escasa calidad mental de sí mismo.**

Marcel Achard (1899-1974), dramaturgo y humorista francés.

1470. **El hombre se descubre cuando se mide con el obstáculo.**

Antoine de Saint-Exupéry (1900-1944), escritor francés.

1471. **Un hombre vale por lo que construye.**

Alejandro Casona (1903-1965), dramaturgo español.

1472. **El hombre debe inventarse cada día.**

Jean-Paul Sartre (1905-1980), filósofo francés.

1473. **Cada uno tiene su carácter, aunque no lo ejerza.**

Noel Clarasó (1905-1985), escritor español.

1474. **El hombre «sano» no es tanto aquel que ha eliminado de sí mismo las contradicciones: es aquel que las utiliza y las arrastra en su trabajo.**

Maurice Merleau-Ponty (1908-1961), escritor francés.

1475. **Un hombre de buen carácter es más querido tanto por los suyos como por los demás.**

Anónimo.

DE LOS VIAJES

1476. Un compañero alegre sirve en viaje casi de vehículo.

Publio Siro (siglo I a. C.), poeta mímico latino.

1477. Muchos son los beneficios de viajar: la frescura que reporta al espíritu, el ver y oír cosas maravillosas, la delicia de contemplar nuevas ciudades, el encuentro con nuevos amigos y el aprender finas maneras.

Muslih-ud-din Saadi (1184-1291), poeta persa.

1478. ¡Feliz quien, como Ulises, ha terminado un hermoso viaje!

Joachim du Bellay (1515-1560), poeta francés.

1479. A quienes me preguntan la razón de mis viajes les contesto que sé bien de qué huyo pero que ignoro lo que busco.

Michel Eyquem de Montaigne (1533-1592), escritor francés.

1480. El andar tierras y comunicar con diversas gentes hace a los hombres discretos.

Miguel de Cervantes Saavedra (1547-1616), escritor español.

1481. Nunca mejora su estado quien muda solamente de lugar y no de vida y costumbres.

Francisco de Quevedo y Villegas (1580-1645), escritor español.

1482. Cuando se concede demasiado tiempo a viajar, se acaba por convertirse uno en extranjero en su propia patria.

René Descartes (1596-1650), matemático y filósofo francés.

1483. El que no sale nunca de su tierra vive lleno de prejuicios.

Carlo Goldoni (1707-1793), dramaturgo italiano.

1484. Hay mucha diferencia entre viajar para ver países y para ver pueblos.

Jean-Jacques Rousseau (1712-1778), filósofo ginebrino.

1485. **Si quieres ser mejor que nosotros, querido amigo, ¡viaja!**

Johann Wolfang von Goethe (1749-1836), poeta alemán.

1486. **Yo juzgo que toda esposa tiene perfecto derecho a insistir en visitar París.**

Sidney Smith (1771-1845), clérigo y escritor inglés.

1487. **La vida es un libro del que, quien no ha visto más que su patria, no ha leído más que una página.**

Fillippo Pananti (1776-1837), poeta cómico italiano.

1488. **Me gustaría emplear toda mi vida en viajar, si alguien me pudiera prestar una segunda vida para pasarla en casa.**

William Hazlitt (1778-1849), ensayista inglés.

1489. **Un gran hombre demuestra su grandeza por la forma en que trata a los pequeños.**

Thomas Carlyle (1795-1881), filósofo, crítico e historiador inglés.

1490. **Viajar es nacer y morir a cada paso.**

Victor Hugo (1802-1885), escritor francés.

1491. **Viajar es el paraíso de los necios. A nuestros primeros viajes debemos el descubrimiento de que los lugares nada significan.**

Ralph Waldo Emerson (1803-1882), escritor y político estadounidense.

1492. **Como todos los grandes viajeros —dijo Essper—, yo he visto más cosas de las que recuerdo, y recuerdo más cosas de las que he visto.**

Benjamin Disraeli (1804-1881), político y escritor inglés.

1493. **El viaje sólo es necesario a las imaginaciones menguadas.**

Sidonie Gabrielle Colette (1873-1954), escritora francesa.

1494. **Pensáis escapar de vuestros problemas yéndoos de viaje. Y ellos partirán tras vosotros.**

Stanislaw Ignacy Witkiewicz (1885-1939), escritor polaco.

1495. Un viaje se inscribe simultáneamente en el espacio, en el tiempo y en la jerarquía social.

Claude Lévi-Strauss (1909-1986), antropólogo belga.

1496. Viajar es pasear un sueño.

Anónimo.

DEL TALENTO Y EL GENIO

1497. El hombre instruido tiene siempre las riquezas en sí mismo.

Fedro (10 a. C.-70), fabulista latino.

1498. No existe ningún gran genio sin un toque de clemencia.

Lucio Anneo Séneca (4 a. C.-65), escritor y filósofo romano.

1499. Todo hombre es bueno, más no para todas las cosas.

Infante don Juan Manuel (1282-1348), escritor español.

1500. Un hombre no es sino lo que sabe.

Francis Bacon (1561-1626), filósofo inglés.

1501. Si no se eleva sobre sí mismo, el hombre es una poca cosa.

Samuel Daniel (1562-1619), historiador inglés.

1502. Cuanto más talento tiene el hombre más se inclina a creer en el ajeno.

Blaise Pascal (1623-1662), escritor, matemático, físico y filósofo francés.

1503. Entre el genio y el talento existe la proporción del todo con la parte.

Jean de la Bruyère (1645-1696), escritor francés.

1504. Cuando aparece un gran genio en el mundo se le puede reconocer por esta señal: todos los mentecatos se confabulan contra él.

Jonathan Swift (1667-1745), escritor irlandés.

1505. **El talento es un don que Dios nos ha dado en secreto y que nosotros revelamos sin darnos cuenta.**

Charles Louis de Secondat, barón de Montesquieu (1689-1755), escritor y filósofo francés.

1506. **En su propio país un genio es como el oro en la mina.**

Benjamin Franklin (1706-1790), científico y político estadounidense.

1507. **El genio no es más que una larga paciencia.**

Georges Louis Léclerc, conde de Buffon (1707-1788), escritor francés.

1508. **El hombre no es más que lo que la educación hace de él.**

Immanuel Kant (1724-1804), filósofo alemán.

1509. **Por lo menos una vez al año todo el mundo es un genio.**

Georg Christoph Lichtenberg (1742-1799), escritor y científico alemán.

1510. **Lo primero y lo último que se le pide al genio es amor a la verdad.**

Johann Wolfang von Goethe (1749-1832), escritor alemán.

1511. **Ningún gran hombre vive en vano; la historia del mundo no pasa de ser la biografía de los grandes hombres.**

Thomas Carlyle (1795-1881), filósofo, crítico e historiador inglés.

1512. **Los hombres de genio son fuerzas químicas etéreas que operan sobre la masa del intelecto neutral.**

John Keats (1795-1821), poeta inglés.

1513. **Lo que el genio tiene de bello es que se parece a todo el mundo y nadie se le parece.**

Honoré de Balzac (1799-1850), escritor francés.

1514. **El genio hace lo que debe; el talento lo que puede.**

Edward George Bulwer Lytton (1803-1873), escritor inglés.

1515. **El talento absorbe la substancia del hombre.**

Ralph Waldo Emerson (1803-1882), escritor y político estadounidense.

1516. El genio sólo puede respirar libremente en una atmósfera de libertad.

John Stuart Mill (1806-1873), político inglés.

1517. Lo que el mundo llama genio es el estado de enfermedad mental que nace del predominio indebido de algunas de las facultades. Las obras de tales genios no son nunca sanas en sí mismas, y reflejan siempre la demencia mental general.

Edgar Allan Poe (1809-1849), escritor estadounidense.

1518. Los hombres de genio abundan mucho más de lo que se supone. En realidad, para apreciar plenamente la obra de lo que llamamos genio hace falta poseer todo el genio que necesitó para producir la obra.

Edgar Allan Poe (1809-1849), escritor estadounidense.

1519. Todo hombre nace con el germen de la obra que ha de cumplir.

James Russell Lowell (1819-1891), escritor estadounidense.

1520. El hombre medio sólo desarrolla un diez por ciento de sus posibilidades mentales latentes.

William James (1842-1910), escritor estadounidense.

1521. Éstas son las prerrogativas del genio: saber sin haber aprendido; extraer conclusiones justas de premisas ignoradas; discernir el alma de las cosas.

Ambrose Bierce (1842-1914), escritor estadounidense.

1522. Los genios son una materia explosiva en la que se halla acumulada una cantidad inmensa de potencia. Se debe a que durante largos siglos ha ido reuniéndose y atesorándose la energía para su uso sin que tuviera lugar ninguna explosión.

Friedrich Nietzsche (1844-1900), filósofo alemán.

1523. El genio es un uno por ciento de inspiración y un noventa y nueve por ciento de perspicacia.

Thomas Alva Edison (1847-1931), escritor estadounidense.

1524. Más instructivos son los errores de las grandes inteligencias que las verdades de los ingenios mediocres.

Arturo Graf (1848-1913), escritor italiano.

1525. El público es maravillosamente tolerante. Todo lo perdona menos el genio.

Oscar Wilde (1854-1900), escritor irlandés.

1526. El genio es un rayo cuyo trueno se prolonga durante siglos.

Knut Hamsun (1859-1952), escritor noruego.

1527. La belleza del genio consiste en esgrimir los dones naturales, y hacer así de una vida fácil una vida difícil.

Émile-Auguste Chartier, Alain (1868-1951), filósofo y escritor francés.

1528. Recuerdo haber dicho que se necesitaba mucho talento para hacer soportable un poco de genio.

André Gide (1869-1951), escritor francés.

1529. La mayor parte de los hombres tienen una capacidad intelectual muy superior al ejercicio que hacen de ella.

José Ortega y Gasset (1883-1955), filósofo español.

1530. A Picasso, hasta los que le detestan, le soportan, porque nunca usa el talento. Sólo usa el genio. Sus obras nunca son pensamientos. Son actos.

Jean Cocteau (1889-1963), escritor francés.

1531. El talento no es un don celestial ni un milagro caído del cielo, sino el fruto del desarrollo sistemático de unas cualidades especiales.

José María Rodero (1922-1991), actor español.

1532. El talento, en buena medida, es una cuestión de insistencia.

Francisco Umbral (n. 1935), escritor español.

DEL ARTE

1533. La música produce una especie de placer sin el que la naturaleza humana no puede pasarse.

Confucio (h. 551-h. 479 a. C.), filósofo chino.

1534. El arte es un tipo de conocimiento superior a la experiencia.

Aristóteles (384-322 a. C.), filósofo griego.

1535. En parte, el arte completa lo que la naturaleza no puede elaborar, y en parte, imita a la naturaleza.

Aristóteles (384-322 a. C.), filósofo griego.

1536. Nada es más útil al hombre que aquellas artes que no tienen ninguna utilidad.

Publio Nasón Ovidio (43 a. C.-17), poeta latino.

1537. La perfección del arte consiste en ocultar el arte.

Marco Fabio Quintiliano (h. 35-h. 95), escritor y retórico latino.

1538. El arte es simplemente un método acertado de hacer las cosas. La prueba del artista no consiste en la voluntad que pone en su trabajo, sino en la excelencia de la obra que produce.

Santo Tomás de Aquino (1225-1274), teólogo y filósofo italiano.

1539. El arte imita la naturaleza lo mejor que puede, al igual que el discípulo sigue a su maestro. Por eso es una especie de nieto de Dios.

Dante Alighieri (1265-1321), poeta italiano.

1540. ¡Qué cosa tan vana es la pintura, que suscita admiración por su semejanza con cosas que no admiramos en el original!

Blaise Pascal (1623-1662), escritor, matemático, físico y filósofo francés.

1541. Hay tres cosas que siempre he amado y nunca he compartido: la pintura, la música y las mujeres.

Bernard le Bouvier de Fontenelle (1657-1757), escritor francés.

1542. Ninguna obra de arte puede ser grande sino en la medida en que engaña: ser otra cosa sólo es prerrogativa de la naturaleza.

Edmund Burke (1729-1797), escritor y político irlandés.

1543. Nunca se muestra uno satisfecho del retrato de una persona a la que conocemos.

Johann Wolfang von Goethe (1749-1832), escritor alemán.

1544. Sólo el arte proporciona un goce que no requiere ningún esfuerzo apreciable, que no cuesta ningún sacrificio y que no necesitamos retribuir con arrepentimiento.

Johann Christoph Friedrich von Schiller (1759-1805), escritor alemán.

1545. El arte es difícil y su recompensa es fugaz.

Johann Christoph Friedrich von Schiller (1759-1805), escritor alemán.

1546. La música es una revelación más alta que la filosofía.

Ludwig van Beethoven (1770-1827), compositor alemán.

1547. Sólo el pedernal del espíritu humano puede arrancar fuego de la música.

Ludwig van Beethoven (1770-1827), compositor alemán.

1548. Los músicos se toman todas las libertades que pueden.

Ludwig van Beethoven (1770-1827), compositor alemán.

1549. ¡El arte! ¿Quién lo comprende? ¿Con quién puede uno consultar acerca de esta gran diosa?

Ludwig van Beethoven (1770-1827), compositor alemán.

1550. El principio de la arquitectura gótica es la infinitud hecha imaginable.

Samuel Taylor Coleridge (1772-1834), poeta inglés.

1551. La madre de las artes prácticas es la necesidad; la de las bellas artes es el lujo. El padre de las primeras es la inteligencia, y el de las segundas, el genio, que es de por sí una especie de lujo.

Arthur Schopenhauer (1788-1860), filósofo alemán.

1552 La modernidad perpetua constituye la medida del mérito en toda obra de arte.

Ralph Waldo Emerson (1803-1882), escritor y político estadounidense.

1553. En la música es acaso donde el alma se acerca más al gran fin por el que lucha cuando se siente inspirada por el sentimiento poético: la creación de la belleza sobrenatural.

Edgar Allan Poe (1809-1849), escritor estadounidense.

1554. Todas las obras de arte deben empezar... por el final.

Edgar Allan Poe (1809-1849), escritor estadounidense.

1555. La música despierta en nosotros diversas emociones, pero no las más terribles, sino más bien los sentimientos dulces de ternura y amor.

Charles Robert Darwin (1809-1882), científico inglés.

1556. El arte grande no es de verdadera utilidad para nadie, salvo para el gran artista que viene detrás. Para la gente en general es completamente invisible.

John Ruskin (1819-1900), escritor y sociólogo inglés.

1557. Los artistas se envidian siempre lo bastante unos a otros.

John Ruskin (1819-1900), escritor y sociólogo inglés.

1558. La escultura no consiste en el simple labrado de la forma de una cosa, sino el labrado de su efecto.

John Ruskin (1819-1900), escritor y sociólogo inglés.

1559. Podemos vivir sin arquitectura y practicar el culto sin ella; pero no podemos recordar sin su auxilio.

John Ruskin (1819-1900), escritor y sociólogo inglés.

1560. Si vuestra obra de arte es buena, si es verdadera, encontrará su eco y se hará su lugar... dentro de seis meses, de seis años, o después de nuestra muerte. ¿Qué más da?

John Ruskin (1819-1900), escritor y sociólogo inglés.

1561. **El arte revela la naturaleza interpretando sus intenciones y formulando sus deseos. El gran artista es el simplificador.**

Henri-Fréderic Amiel (1821-1881), escritor suizo.

1562. **No hay artistas gordos, dichosos o satisfechos de sí mismos.**

Leon Tolstoi (1828-1910), escritor ruso.

1563. **Los verdaderos artistas son casi los únicos hombres que realizan su trabajo con placer.**

Auguste Rodin (1840-1917), escultor francés.

1564. **Una obra de arte es un rincón de la creación visto a través de un temperamento.**

Émile Zola (1840-1902), novelista francés.

1565. **Sin la música, la vida sería un error.**

Friedrich Nietzsche (1844-1900), filósofo alemán.

1566. **En la arquitectura, el orgullo del hombre, su triunfo sobre la gravedad, su voluntad de poder, asumen una forma visible.**

Friedrich Nietzsche (1844-1900), filósofo alemán.

1567. **La música es el único arte que permite escaparse por completo de la vida. Es la expresión misma del sueño.**

Émile Faguet (1847-1916), escritor francés.

1568. **Cuando se oye mala música, el deber de uno es ahogarla con su conversación.**

Oscar Wilde (1854-1900), escritor irlandés.

1569. **Cuando se toca buena música la gente no escucha, y cuando se toca mala música, la gente no habla.**

Oscar Wilde (1854-1900), escritor irlandés.

1570. **Mentir, decir cosas inciertas maravillosamente, es la finalidad adecuada del arte.**

Oscar Wilde (1854-1900), escritor irlandés.

1571. **Los buenos artistas lo entregan todo a su arte, y, por consiguiente, no tienen ellos mismos nada de interesante.**

Oscar Wilde (1854-1900), escritor irlandés.

1572. **Ningún gran artista ve las cosas como son en realidad, si lo hiciera, dejaría de ser artista.**

Oscar Wilde (1854-1900), escritor irlandés.

1573. **No hay nada tan pobre ni tan triste como un arte que se interesa por sí mismo y no por su tema.**

George Santayana (1863-1952), filósofo estadounidense.

1574. **Los artistas son, por regla general, menos felices que los hombres de ciencia.**

Bertrand Russell (1872-1970), filósofo y matemático inglés.

1575. **Un pintor es un hombre que pinta lo que vende; un artista, en cambio, es un hombre que vende lo que pinta.**

Pablo Ruiz Picasso (1881-1973), pintor español.

1576. **La música es una forma de soñar.**

Jaime Torres Bodet (1902-1974), escritor mexicano.

1577. **Pintar es autodescubrirse. Todo buen artista pinta lo que él es.**

Jackson C. Pollock (1912-1956), pintor estadounidense.

1578. **El objetivo final del arte es mostrar los tejidos internos del alma.**

Manuel Viola (1917-1987), pintor español.

1579. **El arte es un combate con las sombras perdiendo de antemano.**

Gonzalo Suárez (n. 1929), escritor y director de cine español.

1580. **El pintor es el artista que toma más decisiones por segundo mientras trabaja.**

Antonio Saura (n. 1930), pintor español.

1581. **Aprender música leyendo teoría musical es como hacer el amor por correo.**

Luciano Pavarotti (n. 1935), tenor italiano.

1582. **La música es un esperanto sonoro.**

Emmanuel Lévy (n. 1947), sociólogo estadounidense.

1583. **Pienso en la música como en un menú. No puedo comer lo mismo todos los días.**

Carlos Santana (n. 1959), músico de rock estadounidense.

DE LA CORTESÍA Y LOS BUENOS MODALES

1584. **El hombre superior es cortés, pero no rastrero; el hombre vulgar es rastrero, pero no cortés.**

Confucio (h. 551-h. 479 a. C.), filósofo chino.

1585. **La naturaleza de los hombres es siempre la misma; lo que les diferencia son sus hábitos.**

Confucio (h. 551-h. 479 a. C.), filósofo chino.

1586. **El hábito es una especie de segunda naturaleza.**

Marco Tulio Cicerón (106-43 a. C.), político, orador, filósofo y literato romano.

1587. **El hábito crea la costumbre.**

Publio Nasón Ovidio (43 a. C.-17), poeta latino.

1588. **No hay nada más poderoso que el hábito.**

Publio Nasón Ovidio (43 a. C.-17), poeta latino.

1589. **Lo que antes eran vicios son ahora costumbres.**

Lucio Anneo Séneca (4 a. C.-65), escritor y filósofo romano.

1590. **Nada es en realidad agradable o desagradable por naturaleza; todas las cosas son agradables o desagradables a causa del hábito.**

Epícteto (50-135), filósofo estoico grecolatino.

1591. No cabe esperar que una madre enseñe a sus hijos costumbres diferentes a las suyas.

Juvenal Decimus Iunius (h. 60-h. 140), retórico y poeta latino.

1592. La belleza del hombre consiste en el buen decir.

Mahoma (570-632), profeta del Islam.

1593. De la misma manera que se necesitan las leyes para conservar las buenas costumbres, éstas son necesarias para el mantenimiento de las leyes.

Nicolás Maquiavelo (1469-1527), político italiano.

1594. Barcelona, archivo de la cortesía, albergue de los extranjeros, hospital de los pobres, patria de los valientes, venganza de los ofendidos, y correspondencia grata de firmes amistades, y en sitio y en belleza, única.

Miguel de Cervantes Saavedra (1547-1616), escritor español.

1595. El hombre que se muestre solícito y cortés con un extranjero demuestra que es ciudadano del mundo.

Francis Bacon (1561-1626), filósofo inglés.

1596. Peca de grosero
quien aguarda que le digan
que se vaya.

Gabriel Téllez, Tirso de Molina (1581-1684), religioso y dramaturgo español.

1597. La cortesía es la principal muestra de cultura.

Baltasar Gracián (1601-1658), escritor español.

1598. La cortesía se practica para que se observe también con nosotros y para que se nos tome por personas bien educadas.

François de la Rochefoucauld (1613-1680), escritor moralista francés.

1599. Nunca somos tan ridículos por los hábitos que tenemos como por los que afectamos tener.

François de la Rochefoucauld (1613-1680), escritor moralista francés.

1600. La cortesía consiste en conducirse de modo que los demás queden satisfechos de nosotros y de ellos mismos.

Jean de la Bruyère (1645-1696), escritor francés.

1601. Nunca te muestres más sabio o más instruido que las personas con quienes estás.

Philip Dormer Stanhope, lord Chesterfield (1694-1773), político inglés.

1602. Los buenos modales son, para las sociedades en particular, lo que la buena moral para la sociedad en general: su base y su seguridad.

Philip Dormer Stanhope, lord Chesterfield (1694-1773), político inglés.

1603. Los buenos modales sirven de adorno al conocimiento y le abren paso a través del mundo.

Philip Dormer Stanhope, lord Chesterfield (1694-1773), político inglés.

1604. Si examináramos con imparcialidad los modales de diferentes naciones, quizá descubriéramos que no hay pueblo tan rudo que no posea algunas reglas de urbanidad, ni ninguno tan cortés que no conserve algunos vestigios de rudeza.

Benjamin Franklin (1706-1790), científico y político estadounidense.

1605. Sé cortés con todos; sociable con todos; familiar con pocos.

Benjamin Franklin (1706-1790), científico y político estadounidense.

1606. No duermas cuando otros hablen, no te sientes cuando otros estén de pie, no hables cuando debas guardar silencio, no andes cuando otros se detienen.

Georges Washington (1732-1793), político estadounidense.

1607. Las costumbres de cada nación se sujetan dentro de ella a un régimen de ortodoxia. Pero como este régimen es arbitrario, las personas razonables se muestran ampliamente tolerantes en cuanto a las costumbres, lo mismo que por lo que se refiere a la religión, de los demás.

Thomas Jefferson (1743-1826), político estadounidense.

1608. La cortesía es un acuerdo tácito mediante el cual los defectos de la gente, sean morales o intelectuales, serán pasados por alto y no motivarán ningún reproche.

Arthur Schopenhauer (1788-1860), filósofo alemán.

1609. La cortesía ha sido bien definida como benevolencia en las cosas pequeñas.

Thomas Babington Macaulay (1800-1859), historiador y político inglés.

1610. Los buenos modales se consiguen a base de pequeños sacrificios.

Ralph Waldo Emerson (1803-1882), escritor y político estadounidense.

1611. Hasta en una declaración de guerra deben observarse las reglas de urbanidad.

Otto von Bismarck (1815-1898), estadista prusiano.

1612. Es una prueba de cortesía escuchar disquisiciones sobre cosas que se conocen bien, de quien las ignora en absoluto.

Gilbert Keith Chesterton (1874-1936), escritor inglés.

1613. Las reglas elementales de la cortesía son muy simples: alabar lo bueno de los otros, suprimir los reproches, dar importancia a los demás, y prestarles atención.

Hermann Alexander von Keyserling (1880-1946), filósofo alemán.

1614. Todos los hombres que no tienen nada que decir hablan a gritos.

Enrique Jardiel Poncela (1901-1952), escritor español.

1615. Una de las leyes fundamentales de la cortesía es la resistencia al primer impulso.

Noel Clarasó (1905-1985), escritor español.

DE LA OLÍTICA

1616. En un país bien gobernado debe inspirar vergüenza la pobreza. En un país mal gobernado debe inspirar vergüenza la riqueza.

Confucio (h. 551-h. 479 a. C.), filósofo chino.

1617. **Los reyes son felices en muchas cosas, pero principalmente en esto: pueden decir y hacer lo que les plazca.**

Sófocles (495-406 a. C.), poeta trágico griego.

1618. **Si yo me hubiera dedicado a la política, ¡oh atenienses!, hubiera perecido hace mucho tiempo y no hubiese hecho ningún bien ni a vosotros ni a mí mismo.**

Sócrates de Atenas (470-399 a. C.), filósofo griego.

1619. **La patria de cada hombre es el país donde mejor vive.**

Aristófanes de Atenas (h. 448-h. 386 a. C.), poeta griego.

1620. **Hasta que los filósofos se encarguen del gobierno o los que gobiernan se conviertan a filósofos, de modo que el gobierno y la filosofía estén unidos, no podrá ponerse fin a las miserias de los estados.**

Platón (428-347 a. C.), filósofo griego.

1621. **La democracia ha surgido de la idea de que si los hombres son iguales en cualquier aspecto, lo son en todos.**

Aristóteles (384-322 a. C.), filósofo griego.

1622. **Cuando la democracia se desgasta y se debilita es suplantada por la oligarquía.**

Aristóteles (384-322 a. C.), filósofo griego.

1623. **La monarquía degenera en tiranía, la aristocracia en oligarquía y la democracia en violencia y anarquía. La mejor forma de gobierno es la que combina la monarquía, la aristocracia y la democracia.**

Polibio (h. 210-h. 128 a. C.), historiador y político griego.

1624. **En un cambio de gobierno, el pobre rara vez cambia de otra cosa que del nombre de su amo.**

Fedro (10 a. C.-70), fabulista latino.

1625. **Es hermoso servir a la patria con hechos, y no es absurdo servirla con palabras.**

Crispo Cayo Salustio (86-34 a. C.), historiador y político romano.

1626. El amor a la patria es más patente que la razón misma.

Publio Nasón Ovidio (43 a. C.-17), poeta latino.

1627. El primer arte que deben aprender los que aspiran al poder es el de ser capaces de soportar el odio.

Lucio Anneo Séneca (4 a. C.-65), escritor y filósofo romano.

1628. El primer arte que debe aprender un rey es el de soportar la envidia.

Lucio Anneo Séneca (4 a. C.-65), escritor y filósofo romano.

1629. Un rey es una persona que no teme nada ni desea nada.

Lucio Anneo Séneca (4 a. C.-65), escritor y filósofo romano.

1630. El hombre sabio no debe abstenerse de participar en el gobierno del estado, pues es un delito renunciar a ser útil a los necesitados y una cobardía ceder el paso a los indignos.

Epicteto de Frigia (h. 50-h.120), filósofo latino.

1631. El poder nunca es estable cuando es ilimitado.

Tácito (h. 54/57-h. 125), historiador y orador latino.

1632. Aunque los reyes obren bien, se hablará mal de ellos.

Marco Aurelio (121-180), emperador romano.

1633. Todos los estados bien gobernados y todos los príncipes inteligentes han tenido cuidado de no reducir a la nobleza a la desesperación, ni al pueblo al descontento.

Nicolás Maquiavelo (1468-1527), escritor y político italiano.

1634. El que quiere ser tirano y no mata a Bruto y el que quiere establecer un Estado libre y no mata a los hijos de Bruto, sólo por breve tiempo conservará su obra.

Nicolás Maquiavelo (1468-1527), escritor y político italiano.

1635. Los hombres son tan simples que el que los quiere engañar siempre encuentran algunos que se dejan.

Nicolás Maquiavelo (1469-1527), escritor italiano.

1636. Las democracias suelen ser más tranquilas y están menos expuestas a la sedición que el régimen gobernado por una estirpe de nobles.

Francis Bacon (1561-1626), filósofo inglés.

1637. Una democracia no es en realidad más que una aristocracia de oradores, interrumpida a veces por la monarquía temporal de un orador.

Thomas Hobbes (1588-1679), filósofo inglés.

1638. Dejad pensar al pueblo que gobierna y se dejará gobernar.

William Penn (1644-1718), político inglés.

1639. Un rey está perdido si no rechaza la adulación y si no prefiere a los que dicen audazmente la verdad.

François de Salignac de la Mothe, Fénelon (1651-1715), escritor francés.

1640. Suele decirse que los reyes tienen las manos largas; yo quisiera que tuvieran igualmente largas las orejas.

Jonathan Swift (1667-1745), escritor irlandés.

1641. El poder arbitrario constituye una tentación natural para un príncipe, como el vino o las mujeres para un hombre joven, o el soborno para un juez, o la avaricia para el viejo, o la vanidad para la mujer.

Jonathan Swift (1667-1745), escritor irlandés.

1642. La democracia debe guardarse de dos excesos: el espíritu de desigualdad, que conduce a la aristocracia, y el espíritu de igualdad externa, que la conduce al despotismo.

Charles Louis de Secondat, barón de Montesquieu (1689-1755), escritor y filósofo francés.

1643. Cuando un gobierno dura mucho tiempo se descompone poco a poco y sin notarlo.

Charles Louis de Secondat, barón de Montesquieu (1689-1755), escritor y filósofo francés.

1644. **La descomposición de todo gobierno comienza por la decadencia de los principios sobre los cuales fue fundado.**

Charles Louis de Secondat, barón de Montesquieu (1689-1755), escritor y filósofo francés.

1645. **Yo conozco al pueblo: cambia en un día. Derrocha pródigamente lo mismo su odio que su amor.**

François Marie Arouet, Voltaire (1694-1778), escritor francés.

1646. **Debemos amar a nuestro país aunque nos trate injustamente.**

François Marie Arouet, Voltaire (1694-1778), escritor francés.

1647. **¡Cuán querida es de todos los corazones buenos su tierra natal!**

François Marie Arouet, Voltaire (1694-1778), escritor francés.

1648. **El primer rey fue un soldado afortunado.**

François Marie Arouet, Voltaire (1694-1778), escritor francés.

1649. **Cuanto más feliz soy, más compadezco a los reyes.**

François Marie Arouet, Voltaire (1694-1778), escritor francés.

1650. **La corona real no cura el dolor de cabeza.**

Benjamin Franklin (1706-1790), científico y político estadounidense.

1651. **Las actividades del gobierno ejercen poca influencia sobre la felicidad privada de los individuos.**

Samuel Johnson (1709-1784), escritor inglés.

1652. **El gobierno de un solo hombre puede no ser adecuado para una sociedad pequeña, pero es el mejor para una gran nación.**

Samuel Johnson (1709-1784), escritor inglés.

1653. **Nada resulta más sorprendente para el que examina los asuntos humanos con mirada filosófica que la facilidad con que la mayoría es gobernada por la minoría.**

David Hume (1711-1776), filósofo escocés.

1654. Si hubiera una nación de dioses, éstos se gobernarían democráticamente; pero un gobierno tan perfecto no es adecuado para los hombres.

Jean-Jacques Rousseau (1712-1778), filósofo ginebrino.

1655. El gobierno tuvo su origen en el propósito de encontrar una forma de asociación que defienda y proteja la persona y la propiedad de cada cual con la fuerza común de todos.

Jean-Jacques Rousseau (1712-1778), filósofo ginebrino.

1656. La democracia constituye necesariamente un despotismo, por cuanto establece un poder ejecutivo contrario a la voluntad general, siendo posible que todos decidan contra uno cuya opinión pueda diferir; la voluntad de todos no es por tanto la de todos, lo cual es contradictorio y opuesto a la libertad.

Immanuel Kant (1724-1804), filósofo alemán.

1657. Cuando un pueblo se ha vuelto incapaz de gobernarse a sí mismo y está en condiciones para someterse a un amo, poco importa de dónde proceda éste.

Georges Washington (1732-1799), político estadounidense.

1658. Todos los gobiernos monárquicos son militaristas. La guerra es su industria; el saqueo, su objetivo. Mientras sigan existiendo tales gobiernos, la paz no estará segura un solo día.

Thomas Paine (1737-1809), escritor inglés.

1659. Ningún gobierno puede sostenerse sin el principio del temor así como del deber. Los hombres buenos obedecerán a este último, pero los malos solamente al primero.

Thomas Jefferson (1743-1826), político estadounidense.

1660. No se debe ser demasiado severo con los errores del pueblo, sino tratar de eliminarlos por la educación.

Thomas Jefferson (1743-1826), político estadounidense.

1661. Nunca he podido concebir cómo un ser racional podría perseguir la felicidad ejerciendo el poder sobre otros.

Thomas Jefferson (1743-1826), político estadounidense.

1662. No hay un rey que, teniendo fuerza suficiente, no esté siempre dispuesto a convertirse en absoluto.

Thomas Jefferson (1743-1826), político estadounidense.

1663. Un rey no debe caer nunca de su trono, excepto cuando el mismo trono cae.

Vittorio Alfieri (1749-1803), escritor italiano.

1664. Un poder situado por encima de toda responsabilidad humana debe estar fuera del alcance de todo ser humano.

Charles Caleb Colton (1780-1832), poeta inglés.

1665. Toda corona noble es y será siempre en la tierra una corona de espinas.

Thomas Carlyle (1795-1881), filósofo, crítico e historiador inglés.

1666. El mejor gobierno es el que desea hacer feliz al pueblo y sabe cómo lograrlo.

Thomas Babington Macaulay (1800-1859), historiador y político inglés.

1667. En política, como en religión, hay devotos que manifiestan su veneración por un santo desaparecido, convirtiendo su tumba en un santuario del crimen.

Thomas Babington Macaulay (1800-1859), historiador y político inglés.

1668. Cuando la lucha entre facciones es intensa, el político se interesa, no por todo el pueblo, sino por el sector a que él pertenece. Los demás son, a su juicio, extranjeros, enemigos, incluso piratas.

Thomas Babington Macaulay (1800-1859), historiador y político inglés.

1669. Los políticos tímidos e interesados se preocupan mucho más de la seguridad de sus puestos que de la seguridad de su país.

Thomas Babington Macaulay (1800-1859), historiador y político inglés.

1670. Una república puede ser llamada el clima de la civilización.

Victor Hugo (1802-1885), escritor francés.

1671. No existen países pequeños. La grandeza de un pueblo no se mide por el número de sus componentes, como no se mide por su estatura la grandeza de un hombre.

Victor Hugo (1802-1885), escritor francés.

1672. En política, los experimentos significan revoluciones.

Benjamin Disraeli (1804-1881), político y escritor inglés.

1673. Quienquiera que ponga su mano sobre mí para gobernarme es un usurpador y un tirano y le declaro mi enemigo.

Joseph Proudhon (1809-1865), economista y filósofo francés.

1674. La democracia no es más que un poder arbitrario constitucional que ha sustituido a otro poder arbitrario constitucional.

Joseph Proudhon (1809-1865), economista y filósofo francés.

1675. Ningún hombre es lo bastante bueno para gobernar a otro sin su consentimiento.

Abraham Lincoln (1809-1865), político estadounidense.

1676. Yo he descubierto el arte de engañar a los diplomáticos. Digo la verdad y nunca me creen.

Camilo Benso, conde de Cavour (1810-1861), político italiano.

1677. Un político piensa en las próximas elecciones; un estadista, en la próxima generación.

James Freeman Clarke (1810-1888), historiador y escritor estadounidense.

1678. La política no es una ciencia exacta.

Otto von Bismarck (1815-1898), estadista prusiano.

1679. El gobierno es una asociación de hombres que ejercen violencia sobre todos los demás.

Leon Tolstoi (1828-1910), novelista ruso.

1680. Sin hipocresía, mentiras, castigos, cárceles, fortalezas y crímenes no puede surgir ningún nuevo poder ni sostenerse el que existe.

Leon Tolstoi (1828-1910), novelista ruso.

1681. **Nunca se tendrá un mundo tranquilo hasta que se extirpe el patriotismo en la raza humana.**

George Bernard Shaw (1856-1950), escritor irlandés.

1682. **Nuestra verdadera nacionalidad es la humanidad.**

Herbert George Wells (1866-1946), escritor e historiador inglés.

1683. **La democracia es el sistema político en el que cuando alguien llama a la puerta de la calle a las seis de la mañana se sabe que es el lechero.**

Winston Leonard Spencer Churchill (1874-1965), escritor y político inglés.

1684. **Cambia el concepto del patriotismo según las mil circunstancias del agregado social.**

José Martínez Ruiz, Azorín (1873-1967), escritor español.

1685. **Tras cualquier acción de un político se puede encontrar algo dicho por un intelectual quince años atrás.**

John Maynard Keynes (1883-1946), economista inglés.

1686. **El mayor castigo para quienes no se interesan por la política es que serán gobernados por personas que sí se interesan.**

Arnold Joseph Taynbee (1889-1975), historiador inglés.

1687. **El hombre no debe seguir tal como es, es necesario verlo también como podría ser y acostumbrarse a esta visión.**

Bertold Brecht (1898-1956), dramaturgo alemán.

1688. **Solamente con que los políticos y los científicos fueran un poco más vagos, ¿cuánto más felices seríamos todos?**

Evelyn Waugh (1903-1966), escritor inglés.

1689. **Sin democracia, la libertad es una quimera.**

Octavio Paz (1914-1998), ensayista y escritor mexicano.

1690. **Donde me halle, soy un pedazo del paisaje de mi patria.**

Fatos Arapi (n. 1930), poeta albanés.

1691. **El hombre muere en todos aquellos que mantienen silencio ante la tiranía.**

Wole Soyinka (n. 1934), escritor nigeriano.

1692. **Al gobernar aprendí a pasar de la ética de los principios a la ética de las responsabilidades.**

Felipe González Márquez (n. 1942), político español.

1693. **La democracia no se aprende en el parlamento, sino en casa; ser demócrata no es una actitud política, es una actitud ante la vida.**

Monserrat Roig (1947-1991), escritora española.

1694. **Un gobierno que es lo suficientemente grande para darte todo lo que quieres, lo es también para quitarte todo lo que tienes.**

Anónimo.

1695. **Cuando un diplomático dice sí, quiere decir quizá; cuando dice quizá, quiere decir no, y cuando dice no, no es diplomático.**

Anónimo.

1696. **Un diplomático es un hombre que recuerda la fecha de nacimiento de una dama, pero olvida la edad que ésta tiene.**

Anónimo.

1697. **No se gobierna con ideas, sino con hombres.**

Anónimo.

1698. **La democracia cien por cien no tendría sentido.**

Anónimo.

1699. **La diplomacia, aparte de inspirarse en la astucia e hipocresía, a veces resuelve conflictos graves.**

Anónimo.

DE LA LIBERTAD

1700. No hay ningún hombre absolutamente libre. Es esclavo de la riqueza, o de la fortuna, o de las leyes, o bien el pueblo le impide obrar con arreglo a su exclusiva voluntad.

Eurípides de Salamina (480-406 a. C.), poeta trágico griego.

1701. Yo soy un ciudadano, no de Atenas o Grecia, sino del mundo.

Sócrates (470-399 a. C.), filósofo griego.

1702. El único Estado estable es aquel en que todos los ciudadanos son iguales ante la ley.

Aristóteles (384-322 a. C.), filósofo griego.

1703. ¡Oh, dulce nombre de la libertad! *(O nomen dulce libertatis.)*

Marco Tulio Cicerón (106-43 a. C.), político, orador, filósofo y literato romano.

1704. La libertad sólo puede fijar su residencia en aquellos Estados en que el pueblo tiene el poder supremo.

Marco Tulio Cicerón (106-43 a. C.), político, orador, filósofo y literato romano.

1705. Yo soy un ciudadano romano. *(Civis romanus sum.)*

Marco Tulio Cicerón (106-43 a. C.), político, orador, filósofo y literato romano.

1706. ¿Quién es libre? El sabio que puede dominar sus pasiones, que no teme a la necesidad, a la muerte ni a las cadenas, que refrena firmemente sus apetitos y desprecia los honores del mundo, que confía exclusivamente en sí mismo y que ha redondeado y pulido las aristas de su carácter.

Horacio (65-8 a. C.), poeta latino.

1707. Ningún favor produce una gratitud menos permanente que el don de la libertad, especialmente entre aquellos pueblos que están dispuestos a hacer mal uso de ella.

Tito Livio (59 a. C.-17), historiador romano.

1708. ¿Preguntas qué es la libertad? No ser esclavo de nada, de ninguna necesidad, de ningún accidente y conservar la fortuna al alcance de la mano.

Lucio Anneo Séneca (4 a. C.-65), escritor y filósofo romano.

1709. Las libertades y los amos no se combinan fácilmente.

Tácito (h. 54-57-h. 125), historiador y orador latino.

1710. La naturaleza concede libertad hasta a los animales.

Tácito (h. 54-57-h. 125), historiador y orador latino.

1711. La verdadera libertad consiste en el dominio absoluto de sí mismo.

Michel Eyquen de Montaigne (1533-1592), escritor francés.

1712. La libertad, Sancho, es uno de los más preciosos dones que a los hombres dieron los cielos. Con ella no pueden igualarse los tesoros que encierra la tierra ni el mar encubre; por la libertad, así como por la honra, se puede y debe aventurar la vida.

Miguel de Cervantes Saavedra (1547-1616), escritor español.

1713. ¡Oh, libertad preciosa,
no comparada al oro,
ni al bien mayor de la espaciosa tierra,
más rica y más gozosa
que el precioso tesoro
que el mar del sur entre nácar cierra!

Félix Lope de Vega y Carpio (1562-1635), escritor español.

1714. No tratéis de guiar al que pretende elegir por sí su propio camino.

William Shakespeare (1564-1616), escritor inglés.

1715. Un hombre libre es aquel que, teniendo fuerza y talento para hacer una cosa, no encuentra trabas a su voluntad.

Thomas Hobbes (1588-1679), filósofo inglés.

1716. No es bueno ser demasiado libre. No es bueno tener todo lo que uno quiere.

Blaise Pascal (1623-1662), escritor, matemático, físico y filósofo francés.

1717. Sólo es libre aquello que existe por las necesidades de su propia naturaleza y cuyos actos se originan exclusivamente dentro de sí.

Baruch Spinoza (1632-1677), filósofo holandés.

1718. El más libre de todos los hombres es el que puede ser libre hasta en la esclavitud.

François de Salignac de la Mothe, Fénelon (1651-1715), escritor francés.

1719. La libertad de conciencia se entiende hoy día, no sólo como la libertad de creer lo que uno quiera, sino también de poder propagar esa creencia.

Jonathan Swift (1667-1745), escritor irlandés.

1720. La libertad es el derecho a hacer lo que las leyes permiten. Si un ciudadano tuviera derecho a hacer lo que éstos prohíben, ya no sería libertad, pues cualquier otro tendrá el mismo derecho.

Charles Louis de Secondat, barón de Montesquieu (1689-1755), escritor y filósofo francés.

1721. Todos los hombres tienen iguales derechos a la libertad, a su prosperidad y a la protección de las leyes.

François Marie Arouet, Voltaire (1694-1778), escritor francés.

1722. Aquellos que pueden renunciar a la libertad esencial por conseguir una pequeña necesidad transitoria no merecen ni la libertad ni la seguridad.

Benjamin Franklin (1706-1790), científico y político estadounidense.

1723. Donde mora la libertad, allí está mi patria.

Benjamin Franklin (1706-1790), científico y político estadounidense.

1724. El hombre ha nacido libre y en todas partes está encadenado.

Jean-Jacques Rousseau (1712-1778), filósofo ginebrino.

1725. Es verdaderamente libre aquel que desea solamente lo que es capaz de realizar y que hace lo que le agrada.

Jean-Jacques Rousseau (1712-1778), filósofo ginebrino.

1726. **La libertad es la obediencia a la ley que uno mismo se ha trazado.**
Jean-Jacques Rousseau (1712-1778), filósofo ginebrino.

1727. **Pueblos libres, recordad esta máxima: podemos adquirir la libertad, pero nunca se recupera una vez que se pierde.**
Jean-Jacques Rousseau (1712-1778), filósofo ginebrino.

1728. **La libertad no es un fruto que crezca en todos los climas, y por ello no está al alcance de todos los pueblos.**
Jean-Jacques Rousseau (1712-1778), filósofo ginebrino.

1729. **La libertad es aquella facultad que aumenta la utilidad de todas las demás facultades.**
Immanuel Kant (1724-1804), filósofo alemán.

1730. **La libertad abstracta, al igual que otras simples abstracciones, no puede ser encontrada.**
Edmund Burke (1729-1797), escritor y político irlandés.

1731. **La libertad debe ser limitada para poder ser poseída.**
Edmund Burke (1729-1797), escritor y político irlandés.

1732. **El pueblo no renuncia nunca a sus libertades sino bajo el engaño de una ilusión.**
Edmund Burke (1729-1797), escritor y político irlandés.

1733. **En Inglaterra, la libertad es una especie de ídolo. Al pueblo se le enseña a amarla y a creer en ella, pero ve muy pocos de sus resultados. El pueblo puede moverse libremente, pero dentro de altas murallas.**
George Washington (1732-1799), político estadounidense.

1734. **El hombre es el único ser sensible que se destruye a sí mismo en estado de libertad.**
Jacques-Henri Bernardin de Saint-Pierre (1737-1814), escritor francés.

1735. **No puede esperarse que los hombres sean trasladados del despotismo a la libertad en un lecho de plumas.**
Thomas Jefferson (1743-1826), político estadounidense.

1736. El árbol de la libertad debe ser vigorizado de vez en cuando con la sangre de patriotas y tiranos: es un fertilizante natural.

Thomas Jefferson (1743-1826), político estadounidense.

1737. Todos los hombres hemos sido creados iguales e independientes, derivándose de esta igual creación unos derechos inalienables entre los que están la vida, la libertad y la búsqueda de la felicidad.

Thomas Jefferson (1743-1826), político estadounidense.

1738. ¿De qué sirve la libertad política para los que no tienen pan? Sólo tiene valor para los teorizantes y los políticos ambiciosos.

Jean Paul Marat (1744-1793), revolucionario francés.

1739. Sólo es digno de libertad aquel que sabe conquistarla cada día.

Johann Wolfang von Goethe (1749-1832), escritor alemán.

1740. ¡Libertad, libertad! ¡Cuántos crímenes se cometen en tu nombre!

Madame de Roland (1754-1793), revolucionaria francesa.

1741. Libertad moral es la única libertad verdaderamente importante.

Joseph Joubert (1754-1824), moralista francés.

1742. Los países libres son aquellos en los que son respetados los derechos del hombre y donde las leyes, por consiguiente, son justas.

Maximilian Robespierre (1758-1794), político francés.

1743. La libertad sólo es concebible tratándose de la inteligencia.

Johann Gotlieb Fichte (1762-1814), filósofo alemán.

1744. La libertad puede conducir a muchas transgresiones, pero incluso a los vicios se les presta una forma menos innoble.

Karl Wilhelm von Humboldt (1767-1835), filólogo y político alemán.

1745. Aquellos que niegan la libertad a otros no la merecen para sí, y bajo un Dios justo no pueden conservarla mucho tiempo.

Abraham Lincoln (1809-1865), político estadounidense.

1746. **No más partidos, no más autoridad, libertad absoluta del hombre y del ciudadano: ésta es mi profesión de fe social y política.**

Joseph Proudhon (1809-1865), economista y filósofo francés.

1747. **Yo soy libre solamente en la medida en que reconozco la humanidad y respeto la libertad de todos los hombres que me rodean.**

Mijail Alexandrovich Bakunin (1814-1876), revolucionario ruso.

1748. **La libertad significa que el hombre sea reconocido libre y tratado como libre por los que le rodean.**

Mijail Alexandrovich Bakunin (1814-1876), revolucionario ruso.

1749. **Todo hombre tiene libertad para hacer lo que quiera siempre y cuando no infrinja la libertad igual de cualquier hombre.**

Herbert Spencer (1820-1903), filósofo y sociólogo inglés.

1750. **Nadie puede ser perfectamente libre hasta que todos lo sean.**

Herbert Spencer (1820-1903), filósofo y sociólogo inglés.

1751. **Si los hombres emplean su libertad de tal manera que renuncian a ésta, ¿puede considerárseles por ello menos esclavos? Si el pueblo elige por un plebiscito a un déspota para gobernarlo, ¿sigue siendo libre por el hecho de que el despotismo ha sido su propia obra?**

Herbert Spencer (1820-1903), filósofo y sociólogo inglés.

1752. **La libertad significa responsabilidad: por eso la temen la mayor parte de los hombres.**

George Bernard Shaw (1856-1950), escritor irlandés.

1753. **Los hombres juntan todos los errores de su vida y crean un monstruo al que llaman destino.**

Pearl Mary Teresa Craigie, John Oliver Hobbes (1867-1906), escritora estadounidense.

1754. **El hombre libre es aquel que no teme ir hasta el final de su pensamiento.**

Leon Blum (1872-1950), político francés.

1755. **La libertad no hace felices a los hombres; los hace, sencillamente, hombres.**

Manuel Azaña (1880-1940), político y escritor español.

1756. **El hombre vive en riesgo permanente de deshumanización.**

José Ortega y Gasset (1883-1955), filósofo español.

1757. **La libertad es el derecho a escoger a las personas que tendrán la obligación de limitárnosla.**

Harry Truman (1884-1972), político estadounidense.

1758. **Si la libertad significa algo, es el derecho de decir a los demás lo que no quieren oír.**

George Orwell (1903-1950), escritor inglés.

1759. **El hombre tiene unas alas que no conoce.**

Gustave Thibon (1903), filósofo francés.

1760. **El hombre es un ser escondido en sí mismo.**

María Zambrano (1904-1991), filósofa española.

1761. **El hombre no es nada más que su proyecto, no existe más que en la medida en que se realiza; no es, por lo tanto, más que el conjunto de sus actos, y nada más que su vida.**

Jean-Paul Sartre (1905-1980), filósofo francés.

1762. **Cada hombre debe inventar su camino.**

Jean-Paul Sartre (1905-1980), filósofo francés.

1763. **La libertad no consiste sólo en seguir la propia voluntad, sino también a veces en huir de ella.**

Abe Kovo (n. 1924), escritor japonés.

1764. **Cuando las personas tienen libertad para hacer lo que quieren, por lo general comienzan a imitarse mutuamente.**

Françoise Sagan (1935), novelista francesa.

DEL SENTIDO DEL HUMOR

1765. No hagas reír hasta el punto de dar motivo a la risa.

Heráclito de Éfeso (540-475 a. C.), filósofo griego.

1766. ¿Qué impide decir la verdad con humor?

Horacio (65-8 a. C.), poeta latino.

1767. Reírse de todo es propio de tontos, pero no reírse de nada lo es de estúpidos.

Erasmo de Rotterdam (1466-1536), humanista holandés.

1768. Si es posible, debe hacerse reír hasta a los muertos.

Leonardo da Vinci (1452-1519), humanista italiano.

1769. Nada revela mejor el carácter de un hombre que una burla tomada a mal.

Georg Christoph Lichtenberg (1742-1799), escritor y científico alemán.

1770. No hay espíritu perfectamente conformado si le falta el sentido del humor.

Samuel Taylor Coleridge (1772-1834), poeta inglés.

1771. El humorismo no es una facultad del espíritu sino del corazón.

Ludwig Börne, Löb Baruch (1786-1837), escritor y político alemán.

1772. La esencia del humorismo es la sensibilidad, una simpatía cálida y tierna hacia todas las formas de la existencia.

Thomas Carlyle (1795-1881), filósofo, crítico e historiador inglés.

1773. El humorismo permite ver, a quien lo tiene, cosas que los demás no perciben.

Max Haushofer (1811-1866), pintor y escritor inglés.

1774. El humorismo es un chaleco salvavidas en la corriente de la existencia.

Wilhelm Raabe, Jakob Corvinus (1831-1910), escritor alemán.

1775. **El humorismo revela el lado serio de las cosas tontas y el lado tonto de las cosas serias.**

Alberto Cantoni (1841-1904), novelista italiano.

1776. **Mi forma de bromear es decir la verdad. Es la broma más divertida del mundo.**

George Bernard Shaw (1856-1950), escritor irlandés.

1777. **El humorismo no es más que una lógica sutil.**

Paul Tristan Bernard (1866-1947), escritor francés.

1778. **Dicen que me burlo de todo y me río de todo, porque me burlo de ellos y me río de ellos, y ellos creen serlo todo.**

Jacinto Benavente (1866-1954), dramaturgo español.

1779. **La imaginación consuela al hombre de lo que no puede ser. El humor, de lo que es.**

Winston Leonard Spencer Churchill (1874-1965), escritor y político inglés.

1780. **Huye de los rostros graves que no saben reír, de los espíritus que no entienden de ironías.**

Ricardo León (1877-1943), escritor español.

1781. **Tenéis que aprender a reír, para alcanzar el humorismo superior, dejad primero de tomaros demasiado en serio.**

Hermann Hesse (1877-1962), escritor alemán.

1782. **El buen humor es un deber que tenemos para con el prójimo.**

E. Wallace Stevens (1879-1955), poeta estadounidense.

1783. **Si hay algo que tomo en serio es el no tomar nada en serio.**

Francis Picabia (1879-1953), pintor y poeta francés.

1784. **Tener sentido del humor es ser espiritual contra uno mismo.**

André Maurois (1885-1967), escritor francés.

1785. **El perfecto humorista humoriza en las cosas pequeñas y se admira de las grandes. Sin el segundo detalle, todo humor falta.**

André Maurois (1885-1967), escritor francés.

1786. No bromeo nunca con el humorismo.

Frigjes Karinthy (1887-1938), escritora húngara.

1787. La función química del humor es ésta: cambiar el carácter de nuestros pensamientos.

Li Yutang (1895-1976), escritora estadounidense.

1788. Enfrentarse con humor a un asunto serio no significa forzosamente tratarlo a la ligera.

Peter Bamm, Kurt Emmerich (1897-1975), novelista alemán.

1789. Intentar definir el humorismo es como pretender pinchar una mariposa con un palo de telégrafo.

Enrique Jardiel Poncela (1901-1952), escritor español.

1790. El doctor en humorismo es el hombre que sabe referirse al prójimo burlándose de sí mismo.

Noel Clarasó (1905-1985), escritor español.

1791. Soy humorista porque miro al mundo con sentido crítico, pero con amor.

Jacques Tati (1908-1982), cineasta francés.

1792. Si se me diera la oportunidad de hacer un regalo a la siguiente generación, sería la capacidad de reírse cada cual de sí mismo.

Charles Monroe Schulz (n. 1922), dibujante de comics estadounidense.

1793. En el fondo, tener sentido del humor es ser consciente de la relatividad de las cosas.

Antonio de Senillosa (1929-1994), escritor y político español.

1794. El humor es una cobardía, una manera de huir de la realidad.

Claude Serre (n. 1938), pintor francés.

1795. La prueba máxima de si uno posee sentido del humor es su reacción cuando alguien le dice que no lo tiene.

Anónimo.

DE LOS *M* ILAGROS

1796. **La sangre de los mártires es la semilla de la iglesia.**

Quintus Septimius Florens Tertuliano (h. 155-h. 222), escritor y doctor de la Iglesia latino.

1797. **Los milagros son los pañales de las iglesias nacientes.**

Thomas Fuller (1609-1661), escritor inglés.

1798. **Un milagro es un efecto que supera la fuerza natural de los medios empleados para realizarlo.**

Blaise Pascal (1623-1662), escritor, matemático, físico y filósofo francés.

1799. **Yo soy un entusiasta de la verdad, pero no del martirologio.**

François Marie Arouet, Voltaire (1694-1778), escritor francés.

1800. **Muchos hombres que hoy están dispuestos a dejarse matar por defender su fe en un milagro, lo hubieran puesto en duda si hubiesen estado presentes al producirse.**

Georg Christoph Lichtenberg (1742-1799), escritor y científico alemán.

1801. **La cuestión que tiene planteada la raza humana es si el Dios de la naturaleza gobernará al mundo según sus propias leyes, o si le gobernarán los sacerdotes por medio de milagros ficticios.**

Thomas Jefferson (1743-1826), político estadounidense.

1802. **Las personas felices no creen en los milagros.**

Johann Wolfang von Goethe (1749-1832), escritor alemán.

1803. **El más indestructible de los milagros es la fe humana en ellos.**

Jean Paul Friedrich Richter (1763-1835), novelista alemán.

1804. **Los milagros no son las pruebas, pero sí los resultados necesarios de la revelación.**

Samuel Taylor Coleridge (1772-1834), poeta inglés.

1805. **Los discípulos de un maestro sufren mucho más que el mártir.**

Friedrich Nietzsche (1844-1900), filósofo alemán.

1806. **Una cosa no es necesariamente cierta porque un hombre muera por ella.**

Oscar Wilde (1854-1900), escritor irlandés.

1807. **Todos los milagros son así, repentinos. El milagro –dijo un pensador– no es más que la aparición súbita de una realidad escondida.**

Amado Nervo (1870-1919), escritor mexicano.

1808. **Se puede decir que en la naturaleza no hay milagro, pero también se puede decir que todo es milagro.**

Pío Baroja (1872-1956), escritor español.

1809. **Nos exigen demasiados milagros. Yo me considero ya bastante dichoso cuando he logrado hacer oír a un ciego.**

Jean Cocteau (1889-1963), escritor francés.

1810. **Lo maravilloso no existe. Aquello que juzgamos maravilloso no es sino una forma aguda, evidente, deslumbradora, de lo real.**

Xavier Villaurrutia (1903-1950), autor teatral mexicano.

DE LA COMPAÑÍA Y LA SOLEDAD

1811. **Todo hombre es como las compañías que frecuenta.**

Eurípides de Salamina (480-406 a. C.), poeta trágico griego.

1812. **El hombre sabio querrá estar siempre con quien sea mejor que él.**

Platón (428-347 a. C.), filósofo griego.

1813. **Si un hombre pudiera subir al cielo y contemplar todo el Universo, la admiración que le causarían sus bellezas quedaría grandemente mermada si no tuviera alguien con quien compartir su placer.**

Marco Tulio Cicerón (106-43 a. C.), político, orador, filósofo y literato romano.

1814. ¡Oh, soledad alegre, compañía de los tristes!

Miguel de Cervantes Saavedra (1547-1616), escritor español.

1815. El que vive retirado dentro de su mente y de su espíritu, está todavía en el paraíso.

John Phineas Fletcher (1579-1625), dramaturgo inglés.

1816. No frecuentes las malas compañías, no sea que aumentes su número.

George Herbert (1593-1633), poeta galés.

1817. El hombre nunca está solo porque, además de que está consigo mismo y con sus propios pensamientos, está con el diablo, que siempre hace compañía a nuestra soledad.

Sir Thomas Browne (1605-1682), escritor inglés.

1818. La soledad es a veces la mejor compañía, de modo que un corto retiro acelera un dulce retorno.

John Milton (1608-1674), poeta inglés.

1819. La más feliz de todas las vidas es una soledad atareada.

François Marie Arouet, Voltaire (1694-1778), escritor francés.

1820. El talento se nutre mejor en la soledad.

Johann Wolfang von Goethe (1749-1832), escritor alemán.

1821. La soledad es la sala de audiencias de Dios.

Walter Savage Landor (1775-1864), escritor inglés.

1822. Es preferible estar solo a frecuentar las malas compañías, porque somos más propensos a copiar los vicios de los demás que sus virtudes, de la misma manera que la enfermedad es más contagiosa que la salud.

Charles Caleb Colton (1780-1832), poeta inglés.

1823. La soledad, si bien puede ser silenciosa como la luz, es, al igual que la luz, uno de los más poderosos agentes, pues la soledad es esencial al hombre. Todos los hombres vienen a este mundo solos y solos le abandonan.

Thomas de Quincey (1785-1859), escritor inglés.

1824. La soledad es patrimonio de todas las almas extraordinarias.

Arthur Schopenhauer (1788-1860), filósofo alemán.

1825. Una vez sorprendieron a Myson el misántropo riendo a solas. «¿Por qué te ríes –le preguntaron– si no hay nadie contigo?» «Justamente por eso», repuso.

Arthur Schopenhauer (1788-1860), filósofo alemán.

1826. Nunca he encontrado un compañero que hiciera tanta compañía como la soledad.

Henry David Thoreau (1817-1862), escritor estadounidense.

1827. El hombre más fuerte es el que más resiste la soledad.

Henrik Ibsen (1828-1906), dramaturgo noruego.

1828. La soledad es el imperio de la conciencia.

Gustavo Adolfo Bécquer (1836-1870), poeta español.

1829. Si te dignas guardarme a tu lado en el camino del peligro y de la osadía, si me permites que comparta contigo los grandes deberes de tu vida, conocerás mi verdadero ser.

Rabindranath Tagore (1861-1941), filósofo y escritor hindú.

1830. El hombre sin mujer está solo, pero libre; su alma, sin estorbo de pensamientos comunes y materiales, puede ascender más arriba.

Giovanni Papini (1881-1956), escritor italiano.

1831. Sólo en soledad se siente la sed de la verdad.

María Zambrano (1904-1991), filósofa española.

1832. Hacer compañía consiste en añadir algo a las vidas de los demás, y en hacer que ellos se sientan cómodos en nuestra compañía.

Noel Clarasó (1905-1985), escritor español.

1833. La peor soledad que hay es darse cuenta de que la gente es idiota.

Gonzalo Torrente Ballester (1910-1999), escritor español.

1834. Hay muchos hombres solitarios que se han apartado del mundo, como Eva de Adán, para hablar privadamente con el diablo.

Anónimo.

DE LOS ESPAÑOLES Y FRANCESES

1835. El francés que, con un fondo de virtud, instrucción y buen sentido, posee los modales y la buena educación de su país, constituye la perfección de la naturaleza humana.

Philip Dormer Stanhope, lord Chesterfield (1694-1773), político inglés.

1836. En Francia, las bagatelas son cosas grandes; la razón, nada.

Napoléon Bonaparte (1769-1821), emperador francés.

1837. En Francia abundan los hombres de talento, pero han escaseado siempre los hombres de acción y de carácter fuerte.

Napoléon Bonaparte (1769-1821), emperador francés.

1838. Es propio del carácter francés insultar a los reyes.

Napoléon Bonaparte (1769-1821), emperador francés.

1839. Un verdadero alemán no puede soportar a un francés, pero adora el vino de Francia.

Joahnn Wolfang von Goethe (1749-1832), escritor alemán.

1840. Los franceses son como granos de pólvora: separados resultan desdeñables, pero reunidos constituyen una fuerza verdaderamente terrible.

Samuel Taylor Coleridge (1772-1834), poeta inglés.

1841. La honestidad de los franceses se debe acaso, no al amor a la justicia, sino a la repugnancia por la violencia o la fuerza.

William Hazlitt (1773-1830), ensayista inglés.

1842. Los franceses constituyen una nación de gente alegre que posee el verdadero secreto de la felicidad, el cual se reduce a no pensar en nada, hablar de cualquier cosa y reírse de todo.

Washington Irving (1783-1859), escritor estadounidense.

1843. Francia ha sido durante mucho tiempo un despotismo suavizado por epigramas.

Thomas Carlyle (1795-1881), filósofo, crítico e historiador inglés.

1844. Todas las causas de la decadencia de España se sintetizan en una sola: el mal gobierno.

Thomas Babington Macaulay (1800-1859), historiador y político inglés.

1845. Aquel que desea familiarizarse con la anatomía morbosa de los gobiernos, aquel que desee conocer hasta qué punto se puede debilitar y arruinar un gran estado, debe estudiar la historia de España.

Thomas Babington Macaulay (1800-1859), historiador y político inglés.

1846. La gravedad y la compostura son las características principales de los españoles.

George Borrow (1803-1881), escritor inglés.

1847. Los españoles, o son católicos, o son racionalistas. Los católicos lo esperan todo del milagro, los racionalistas todo lo esperan de la lotería nacional.

Manuel Ruiz Zorrilla (1833-1895), político español.

1848. Jamás habrá otra ni más España que la que salga de la cabeza de los españoles. Por eso lo primero que la República debe ser es labradora, cultivadora de cerebros y de almas.

Joaquín Costa (1846-1911), político y escritor español.

1849. Hay un español que quiere
vivir y a vivir empieza,
entre una España que muere
y una España que bosteza.
Españolito que vienes
al mundo, te guarde Dios;

una de las dos Españas
ha de helarte el corazón.

Antonio Machado (1875-1939), poeta español.

1850. Francia no es el tipo de nación filosófica, ni política, ni aun
artística, pero sí el tipo de nación literaria. Pueblo de estilistas
y no genios, comprende mejor a Teófilo Gautier que a Balzac.

Hermann Alexander von Keyserling (1880-1946), filósofo alemán.

1851. El español no es teatral, sino dramático.

Salvador de Madariaga (1886-1978), escritor español.

1852. Me hace bien oír hablar francés. El francés es una lengua
respetable, buena para la salud.

Curzio Malaparte (1898-1957), escritor italiano.

1853. No parece usted un español cualquiera. Un español nunca es
un español cualquiera.

Víctor Ruiz Iriarte (1912-1982), autor dramático español.

1854. Lo que distingue a los españoles del resto de los pueblos son su
alegría y su buen sentido del humor, entre otras cosas.

Anónimo.

DE LA BELLEZA Y LA FEALDAD

1855. La belleza es más resistente que las lanzas y los escudos.
La mujer hermosa es más formidable que el fuego y el hierro.

Anacreonte (h. 560-478 a. C.), poeta griego.

1856. Lo que es bello es bueno, y lo que es bueno no tardará en ser bello.

Safo de Lesbos (h. 612-h. 570 a. C.), poetisa griega.

1857. Cuando un hombre ama lo bello, ¿qué es lo que desea? Que lo
bello pueda ser suyo.

Platón (428-347 a. C.), filósofo griego.

1858. **La belleza depende tanto del tamaño como de la simetría.**

Aristóteles (384-322 a. C.), filósofo griego.

1859. **Hay dos clases de belleza: el encanto y la dignidad. El encanto es la cualidad de la mujer; la dignidad, la del hombre.**

Marco Tulio Cicerón (106-43 a. C.), político, orador, filósofo y literato romano.

1860. **¡Bello! ¡Bueno! ¡Perfecto!**

Horacio (65-8 a. C.), poeta latino.

1861. **La belleza es un bien frágil.**

Publio Nasón Ovidio (43 a. C.-17), poeta latino.

1862. **La belleza y la sabiduría rara vez se encuentran juntas.**

Petronio (siglo i), escritor latino.

1863. **Una mujer santa puede ser bella, por gracia de la naturaleza; pero no debe dar ocasión a la lascivia. Para que la belleza sea suya, lejos de ostentarla, debe oscurecerla.**

Quintus Septimius Florens Tertuliano (h. 155-h. 222) escritor y doctor de la Iglesia latino.

1864. **La belleza es una luz que ilumina la simetría de las cosas más bien que la simetría misma.**

Plotino (205-270), filósofo griego.

1865. **La gente se enamora mucho más de la belleza cuando oye hablar de ella sin verla, pues entonces operan dos incentivos sobre la pasión: el apetito de amor y el ansia de conocimiento.**

San Ambrosio (340-397), arzobispo de Milán.

1866. **La belleza perece en la vida, pero no en el arte.**

Leonardo da Vinci (1452-1519), humanista italiano.

1867. **El hombre sabio debe apartar su alma de la muchedumbre para conservar en su retiro la libertad y la facultad de juzgar libremente las cosas, pero por lo que se refiere a su atavío exterior, debe seguir de manera absoluta la moda de su época.**

La regla de las reglas y la ley general de las leyes en que cada cual observe las del lugar donde vive.

Michel Eyquen de Montaigne (1533-1592), escritor francés.

1868. La belleza es como la fruta estival, fácil de corromper y de corta duración.

Francis Bacon (1561-1626), filósofo inglés.

1869. No hay ninguna belleza excelente que no tenga algo de extraño en cuanto a la proporción.

Francis Bacon (1561-1626), filósofo inglés.

1870. La belleza y la necedad se encuentran generalmente unidas.

Baltasar Gracián (1601-1658), escritor español.

1871. Decid a una mujer que es hermosa y el diablo se lo repetirá diez veces.

Thomas Fuller (1609-1661), escritor inglés.

1872. Los necios suelen inventar modas que llevan los hombres sensatos.

Thomas Fuller (1609-1661), escritor inglés.

1873. Cada edad tiene su propia moda, en los placeres, en el ingenio y en los modales.

Nicholas Boileau Despréaux (1636-1711), poeta, gramático y crítico francés.

1874. Un rostro hermoso es el más bello de todos los espectáculos.

Jean de la Bruyère (1645-1696), escritor francés.

1875. Siempre he sentido una veneración sagrada por las personas que prestan poca atención a su indumentaria, suponiendo en ellas un poeta o un filósofo.

Jonathan Swift (1667-1745), escritor irlandés.

1876. En la verdadera belleza, como en el valor, hay algo que las almas mezquinas no pueden atreverse a admirar.

William Congreve (1670-1729), autor dramático inglés.

1877. En la indumentaria debe uno mantenerse siempre por debajo de los propios recursos.

Charles Louis de Secondat, barón de Montesquieu (1689-1755), escritor y filósofo francés.

1878. Come para complacerte a ti mismo, pero viste para complacer a los demás.

Benjamin Franklin (1706-1790), científico y político estadounidense.

1879. Recuerda que un remiendo en tu traje y dinero en el bolsillo no vale más que una deuda a tus espaldas sin dinero para saldarla.

Benjamin Franklin (1706-1790), científico y político estadounidense.

1880. La ropa fina sólo suple la falta de otros medios para hacerse respetar.

Samuel Johnson (1709-1784), escritor inglés.

1881. La autoridad de la moda es tan absoluta que nos fuerza a ser ridículos para no parecerlo.

Joseph Sanial-Dubay (1754-1817), escritor francés.

1882. Una mujer hermosa, si es pobre, debe proceder con doble circunspección, pues su belleza tentará a los demás y su pobreza a ella misma.

Charles Caleb Colton (1780-1832), poeta inglés.

1883. La naturaleza cubre todas sus obras con un barniz de belleza.

Arthur Schopenhauer (1788-1860), filósofo alemán.

1884. El secreto de la fealdad consiste, no en la irregularidad, sino en que no suscita interés.

Ralph Waldo Emerson (1803-1882), escritor y político estadounidense.

1885. La belleza de cualquier clase, en su manifestación suprema, excita invariablemente el alma sensitiva hasta hacerle derramar lágrimas.

Edgar Allan Poe (1809-1849), escritor estadounidense.

1886. La belleza es, para la mujer, el mejor sustitutivo de la inteligencia.

Gustave Flaubert (1821-1881), escritor francés.

1887. Es posible que las ciencias físicas permitan algún día a nuestros descendientes establecer las concomitancias y condiciones físicas exactas de la extraña emoción llamada belleza. Pero si ese día llega, la emoción subsistirá lo mismo que ahora fuera del radio de acción del mundo físico.

Thomas Henry Huxley (1825-1895), fisiólogo inglés.

1888. Apenas puede encontrarse una vida humana que no hubiera sido diferente de haber sido distinta la idea de la belleza en el espíritu del hombre que la ha vivido.

Walter Bagehot (1826-1877), economista, periodista y crítico literario inglés.

1889. Ninguna mujer parece tan pasada de moda como cuando sigue ésta.

Mark Twain, Samuel Langhorne Clemens (1835-1910), escritor estadounidense.

1890. La belleza es un estado de ánimo.

Émile Zola (1840-1902), escritor francés.

1891. La belleza en sí es una simple palabra; ni siquiera es un concepto. Al juzgar lo bello, el hombre se considera a sí mismo como el modelo de perfección. Una especie no tiene otra alternativa que afirmarse a sí misma de esta manera.

Friedrich Nitezsche (1844-1900), filósofo alemán.

1892. Todo lo feo debilita y deprime al hombre. Le sugiere la decadencia, el peligro, la impotencia.

Friedrich Nitezsche (1844-1900), filósofo alemán.

1893. La belleza es la única cosa que el tiempo no puede dañar. Las filosofías se dispersarán como arena, las creencias se sucederán unas a otras como hojas marchitas del otoño; pero lo que es bello representa un goce para todas las estaciones y una posesión para toda la eternidad.

Oscar Wilde (1854-1900), escritor irlandés.

1894. Es mejor ser bello que ser bueno, pero es mejor ser bueno que ser feo.

Oscar Wilde (1854-1900), escritor irlandés.

1895. No hay objeto tan feo que, en determinadas condiciones de luz y sombra o de proximidad con otras cosas, no parezca bello. No hay objeto tan bello que en determinadas condiciones no parezca feo.

Oscar Wilde (1854-1900), escritor irlandés.

1896. La moda es aquello merced a lo cual lo fantástico se convierte por un momento en universal.

Oscar Wilde (1854-1900), escritor irlandés.

1897. Lo elegante es lo que uno lleva. Lo que no es elegante es lo que llevan los demás.

Oscar Wilde (1854-1900), escritor irlandés.

1898. El primer deber de una mujer en esta vida es atender a su modista. En cuanto al segundo, nadie lo ha descubierto todavía.

Oscar Wilde (1854-1900), escritor irlandés.

1899. Hay modas en el pensar como las hay en el vestir, y para muchas personas es difícil, si no imposible, el pensar de otro modo que según la moda de su época.

George Bernard Shaw (1856-1950), escritor irlandés.

1900. Piensa y di en este momento cosas que te parezcan demasiado bellas para ser verdaderas en ti; serán verdaderas mañana si hoy has conseguido pensarlas y decirlas.

Maurice Maeterlinck (1862-1949), escritor belga.

1901. Para una idea es de muy mal agüero estar de moda, pues esto implica que más adelante estará anticuada para siempre.

George Santayana (1863-1952), filósofo estadounidense.

1902. Todo es bello, o tiene su belleza. Hay que hablar de un cerdo como de una flor.

Jules Renard (1864-1910), escritor francés.

1903. Todo lo que es moda pasa de moda.

Coco Chanel (1883-1971), diseñadora de moda francesa.

1904. Todo lo que es hermoso tiene un instante, y pasa.

Luis Cernuda (1904-1964), poeta español.

1905. La moda es un paradójico fenómeno social: su éxito anuncia ya su caída; su consagración, sus funerales.

Lola Gavarrón (1951), periodista española.

1906. Una mujer hermosa debe ser inglesa hasta la garganta, francesa hasta la cintura y holandesa en lo demás.

Anónimo.

DE LA AMISTAD

1907. El que prescinde de un amigo es como el que prescinde de su vida.

Sófocles (495-406 a. C.), poeta trágico griego.

1908. Cuando la fortuna sonríe, ¿qué necesidad hay de amigos?

Eurípides de Salamina (480-406 a. C.), poeta trágico griego.

1909. Los hombres sabios aprenden mucho de sus enemigos.

Aristófanes de Atenas (h. 448-h. 386 a. C.), poeta griego.

1910. La amistad perfecta es la que existe entre hombres buenos, iguales en virtud.

Aristóteles (384-322 a. C.), filósofo griego.

1911. **La amistad sólo puede existir cuando los hombres coinciden en sus opiniones sobre las cosas humanas y divinas.**

Marco Tulio Cicerón (106-43 a. C.), político, orador, filósofo y literato romano.

1912. **Un amigo es un segundo yo.**

Marco Tulio Cicerón (106-43 a. C.), político, orador, filósofo y literato romano.

1913. **Nunca ofendas a un amigo, ni siquiera en broma.**

Marco Tulio Cicerón (106-43 a. C.), político, orador, filósofo y literato romano.

1914. **El hombre no tiene enemigo peor que él mismo.**

Marco Tulio Cicerón (106-43 a. C.), político, orador, filósofo y literato romano.

1915. **El vulgo estima a los amigos por las ventajas que pueden obtenerse de ellos.**

Publio Nasón Ovidio (43 a. C.-17), poeta latino.

1916. **La amistad beneficia siempre; el amor causa daño a veces.**

Lucio Anneo Séneca (4 a. C.-65), escritor y filósofo romano.

1917. **Debemos rehuir la amistad de los malos y la enemistad de los buenos.**

Epicteto de Frigia (h. 50-h.120), filósofo latino.

1918. **En la prosperidad es muy fácil encontrar amigos; en la adversidad no hay nada tan difícil.**

Epicteto de Frigia (h. 50-h.120), filósofo latino.

1919. **Puedes censurar al amigo en confianza, pero debes alabarlo delante de los demás.**

Leonardo da Vinci (1452-1519), humanista italiano.

1920. **Cuando dos hombres desean la misma cosa que no pueden gozar juntos se convierten en enemigos.**

Thomas Hobbes (1588-1679), filósofo inglés.

1921. Un hombre es juzgado según sus amigos, pues el sabio y el necio nunca han coincidido.

Baltasar Gracián (1601-1658), escritor español.

1922. El hombre sensato obtiene más de sus enemigos que el necio de sus amigos.

Baltasar Gracián (1601-1658), escritor español.

1923. No hay hombre que pueda ser feliz sin un amigo ni que esté seguro de éste hasta que es desgraciado.

Thomas Fuller (1609-1661), escritor inglés.

1924. Si no tienes enemigos es señal de que la fortuna te ha olvidado.

Thomas Fuller (1609-1661), escritor inglés.

1925. En la amistad, como en el amor, solemos ser más felices con las cosas que ignoramos acerca de aquellos con quienes nos une el afecto.

François de la Rochefoucauld (1613-1680), escritor moralista francés.

1926. Lo que hace que la mayoría de las mujeres sean tan poco sensibles a la amistad es que la encuentran insípida una vez que han probado el gusto del amor.

François de la Rochefoucauld (1613-1680), escritor moralista francés.

1927. Lo que los hombres llaman amistad no es otra cosa que una alianza, una armonización recíproca de intereses, un intercambio de favores; en realidad, no es más que un sistema de trueque en el que el amor propio se propone siempre lograr alguna ventaja.

François de la Rochefoucauld (1613-1680), escritor moralista francés.

1928. En la adversidad de nuestros mejores amigos solemos encontrar algo que no nos desagrada.

François de la Rochefoucauld (1613-1680), escritor moralista francés.

1929. El que no es amigo de toda la humanidad no es amigo mío.

Jean-Baptiste Poquelin, Molière (1622-1673), escritor francés.

1930. En la amistad sólo vemos aquellos defectos que pueden herir a nuestro amigo; en el amor vemos solamente aquellos que nos hieren a nosotros.

Jean de la Bruyère (1645-1696), escritor francés.

1931. Un solo enemigo puede hacer más daño que el bien que se pueden hacer diez amigos juntos.

Jonathan Swift (1667-1745), escritor irlandés.

1932. Amistad, don del cielo, deleite de las grandes almas; amistad, cosa que los reyes, que tanto se distinguen por su ingratitud, no tienen la dicha de conocer.

François Marie Arouet, Voltaire (1694-1778), escritor francés.

1933. La amistad es el matrimonio del alma, y este matrimonio está sujeto al divorcio.

François Marie Arouet, Voltaire (1694-1778), escritor francés.

1934. Los amigos nos abandonan con demasiada facilidad, pero nuestros enemigos son implacables.

François Marie Arouet, Voltaire (1694-1778), escritor francés.

1935. Hay tres amigos fieles: una esposa vieja, un perro viejo y dinero contante y sonante.

Benjamin Franklin (1706-1790), científico y político estadounidense.

1936. Un hermano puede no ser un amigo; pero un amigo será siempre un hermano.

Benjamin Franklin (1706-1790), científico y político estadounidense.

1937. Al elegir un amigo ve despacio, y más despacio todavía al cambiar de amigos.

Benjamin Franklin (1706-1790), científico y político estadounidense.

1938. La amistad es la manía de todos los retóricos morales: es para ellos néctar y ambrosía.

Immanuel Kant (1724-1804), filósofo alemán.

1939. La amistad es un comienzo desinteresado entre iguales.

Oliver Goldsmith (1728-1774), escritor inglés.

1940. La verdadera amistad es una planta de lento desarrollo y debe experimentar y resistir los embates de la adversidad antes de tener derecho a esa denominación.

Georges Washington (1732-1799), político estadounidense.

1941. Los momentos más felices que mi corazón conoce son aquellos en que derrama su afecto sobre unas cuantas personas estimadas.

Thomas Jefferson (1743-1836), político estadounidense.

1942. Un amigo ofendido es el más encarnizado enemigo.

Thomas Jefferson (1743-1836), político estadounidense.

1943. Al tratar a la mayoría de la gente, no estará de más mezclar un poco de desdén: eso les hará apreciar más vuestra amistad.

Arthur Schopenhauer (1788-1860), filósofo alemán.

1944. La condición que la amistad perfecta exige consiste en poder pasarse sin ella.

Ralph Waldo Emerson (1803-1882), escritor y político estadounidense.

1945. Un amigo es una persona con la que yo puedo ser sincero: ante él puedo pensar en voz alta.

Ralph Waldo Emerson (1803-1882), escritor y político estadounidense.

1946. El recuerdo de una amistad de colegio tiene cierta fuerza mágica: ablanda el corazón y hasta conmueve el sistema nervioso de los que no tienen corazón.

Benjamin Disraeli (1804-1881), político y escritor inglés.

1947. Lo más que yo puedo hacer por mi amigo es, simplemente, ser su amigo.

Henry David Thoreau (1817-1862), escritor estadounidense.

1948. Los amigos son por regla general del mismo sexo, pues cuando los hombres y las mujeres coinciden lo hacen solamente por lo que se refiere a las conclusiones: los motivos son diferentes.

George Santayana (1863-1952), filósofo estadounidense.

1949. **Sólo un buen amigo es capaz de comprender que su presencia puede llegar a molestarnos.**

Noel Clarasó (1905-1985), escritor español.

1950. **No creo que los amigos sean necesariamente la gente que más te gusta, son meramente la gente que estuvo allí primero.**

Peter Alexander Ustinov (1921), escritor, actor y director inglés.

DEL PASADO, PRESENTE Y FUTURO

1951. **Dejemos que el pasado sea el pasado.**

Homero (siglo VIII a. C.), poeta griego.

1952. **Desdichado el que duerme en el mañana.**

Hesiodo de Asera (siglos VIII ó VII a. C.), poeta griego.

1953. **Coge el día presente y fíate lo menos posible del mañana.**

Horacio (65-8 a. C.), poeta latino.

1954. **No se puede lograr que retorne el agua que pasó, ni reclamar que vuelva la hora pretérita.**

Publio Nasón Ovidio (43 a. C.-17), poeta latino.

1955. **Olvidemos lo que ya sucedió, pues puede lamentarse, pero no rehacerse.**

Tito Livio (59 a.C.-17), historiador romano.

1956. **Recuerde el alma dormida,
avive el seso y despierte,
contemplando
cómo se pasa la vida,
cómo se viene la muerte
tan callando;
cuán presto se va el placer,
cómo después de acordado**

da dolor;
cómo, a nuestro parecer,
cualquiera tiempo pasado
fue mejor.

Jorge Manrique (1440-1479), poeta español.

1957. Quien mira lo pasado, lo porvenir advierte.

Félix Lope de Vega y Carpio (1562-1635), escritor español.

1958. Un hoy vale por dos mañanas.

Francis Quarles (1592-1644), filósofo inglés.

1959. El porvenir es la renta más rica de la imaginación.

François Louis Claude Marini (1721-1809), escritor francés.

1960. No se puede planear el futuro según el pasado.

Edmund Burke (1729-1797), escritor y político irlandés.

1961. No conozco otro medio de juzgar el porvenir que a partir
del pasado.

Patrick Henry (1736-1799), político estadounidense.

1962. Todos vivimos del pasado y nos vamos a pique con él.

Johann Wolfang von Goethe (1749-1832), escritor alemán.

1963. El presente, como una nota musical, nada significa sino en cuanto
está ligado a lo pasado y a lo que ha de venir.

Walter Savage Landor (1775-1864), escritor inglés.

1964. El pasado es como una lámpara colocada a la entrada
del porvenir.

Félicité Robert de Lamennais (1782-1854), escritor francés.

1965. Esperamos que pueda suceder cualquier cosa, y nunca estamos
prevenidos para nada.

Madame de Swetchine, Sophie Soynonov (1782-1857), escritora francesa.

1966. El mejor profeta del futuro es el pasado.

George Gordon, lord Byron (1788-1824), poeta inglés.

1967. **Los que viven para el futuro, siempre aparecerán como egoístas a los que viven para el momento.**

Ralph Waldo Emerson (1803-1882), escritor y político estadounidense.

1968. **Los hombres se parecen a sus contemporáneos más que a sus progenitores.**

Ralph Waldo Emerson (1803-1882), escritor y político estadounidense.

1969. **Alumbra el día de mañana con el de hoy.**

Elizabeth Barret Browning (1806-1861), poetisa inglesa.

1970. **Es inútil volver sobre lo que ha sido y no es ya.**

Frédéric Chopin (1810-1849), compositor polaco.

1971. **Nada importa el futuro cuando uno está en paz con su conciencia y tiene su espíritu reconciliado y en orden. Sé lo que debes; lo restante, sólo a Dios atañe.**

Henri-Frédéric Amiel (1821-1881), escritor suizo.

1972. **El porvenir es un lugar cómodo para colocar los sueños.**

Anatole France (1844-1924), escritor francés.

1973. **Yo busco, sueño, creo, dudo y vivo como si el ayer no me hubiese engañado sin cesar, y como si el mañana me hubiese de traer algo bueno.**

Edouard Rod (1857-1910), escritor francés.

1974. **¡Dios os guarde de sacrificar el presente al porvenir!**

Anton Pavlovich Chejov (1860-1904), escritor ruso.

1975. **La página abierta del libro de la vida es hermosa; pero es aún más bella la página cerrada con siete sellos.**

Alfredo Panzini (1863-1939), escritor italiano.

1976. **Procuremos más ser padres de nuestro povernir que hijos de nuestro pasado.**

Miguel de Unamuno (1864-1936), escritor español.

1977. **Hoy es siempre todavía.**

Antonio Machado (1875-1939), escritor español.

1978. **¡Y entre el ayer y el mañana,
el hombre va de camino,
como un ciego tanteando
al borde de los abismos!**

Francisco Villaespesa (1877-1936), escritor español.

1979. **Todos los hombres pagan su grandeza con muchas pequeñeces,
su victoria con muchas derrotas, su riqueza con múltiples quiebras.**

Giovanni Papini (1881-1956), escritor italiano.

1980. **Si las pasiones y los sueños no pudiesen crear nuevos tiempos
futuros, la vida sería un engaño insensato.**

Henri René Lenormand (1882-1951), dramaturgo francés.

1981. **Las huellas del hombre sobre el hombre son eternas y ningún
destino se ha cruzado impunemente con el nuestro.**

François Mauriac (1885-1970), novelista francés.

1982. **Deberíamos utilizar el pasado como trampolín y no como sofá.**

Harold MacMillan, barón de Stockton (1894-1986), político inglés.

1983. **Y así vamos adelante, botes contra la corriente, incesantemente
arrastrados hacia el pasado.**

Francis Scott Fitzgerald (1896-1940), escritor estadounidense.

1984. **El único elemento que puede sustituir la dependencia del pasado
es la dependencia del futuro.**

John Dos Passos (1896-1970), novelista estadounidense.

1985. **Ahora: una palabra curiosa para expresar todo un mundo y toda
una vida.**

Ernest Hemingway (1898-1961), novelista estadounidense.

1986. **Nadie puede cambiar su pasado; pero todo el mundo puede
contarlo al revés.**

Noel Clarasó (1905-1985), escritor español.

1987. Lo más sorprendente del pasado, si se repitiera, sería comprobar que nada es igual a como nos lo cuentan.

León Dandú (1905-1985), escritor español.

1988. Lo que haga hoy es importante porque estoy utlizando un día de mi vida en ello.

Anónimo.

DEL *m*UNDO DE *h*OY

1989. En la actualidad, se procura en todas partes divulgar la sabiduría. Quién sabe si en unos cuantos siglos no habrá Universidades destinadas a restablecer la antigua ignorancia.

Georg Chistoph Lichtenberg (1742-1799), escritor alemán.

1990. Que los demás se lamenten de la maldad de nuestro tiempo; yo me quejo de su mezquindad, hija de su falta de pasiones.

Sören Aabye Kierkegaard (1813-1855), filósofo danés.

1991. El gran escándalo de nuestro tiempo es que la Iglesia haya perdido a la clase obrera.

Papa Pío XI (1857-1939).

1992. Yo, al menos, siento no vivir en la época en que uno lloraba sobre las páginas de una novela, se estremecía uno de espanto en el melodrama y se reía bárbaramente en el sainete.

Pío Baroja (1872-1956), escritor español.

1993. Gran parte de las dificultades por las que atraviesa el mundo se deben a que los ignorantes están completamente seguros y los inteligentes llenos de dudas.

Bertrand Arthur William Russell (1872-1970), filósofo inglés.

1994. Hubo un tiempo en que los hombres cantaban a coro alrededor de una mesa; hoy un hombre canta solo por la absurda razón de que sabe cantar mejor. Si la civilización científica continúa (cosa muy improbable) sólo un hombre reirá porque sabrá reír mejor.

Gilbert Keith Chesterton (1874-1936), escritor inglés.

1995. Veo asomar por el horizonte, con la lentitud de todos los acontecimientos de la verdadera historia humana, un descontento tan enorme cual no se ha conocido jamás.

Martín Buber (1878-1965), teólogo israelí.

1996. La posesión de medios de producción maravillosos no ha aportado la libertad, sino la inquietud y el hambre.

Albert Einstein (1879-1955), físico alemán.

1997. Vivimos en una época tal de individualismo que ya no se habla nunca de discípulos; se habla de ladrones.

Jean Cocteau (1889-1963), escritor francés.

1998. El mundo ha conseguido la brillantez sin conciencia. El nuestro es un mundo de gigantes nucleares y niños éticos.

Omar Nelson Bradley (1893-1981), militar estadounidense.

1999. En nuestra era, el camino de la felicidad pasa necesariamente por el mundo de la acción.

Hjalmar Agnecarl Hammarskjold (1905-1961), político sueco.

2000. Tendremos que arrepentirnos en esta generación, no tanto de las malas acciones de la gente perversa, sino del pasmoso silencio de la gente buena.

Martin Luther King (1929-1968), líder antiracista estadounidense.

2001. Esta sociedad nos da facilidades para hacer el amor, pero no para enamorarnos.

Antonio Gala (1937), escritor español.

2002. Cuando el fracaso se mide por el paro, es lógico que el triunfo se anuncie por el despilfarro.

Juan Cueto (1945), periodista español.

DE LOS HOMBRES Y DE LAS COSAS

Hasta el momento, los sabios han hablado de los grandes temas morales, políticos, filosóficos, etc. Pero ¿no habrá nada que decir sobre las piedras, los gatos, la televisión, el vino, los periódicos y los miles de objetos, instituciones, oficios y lugares que completan el universo humano?

Uno de los mayores asombros de los hombres a lo largo de la Historia es este: el mundo está lleno. Es más: el mundo es un lugar abarrotado de objetos. La Naturaleza y el Hombre tienen horror al vacío: todos los lugares tienen que estar poblados, atestados de objetos y cosas. Los sabios, desde Cicerón hasta Gracián, sugerían que es muy lamentable que el hombre no se percate de las maravillas que le rodean. Un vaso de cristal es un prodigio; y si no nos asombra es porque estamos habituados a su presencia. Del mismo modo cabría hablar de la luz eléctrica, de las escaleras o del tenedor. Baltasar Gracián, en su *Criticón*, narra cómo un hombre llamado Andrenio sale de una cueva y observa un universo para él desconocido. «¡Qué repartida cae la lluvia!», dice enajenado ante el delicioso espectáculo. El joven Andrenio está a punto de llorar cuando comprueba que el sol se va, pero... ¡sólo para dar paso a un acontecimiento sublime: la noche con su miríada de estrellas en el cielo!

Pues bien, para este último capítulo se ha reservado la relación de los hombres con el mundo material que le rodea. Sin embargo, las citas aquí escogidas no deben entenderse como simples evaluaciones del mundo circundante, porque en la mayoría de los casos, las sentencias tienen un doble sentido o encubren una comparación o se trata de una metáfora un tanto burlesca o sutil. En realidad, el hombre no hace sino metáforas de las cosas y aplica su propio sentido moral a todos los objetos que le rodean.

2003. No son las malas hierbas las que ahogan la buena semilla, sino la negligencia del campesino.

Confucio (h. 550-h. 478 a. C), filósofo chino.

2004. Después de haber comido y bebido mucho, y de haber hablado tan mal como pude, aquí reposo yo: Timocreón de Rodas.

Simónides de Ceos (siglo vi a. C.), poeta griego.

2005. Los regalos convencen incluso a los dioses.

Eurípides de Salamina (480 a. C.-406 a. C.), poeta trágico griego.

2006. La naturaleza, según las condiciones de que disponga, y en tanto que sea posible, siempre hace las cosas más bellas y mejores.

Aristóteles (384 a. C.-322 a. C.), filósofo griego.

2007. Fatiga menos caminar sobre terreno accidentado que sobre terreno llano.

Aristóteles (384 a. C.-322 a. C.), filósofo griego.

2008. Mercaderes e industriales no deben ser admitidos entre la ciudadanía, porque su género de vida es abyecto y contrario a la virtud.

Aristóteles (384 a. C.-322 a. C.), filósofo griego.

2009. He aquí tres animales intratables: el mochuelo, la serpiente y el pueblo.

Demóstenes (384 a. C.-322 a. C.), orador griego.

2010. Durante la noche llegan a la inteligencia del sabio los mejores pensamientos.

Menandro (343 a. C.-290 a. C.), poeta griego.

2011. Nunca se harta el ojo de ver, ni el oído de oír.

La Biblia, Eclesiastés.

2012. Hay tres cosas que no logro comprender, y una cuarta que ignoro
por completo: el vuelo del águila en el cielo, el camino
de la culebra sobre las piedras, el rumbo de los barcos en el mar
y los actos del hombre en su adolescencia.

La Biblia, Proverbios.

2013. No echéis vuestras perlas a los cerdos.

La Biblia, Nuevo Testamento, Mat.

2014. Los hombres son como los vinos: la edad agría los malos
y mejora los buenos.

Marco Tulio Cicerón (106 a. C.-43 a. C), escritor latino.

2015. Si tienes una biblioteca con jardín, nada te falta.

*Marco Tulio Cicerón (106 a. C.-43 a. C.), político, orador, filósofo
y literato romano.*

2016. Los ojos, como centinelas, se sitúan en la parte más alta del cuerpo.

Marco Tulio Cicerón (106 a. C.-43 a. C), escritor latino.

2017. Que, por encima de todo, nos plazcan los bosques.

Virgilio (h. 70 a. C-19 a. C.), poeta latino.

2018. Si el vaso no está limpio, lo que en él derrames se corrompe.

Horacio (65 a. C.-8 a. C.), poeta latino.

2019. Mendigos, actores, bufones... toda esa ralea.

Horacio (65 a. C.-8 a. C.), poeta latino.

2020. El regalo tiene la categoría de quien lo hace.

Publio Nasón Ovidio (43 a. C.-17), poeta latino.

2021. El otoño da frutos; el estío es hermoso por sus mieses;
la primavera nos regala sus flores; el invierno se nos alivia
con el fuego.

Publio Nasón Ovidio (43 a. C.-17), poeta latino.

2022. Mientras bebemos y nos coronamos de rosas, y reclamamos perfumes y mujeres, la vejez se desliza sin ser notada.

Décimo Junio Juvenal (40-125), poeta satírico latino.

2023. De los cuadrúpedos, la mejor carne es la de la liebre.

Marco Valerio Marcial (h. 40-h. 104), poeta satírico latino.

2024. Navegar es necesario, vivir no lo es.

Plutarco (h. 46-48- h. 120-125), historiador y moralista griego.

2025. Todos los asuntos tienen dos asas: por una son manejables, por la otra no.

Epicteto de Frigia (h. 50-h.120), filósofo latino.

2026. La tierra es benigna, mansa, indulgente y asidua servidora en todas nuestras necesidades. [...] ¡Con qué honradez nos devuelve multiplicado el caudal que le confiamos! ¡Cuántas cosas produce para nuestro bien!

Plinio el Joven (62-114), político y escritor latino.

2027. Los ríos más profundos corren con menos ruido.

Curcio (siglo i), historiador romano.

2028. Un médico no es otra cosa que el consuelo del alma.

Petronio (siglo i), escritor latino.

2029. El primer vaso corresponde a la sed; el segundo, a la alegría; el tercero, al placer; el cuarto, a la insensatez.

Lucio Apuleyo (123-180), escritor latino.

2030. La poesía es el vino de los demonios.

San Agustín (354-430), teólogo y Padre de la Iglesia.

2031. Encontrarás en los bosques más que en los libros: los árboles y las piedras te enseñarán cosas que no podrás aprender en los libros de ningún maestro.

San Bernardo (1090-1153), monje francés.

2032. Procura que tu perro no muerda a tu vecino.

Raimundo Lulio (1233-1315), filósofo y escritor español.

2033. Vuestra fama es como la flor, que brota y muere; y la marchita el mismo sol que la hizo nacer de la acerba tierra.

Dante Alighieri (1265-1321), poeta italiano.

2034. El vino es muy virtuoso,
mal usado es dannoso.

Infante don Juan Manuel (1282-1348), escritor español.

2035. Cinco cosas le agradaban mucho: leña seca para quemar, caballo viejo para caminar, vino añejo para beber, amigos ancianos para conversar y libros antiguos para leer.

Alfonso V, rey de Aragón, llamado El Magnánimo (1396-1458).

2036. El afeite, que pone rubor en las mejillas de las muchachas, socava el alma de los demás.

Pietro Aretino (1492-1557), escritor italiano.

2037. ¡Cuán venturosos son aquellos que cultivan sus hortalizas! Porque tienen un pie siempre en la tierra y el otro no está lejos... ¡No hay mansión más señorial que el establo de las vacas!

François Rabelais (h. 1494-h. 1553), escritor francés.

2038. Tiene particular fuerza la noche, como para adormecer los cuerpos, ansí también para despertar las almas y llevarlas a que conversen con Dios.

Fray Luis de Granada (1504-1588), poeta español.

2039. En cada cosita que Dios crió hay más de lo que se entiende, aunque sea una hormiguita.

Santa Teresa de Jesús (1515-1582), escritora mística española.

2040. Cuando se baila, las manos tienen libertad para tocar, los ojos para mirar, y los brazos para abrazar.

George Gascoigne (1525-1577), poeta inglés.

2041. A mí una pobrecilla
mesa, de amable pan bien abastecida,
me basta, y la vajilla
de fino oro labrada
sea de quien la mar no tema airada.

Fray Luis de León (1527-1591), teólogo y poeta español.

2042. Si es o no invención moderna
vive Dios que no lo sé.
Pero delicada fue
la invención de la taberna.

Baltasar del Alcázar (1530-1606), poeta español.

2043. Hay que pensar que los juegos de los niños no son sólo juegos,
y han de juzgarse como sus actividades más serias.

Michel Eyquen de Montaigne (1533-1592), escritor francés.

2044. Dios nos envía los manjares y el demonio los cocineros.

Thomas Deloney (1543-1607), compositor inglés.

2045. Cuando la cabeza duele, todos los miembros duelen.

Miguel de Cervantes Saavedra (1547-1616), escritor español.

2046. Come poco, y cena más poco, que la salud de todo el cuerpo
se fragua en la oficina del estómago.

Miguel de Cervantes Saavedra (1547-1616), escritor español.

2047. La belleza del cuerpo muchas veces es indicio de la hermosura
del alma.

Miguel de Cervantes Saavedra (1547-1616), escritor español.

2048. No andes, Sancho, desceñido y flojo, que el vestido
descompuesto da indicios de ánimo desmalazado.

Miguel de Cervantes Saavedra (1547-1616), escritor español.

2049. El refrán que no viene a propósito, antes es disparate que
sentencia.

Miguel de Cervantes Saavedra (1547-1616), escritor español.

2050. Tiempos hay en que un real vale ciento y hace provecho por mil.

Mateo Alemán (1547-1614), escritor español.

2051. Aun a los asnos cansan los trabajos.

Mateo Alemán (1547-1614), escritor español.

2052. Los caballos y los poetas deben ser alimentados, no cebados.

Atribuido a Carlos IX (1550-1574), rey de Francia.

2053. El vino templado con agua da esfuerzo al corazón, color al rostro, quita la melancolía, alivia el camino, da coraje al más cobarde, templa el hígado, y hace olvidar todos los pesares.

Vicente Espinel (1550-1624), músico y escritor español.

2054. La casa debe ser siempre como el propio castillo y la propia fortaleza; no sólo para defendernos contra todo daño y violencia, sino también para descansar.

Edward Coke (1552-1634), jurisconsulto inglés.

2055. Todo el placer de los días está en sus amaneceres.

François de Malherbe (1555-1628), escritor francés.

2056. Los baños, el vino y Venus corrompen nuestro cuerpo; pero la vida la hacen los baños, el vino y Venus.

Jan Gruter (1560-1627), escritor alemán.

2057. Las universidades orientan los espíritus hacia la argucia la afectación.

Francis Bacon (1561-1626), filósofo, literato y político inglés.

2058. Las casas han sido construidas para habitarlas, no para contemplarlas.

Francis Bacon (1561-1626), filósofo inglés.

2059. La naturaleza nunca puso las piedras preciosas en las buhardillas de los pisos altos; así, los hombres excesivamente altos tienen la cabeza vacía.

Francis Bacon (1561-1626), filósofo inglés.

2060. El vino es la leche de los viejos. No sé si lo dijo Cicerón
o el alcalde de Mondoñedo.

Félix Lope de Vega y Carpio (1562-1635), escritor español.

2061. Ten la apariencia de una flor inocente; pero sé como la serpiente
debajo de ella.

William Shakespeare (1564-1616), escritor inglés.

2062. Hay puñales en las sonrisas de los hombres; cuanto más cercanos
son, más sangrientos.

William Shakespeare (1564-1616), escritor inglés.

2063. Un embajador es un hombre muy honrado al cual se le manda
muy lejos a mentir por el bien de su país.

Sir Henry Wotton (1568-1639), poeta y dramaturgo inglés.

2064. El mar es tan profundo en la calma como en la tempestad.

John Donne (1572-1631), poeta inglés.

2065. La pulga, aunque no mata a nadie, hace todo el daño que puede.

John Donne (1572-1631), poeta inglés.

2066. Menos mal hacen los delincuentes que un mal juez.

Francisco de Quevedo y Villegas (1580-1645), escritor español.

2067. El vestido, pienso yo
que ha de imitar nuestra hechura
porque, si nos desfigura
es disfraz, que ornato no.

Juan Ruiz de Alarcón (1581-1639), poeta mexicano.

2068. Vi a un puritano que ahorcó a un gato el lunes, porque había
matado un ratón el domingo.

Richard Brathwaite (1588-1673), poeta inglés.

2069. Un buen vallado hace buenos vecinos.

George Herbert (1593-1633), poeta galés.

2070. El oído es la segunda puerta de la verdad y la puerta principal de la mentira.

Baltasar Gracián (1601-1658), escritor español.

2071. En cuanto al mundo, yo lo considero no como una posada, sino como un hospital; un lugar no para vivir, sino para morir en él.

Thomas Browne (1605-1682), médico y filósofo inglés.

2072. La oración debería ser la llave del día y el cerrojo de la noche.

Thomas Fuller (1608-1661), teólogo inglés.

2073. El que tiene una nariz muy larga cree que todo el mundo habla de ella.

Thomas Fuller (1609-1661), escritor inglés.

2074. Dios hizo el primer jardín, y Caín la primera ciudad.

Abraham Cowley (1618-1667), poeta inglés.

2075. El fuego que parece extinguirse está, muchas veces, dormido bajo las cenizas.

Pierre Corneille (1625-1709), dramaturgo francés.

2076. Procuro ser puntual; he observado que los defectos de una persona que tarda se reflejan vivamente en la memoria de quien espera.

Nicolás Boileau (1636-1711), poeta francés.

2077. No hay en la naturaleza nada más variable que el tocado de una cabeza femenina.

Joseph Addison (1672-1719), escritor inglés.

2078. En sacando
el acero, el más cobarde
se iguala con el más guapo,

y no siempre la fortuna
esta del valor al lado.

José de Cañizares (1676-1750), escritor español.

2079. Las cartas y los dados son los libros y los huesos del diablo.

Anónimo inglés, 1676.

2080. De noche, incluso un ateo casi cree en Dios.

Edward Young (1683-1765), poeta inglés.

2081. Las diversiones son la felicidad de aquellos que no saben pensar.

Alexander Pope (1688-1744), poeta inglés.

2082. La costumbre ha hecho del baile una necesidad para los hombres
jóvenes; por consiguiente, piensa mientras aprendes a bailar, que
debes aprenderlo bien, y no hagas el ridículo, aunque el baile sea
un acto ridículo.

Philip Dormer Stanhope, lord Chesterfield (1694-1773), estadista inglés.

2083. El cielo cura y el médico cobra la minuta.

Benjamin Franklin (1706-1790), científico y político estadounidense.

2084. El ruido de tu martillo a las cinco de la mañana o a las nueve
de la noche, si lo oye tu acreedor, le deja tranquilo durante seis
meses más.

Benjamin Franklin (1706-1790), científico y político estadounidense.

2085. Las escuelas públicas son lugares donde se fomenta el vicio
y la inmoralidad.

Henry Fielding (1707-1754), escritor inglés.

2086. La única parte útil de la medicina es la higiene: aunque la higiene
es menos una ciencia que una virtud.

Jean-Jacques Rousseau (1712-1778), filósofo ginebrino.

2087. De todos los sentidos, la vista es la más superficial; el oído,
el más orgulloso; el olfato el más voluptuoso; el gusto,

el más supersticioso e inconstante; el tacto, el más
profundo.

Denis Diderot (1713-1784), filósofo y escritor francés.

2088. Rangos, grados, distintivos y adornos, condecoraciones
y garambainas de todo género; títulos, blasones y honores; cosas
que dan mérito a quienes nada poseen.

Giovanni Bautista Casti (1721-1803), poeta italiano.

2089. Una persona perezosa es un reloj sin agujas, siendo inútil tanto
si anda como si está parado.

William Cowper (1731-1800), poeta inglés.

2090. Hoy día, lo que no vale la pena ser dicho, se canta.

*Pierre Augustin Caron de Beaumarchais (1732-1799), comediógrafo
y político francés.*

2091. Un hombre que penetra en el tocador de su esposa,
o es un filósofo o es un imbécil.

Sofía Arnould (1744-1802), actriz francesa.

2092. Cuando he estado trabajando durante todo el día, un precioso
atardecer me sale al encuentro.

Johann Wolfang von Goethe (1749-1832), escritor alemán.

2093. Los periódicos, señor, son la cosa más villana, licenciosa,
abominable, infernal... No es que yo los haya leído nunca...
no; me hice el propósito de no leer jamás un diario.

Richard Brinsiet Sheridan (1751-1816), dramaturgo irlandés.

2094. Los placeres son como los alimentos: los más simples son
aquellos que menos cansan.

Joseph Sanial-Dubay (1754-1817), escritor francés.

2095. Lo que distingue al hombre de los animales es el modo de comer.

Anselmo Brillant-Savarin (1755-1826), literato francés.

2096. El placer de la mesa es para todas las edades, condiciones, países y para todos los días; puede asociarse a los demás placeres, y se queda el último para consolarnos de la pérdida de los otros.

Anselmo Brillant-Savarin (1755-1826), literato francés.

2097. El tonto no ve el mismo árbol que el sabio.

William Blake (1757-1827), poeta inglés.

2098. El chiste pierde toda su gracia cuando el chistoso se ríe de su propio chiste.

Friedrich Schiller (1759-1805), dramaturgo y filósofo alemán.

2099. Lo viejo se derrumba, los tiempos cambian y sobre las ruinas florece nueva vida.

Friedrich Schiller (1759-1805), dramaturgo y filósofo alemán.

2100. En un juego infantil se oculta a veces un sentido muy profundo.

Friedrich Schiller (1759-1805), dramaturgo y filósofo alemán.

2101. El reloj nunca da las horas para aquellos que son felices.

Friedrich Schiller (1759-1805), dramaturgo y filósofo alemán.

2102. La profesión de escritor es, según se ejercite, una infamia, un menester de jornalero, un oficio, un arte, una ciencia o una virtud.

August Wilheim Schlegel (1767-1845), poeta y ensayista alemán.

2103. Es la misma lluvia la que en la tierra inculta hace crecer zarzas y espinas, y en los jardines, flores.

Ludvig van Beethoven (1770-1827), músico alemán.

2104. Sólo quien ama su hogar, ama también su patria.

Samuel Taylor Coleridge (1772-1834), poeta ingles.

2105. Un apodo es la piedra más dura que el diablo puede tirar al hombre.

William Hazlitt (1778-1849), escritor inglés.

2106. Los hombres no tienen más que dos frenos: la vergüenza y la horca.

Ugo Foscolo (1778-1827), poeta y novelista italiano.

2107. El juego es hijo de la avaricia, pero también padre del despilfarro.

Charles Caleb Colton (h. 1780-1832), poeta inglés.

2108. El edificio que se ajusta a las necesidades es bello, aunque no se haya pretendido la belleza.

Georg Moller (1784-1852), arquitecto alemán.

2109. Un amante es leche; una esposa, mantequilla; y una mujer, queso.

Ludwig Börne (1786-1837), escritor y político alemán.

2110. La prueba de un afecto puro es una lágrima.

George Gordon, lord Byron (1788-1824), poeta inglés.

2111. La vida es demasiado corta para dedicarse al ajedrez.

George Gordon, lord Byron (1788-1824), poeta inglés.

2112. Las altas montañas guardan para mí una sensación íntima. El zumbido de las ciudades, por el contrario, es mi tortura.

George Gordon, lord Byron (1788-1824), poeta inglés.

2113. En el juego hay dos clases de placeres a nuestra elección: ganar o perder.

George Gordon, lord Byron (1788-1824), poeta inglés.

2114. El polvo que pisamos estuvo, una vez, vivo.

George Gordon, lord Byron (1788-1824), poeta inglés.

2115. El hombre, aunque sea razonable, debe emborracharse; lo mejor de la vida es la embriaguez.

George Gordon, lord Byron (1788-1824), poeta inglés.

2116. Es dulce oír cómo ladra el perro fiel que está de guardia
y nos da la bienvenida al acercarnos a nuestro hogar; es dulce
saber que hay un ojo que nos verá y brillará más a nuestra
llegada.

George Gordon, lord Byron (1788-1824), poeta inglés.

2117. Después de su sangre, lo mejor que el hombre puede dar es
una lágrima.

Alphonse de Lamartine (1790-1869), historiador, político y poeta francés.

2118. El porvenir está en manos de los maestros de escuela.

Victor Hugo (1802-1885), escritor francés.

2119. No hay escritorzuelo, por malo y zafio que sea, que no crea ser
y valer algo.

Wilheim Hauff (1802-1827), escritor alemán.

2120. El jabón da la medida del bienestar y de la civilización
de las naciones.

Justus von Liebig (1803-1873), químico alemán.

2121. La vida se diferencia de una obra de teatro sólo en esto: no tiene
argumento, todo es vago, incierto, inconexo; hasta que el telón
cae sin resolver el misterio.

Edward George Bulwer Lytton (1803-1873), escritor inglés.

2122. El pan más sabroso y la comodidad más agradable son los que
se ganan con el propio sudor.

César Cantú (1804-1895), historiador italiano.

2123. El que siembra un campo, cultiva una flor o planta un árbol es
superior a los demás.

John Greenleaf Whitter (1807-1892), escritor inglés.

2124. Los periódicos son los ferrocarriles de la mentira.

Jules d'Aurevilly (1808-1889), escritor francés.

2125. Las únicas cosas esenciales en una fiesta son la alegría y la comida.

Oliver Wendell Holmes (1809-1894), escritor estadounidense.

2126. El ruido de un beso no es tan fuerte como el de un cañón, pero su eco dura mucho más.

Oliver Wendell Holmes (1809-1894), escritor estadounidense.

2127. El día más triste de todos es el de hoy.

Pierre Jules Théophile Gautier (1811-1872), escritor francés.

2128. Los americanos buenos, cuando mueren, van a París.

Thomas G. Appleton (1812-1884), escritor estadounidense.

2129. Las herramientas melladas se pueden usar allí donde las herramientas no sirven.

Charles Dickens (1812-1870), escritor inglés.

2130. Cuando un hombre se ve bien vestido tiene buen ánimo y buen humor.

Charles Dickens (1812-1870), escritor inglés.

2131. La puntualidad es la cortesía de los reyes, decía Luis XIV. También es el deber de los caballeros y la necesidad de los hombres de negocios.

Samuel Smiles (1812-1904), moralista y sociólogo inglés.

2132. Hay mucha gente que piensa que el domingo es una esponja que limpia los pecados de toda la semana.

Henry Ward Beecher (1813-1887), escritor inglés.

2133. La prensa no es la opinión pública.

Otto von Bismarck (1815-1898), estadista alemán.

2134. En ningún lugar probablemente es más sincero el sentimiento y peor el gusto que en los cementerios.

Benjamin Jowett (1817-1893), ensayista inglés.

2135. Durante el invierno bebo y canto, pensando con alegría que la primavera se avecina; y cuando la primavera llega, vuelvo a beber, sintiendo, satisfecho, que ya ha llegado.

Friedrich Bodenstedt (1819-1892), escritor alemán.

2136. Quien nunca tuvo una almohada no la echa de menos.

George Eliot (1819-1880), escritora inglesa.

2137. Un asno puede rebuznar cuanto quiera, pero no hará temblar a las estrellas.

George Eliot (1819-1880), escritora inglesa.

2138. Los animales son unos amigos tan discretos que no hacen preguntas ni repiten habladurías.

George Eliot (1819-1880), escritora inglesa.

2139. Aquel hombre era como un gallo, que creía que el sol se había levantado en el cielo para oírlo cantar.

George Eliot (1819-1880), escritora inglesa.

2140. El que un perro haya mordido a un hombre no es ninguna noticia; una noticia es que un hombre haya mordido a un perro.

Carlos Anderson Dana (1819-1897), periodista estadounidense.

2141. El hombre aislado se siente débil, y lo es.

Concepción Arenal (1820-1893), escritora española.

2142. El llanto es, a veces, el modo de expresar las cosas que no pueden decirse con palabras.

Concepción Arenal (1820-1893), escritora española.

2143. Dando el reloj la media noche
irónicamente nos incita
a recordar qué uso
hicimos del día que se fue.

Charles Baudelaire (1821-1867), poeta francés.

2144. ¡Hombre libre, tú siempre adorarás el mar!

Charles Baudelaire (1821-1867), poeta francés.

2145. Diplomacia: el camino más largo entre dos puntos.

Adriano Decourcelle (1821-1892), dramaturgo francés.

2146. ¿Cambiar? Cuando lo hagan las colinas.

Emily Dickinson (1830-1886), poetisa estadounidense.

2147. Un pelo en la sopa nos disgusta enormemente, aunque sea de la cabeza de la amada.

Wilheim Busch (1832-1896), poeta alemán.

2148. El mundo es para el hombre una tienda de campaña levantada un instante para albergarle un día.

Emilio Castelar (1832-1899), político español.

2149. Hay tres especies de animales que, cuando parece que vienen, van, y cuando parece que van, vienen: los diplomáticos, las mujeres y los cangrejos.

John Hay (1832-1905), escritor estadounidense.

2150. Las universidades son lugares donde las piedras se pulen y los diamantes se empañan.

Robert Green Ingersoll (1833-1899), abogado y escritor estadounidense.

2151. La soledad es muy hermosa... cuando se tiene a alguien a quien decírselo.

Gustavo Adolfo Bécquer (1836-1870), poeta español.

2152. Es más fuerte, si es vieja,
la verde encina;
más bello el sol parece
cuando declina;
y esto se infiere

porque ama uno la vida
cuando se muere.

Rosalía de Castro (1837-1885), poetisa española.

2153. Sólo encontramos dos placeres en nuestro hogar: el de salir
y el de regresar.

Henry Becque (1837-1899), comediógrafo francés.

2154. Escribir cartas es la más deliciosa manera de perder el tiempo.

John Morley (1838-1923), Estadista y crítico literario inglés.

2155. Un tren que parte es la cosa del mundo más parecida a un libro
que se acaba.

Benito Pérez Galdós (1843-1920), escritor español.

2156. Imaginaos un jardín formal (Lenôtre): correcto, ridículo y
encantador.

Paul Verlaine (1844-1896), poeta francés.

2157. Admiro el grado de fealdad que puede alcanzar una ciudad
moderna.

Anatole France (1844-1924), escritor francés.

2158. El pudor inventó el vestido para gozar más de la desnudez.

Carlo Dossi (1849-1910), escritor italiano.

2159. Las tres cuartas partes de la vida de un hombre civilizado se
consumen en cumplidos, congratulaciones y condolencias; cada
día nos llegan cartas y tarjetas de visita inútiles que nos obligan
a contestaciones todavía más inútiles.

Carlo Dossi (1849-1910), escritor italiano.

2160. Huele una rosa
la mujer dichosa
y aspira los perfumes de la rosa;
la huele una infeliz
y se clava una espina en la nariz.

Joaquín M. Bartrina (1850-1880), poeta español.

2161. No pido riquezas, ni esperanzas, ni amor, ni un amigo que me comprenda; todo lo que pido es el cielo sobre mí y un camino a mis pies.

Robert Louis Stevenson (1850-1894), novelista británico.

2162. ¡Ojos de mujer, qué poder tenéis!

Guy de Maupassant (1850-1893), escritor francés.

2163. Un cigarrillo es el tipo perfecto del placer perfecto. Es exquisito y le deja a uno insatisfecho. ¿Qué más se puede pedir?

Oscar Wilde (1854-1900), escritor irlandés.

2164. Pues no sé por qué no podría haber una máquina que escribiese cartas de amor. ¿No son todas iguales?

George Bernard Shaw (1856-1950), escritor irlandés.

2165. Lo peor de las medicinas es que una de ellas hace necesaria a las siguientes.

Elbert Hubbard (1859-1915), ensayista estadounidense.

2166. Un perro hambriento sólo tiene fe en la carne.

Anton Chejov (1860-1904), escritor ruso.

2167. La verdadera elegancia no consiste en que aquello que nos ponemos nos mejore, sino en mejorar aquello que nos ponemos.

Francisco Grandmontagne (1866-1936), periodista español.

2168. Sólo hay una forma de resistir bien el frío: estando contento de que haga frío.

Émile-Auguste Chartier, Alain (1868-1951), filósofo francés.

2169. El ojo debe resguardarse del polvo; el pie, por el contrario, no debe temerlo.

Paul Claudel (1868-1955), escritor francés.

2170. Lo único que no cambia es el pan, el vino y la gente.

Pío Baroja (1872-1956), escritor español.

2171. ¡Viva el buen vino
que es el gran camarada
para el camino!

Pío Baroja (1872-1956), escritor español.

2172. Es absurdo poner esas piedras tan pesadas sobre los muertos.

Henri Barbusse (1874-1935), novelista francés.

2173. Existe una gran diferencia entre la persona ávida que pide leer un libro, y la persona aburrida que pide un libro para leer.

Gilbert Keith Chesterton (1874-1936), escritor inglés.

2174. Los niños no hacen ningún caso del paisaje. Lo aceptan. El amor a la naturaleza llega más tarde, con la juventud.

Maurice Baring (1874-1945), escritor inglés.

2175. El ave canta, aunque la rama cruja,
porque conoce lo que son sus alas.

José Santos Chocano (1875-1934), poeta peruano.

2176. ¿El secreto de mi éxito? Yo pinto siempre a las mujeres más delgadas de lo que son, y sus joyas, más grandes.

Kees van Donges (n. 1877), pintor holandés.

2177. El musgo es el peluquín de las piedras.

Ramón Gómez de la Serna (1888-1963), escritor español.

Don Ramón Gómez de la Serna fue uno de los grandes personajes literarios de la primera vanguardia literaria española. La revista *Prometeo* (1908) y su libro *Ismos* (1931) pueden considerarse hitos en la formación de los jóvenes literatos de la pre-guerra. La estética y el pensamiento de la vanguardia artística de principios de siglo no se puede esbozar en breves líneas, pero podría admitirse que todo gira alrededor de una nueva forma de mirar el mundo. Una nueva mirada supone desprender de los objetos las connotaciones y la historia que llevan adheridas. Hasta entonces, el pelo rubio de una dama era siempre oro, los dientes, perlas y la boca, rubíes. Pues bien, este tipo de secuencias era, en opinión de los vanguardistas, una rémora en la creación estética. Era necesario crear un lenguaje nuevo: ¿qué es un libro?, por ejemplo. Don Ramón Gómez de la Serna sugiere que es un hojaldre de ideas. La gaseosa es agua con agujeritos, agua que da calambre y que sabe a pie dormido. Este tipo de definiciones las recopiló en varios volúmenes y les dio el nombre de «greguerías». Pudiera parecer que las greguerías no son sino saltos de ingenio al modo barroco, y algo de ello hay también. Pero lo más importante es el método de producción y de modernización de la palabra. Un tranvía, por ejemplo, parece un objeto poco poético a simple vista, pero en manos de Gómez de la Serna adquiere tonos verdaderamente líricos. Escribía que «el tranvía aprovecha las curvas para llorar». Con la misma delicadeza sugería que «las gaviotas nacieron de los pañuelos que dicen ¡adiós! en los barcos». El humor, la poesía, el pesimismo o el escepticismo se hallan a partes iguales en la obra de Ramón Gómez de la Serna. A continuación se ofrecen diez greguerías en las que se perciben nuevas imágenes del mundo.

2178. **El tábano pasa cantándoles el responso a las flores.**

Ramón Gómez de la Serna (1888-1963), escritor español.

2179. **El fotógrafo nos coloca en la postura más difícil con la pretensión de que salgamos más naturales.**

Ramón Gómez de la Serna (1888-1963), escritor español.

2180. **El cerebro es un paquete de ideas arrugadas que llevamos en la cabeza.**

Ramón Gómez de la Serna (1888-1963), escritor español.

2181. **Lo que pone más rabiosa a la ballena es que la llamen cetáceo.**

Ramón Gómez de la Serna (1888-1963), escritor español.

2182. **La coliflor es un cerebro vegetal que nos comemos.**

Ramón Gómez de la Serna (1888-1963), escritor español.

2183. **Los mejillones son las almejas de luto.**

Ramón Gómez de la Serna (1888-1963), escritor español.

2184. **Era tan moral que perseguía las conjunciones copulativas.**

Ramón Gómez de la Serna (1888-1963), escritor español.

2185. **Todos los chorizos se ahorcan.**

Ramón Gómez de la Serna (1888-1963), escritor español.

2186. **Hay que inventar la manera de lavar los pies a los quesos.**

Ramón Gómez de la Serna (1888-1963), escritor español.

2187. **El primer sonajero y el hisopo final se parecen demasiado.**

Ramón Gómez de la Serna (1888-1963), escritor español.

2188. **Odio el teatro; pero también odio la vista de la sangre y la llevo en las venas.**

Charles Chaplin (1889-1977), actor inglés.

2189. **El mar y los sueños se parecen. Las plantas que se arrancan al mar y las frases que se arrancan a los sueños pierden toda su belleza en contacto con el mundo exterior.**

Jean Cocteau (1889-1963), escritor francés.

2190. **Encuentro la televisión muy educativa. Cada vez que alguien la enciende, me retiro a otra habitación y leo un libro.**

«Groucho» Marx (1890-1977), humorista estadounidense.

2191. **Estar en un barco es como estar en una cárcel con posibilidad de ahogarse.**

«Groucho» Marx (1890-1977), humorista estadounidense.

2192. **Los tacones altos fueron inventados por una mujer a la que besaron en la frente.**

Christopher Morley (1890-1957), escritor estadounidense.

2193. **En los periódicos, siempre voy directo a las páginas deportivas, que registran los logros humanos. Las primeras páginas sólo contienen fracasos.**

Earl Warren (1891-1974), juez en los Estados Unidos, caso Kennedy.

2194. No hay desdichado que en un momento cualquiera no pueda ganar una fortuna fabulosa. La vida es algo misterioso. ¿Ustedes no creen en la lotería?

Ugo Betti (1892-1953), escritor italiano.

2195. Lo que más gusta a las mujeres son los pequeños detalles de los hombres, tales como un cochecito, un brillantito, una finquita de recreo, y otras menudencias.

Pearl S. Buck (1892-1973), novelista estadounidense.

2196. Los espejos, antes de darnos la imagen que reproducen, deberían reflexionar un poco.

Jean Cocteau (1892-1963), escritor francés.

2197. ¿Eso en tu bolsillo es una pistola o es que simplemente estás muy contento de verme?

Mae West (1892-1988), actriz estadounidense.

2198. Las cartas de recomendación son las que se entregan a un inoportuno para que vaya a importunar a otro.

Dino Segre, Pitigrilli (1893-1975), escritor italiano.

2199. Me gustan las ciudades desconocidas. Son los lugares donde aún se puede pensar que la gente que nos rodea es amable.

Louis-Ferdinand Céline (1894-1961), novelista francés.

2200. Si no se puede hacer trampas con los amigos, no vale la pena jugar a las cartas.

Marcel Pagnol (1895-1974), escritor francés.

2201. De los fumadores debemos aprender la tolerancia. Todavía no conozco uno sólo que se haya quejado de los no fumadores.

Alessandro Pertini (1896-1990), político italiano.

2202. Podemos pasarnos sin mantequilla, pero no, por ejemplo, sin cañones. Si somos atacados podemos defendernos sólo con cañones, no con mantequilla.

Joseph Goebbels (1897-1945), político alemán.

2203. Los espejos y la copulación son abominables porque multiplican el número de hombres.

Jorge Luis Borges (1899-1987), escritor argentino.

2204. No voy al cine, y de la televisión sólo veo los informativos; quizá porque no hay nada mejor que ver.

Marlene Dietrich (1901-1992), actriz alemana.

2205. La televisión es el único somnífero que se toma por los ojos.

Vittorio de Sica (1902-1974), director de cine italiano.

2206. La publicidad no es más que el ruido de un palo golpeando un caldero.

George Orwell (1903-1950), escritor inglés.

2207. Un banco es un lugar donde te prestarán dinero si puedes demostrar que no lo necesitas.

Bob Hope (n. 1903), actor estadounidense.

2208. *Oda a la alcachofa*
La alcachofa
de tierno corazón
se vistió de guerrero.

Neftalí Ricardo Reyes, Pablo Neruda (1904-1973), poeta chileno.

Pablo Neruda es conocido popularmente por su libro *Veinte poemas de amor y una canción desesperada*, en el que se incluye el proverbial comienzo «Puedo escribir los versos más tristes esta noche, etc.» Sin embargo, Pablo Neruda es mucho más que el poeta sentimental y modernista que se desprende de su poema más conocido. Sus obligaciones diplomáticas y sus viajes le permiten entrar en contacto con la poesía de la Generación del 27 en España y, con esta influencia, su obra comienza a deslizarse por los caminos del surrealismo y el compromiso político. Los tres ejemplos que se proponen pertenecen a su libro *Odas elementales*, publicadas en 1954, en Buenos Aires. Se han seleccionado versos donde las imágenes de determinados objetos se observan a una nueva luz y con diferentes matices poéticos. Desde luego, las *Odas elementales*, aunque tengan como objetos el tomate, la cebolla, el edificio o la madera, contienen significados utópicos, universales, «promisorios», dicen los críticos. En fin, Pablo Neruda acomete su poesía desde lo reducido y sensitivo y se deja llevar hacia la luz y lo eterno: incluso en la «Oda a la noche» la luz, el renacer y el nuevo día son más importantes que las tinieblas.

2209. **Oda a una castaña en el suelo**
De madera pulida
de lúcida caoba,
lista
como un violín que acaba
de nacer en la altura.

Neftalí Ricardo Reyes, Pablo Neruda (1904-1973), poeta chileno.

2210. **A la cebolla**
Al cortarte
el cuchillo en la cocina
sube la única lágrima
sin pena.
Nos hiciste llorar sin afligirnos.

Neftalí Ricardo Reyes, Pablo Neruda (1904-1973), poeta chileno.

2211. **Oda al libro**
Libro, cuando te cierro
abro la vida.

Neftalí Ricardo Reyes, Pablo Neruda (1904-1973), poeta chileno.

2212. **La jaula nunca puede ser nido.**

Alí Vanegas (n. 1905), poeta nicaragüense.

2213. **El sol, el agua y el ejercicio conservan perfectamente la salud a las personas que gozan de una salud perfecta.**

Noel Clarasó (1905-1985), escritor español.

2214. **Algunos hombres, para recordar, se atan un hilo alrededor del dedo; y otros, para olvidar, se atan una cuerda alrededor del cuello.**

Noel Clarasó (1905-1985), escritor español.

2215. El cuerpo, si se le trata bien, es para toda la vida.

Noel Clarasó (1905-1985), escritor español.

2216. El gato y el perro son dos animales domésticos; y en esto se diferencian de algunos hombres.

León Dandú (1905-1985), escritor español.

2217. La televisión es maravillosa. No sólo nos produce dolor de cabeza sino que, además, en su publicidad, encontramos las pastillas que nos aliviarán.

Bette Davis (1908-1989), actriz estadounidense.

2218. ¡Salvar Francia, salvar Francia! Y entretanto, ¿quién guardará mis vacas?

Jean Anouilh (1910-1987), dramaturgo francés.

2219. La lástima es que el té fue originariamente una buena bebida.

George Mikes (n. 1912), escritor inglés.

2220. Un buen profesor debe parecerse lo más posible a un mal estudiante.

Alejandro Casona (1913-1965), dramaturgo español.

2221. Los gendarmes van siempre de dos en dos, como la ley y la injusticia.

Edmund Dune (n. 1914), escritor luxemburgués.

2222. Se olvida a menudo que el mar, ante todo, no tiene edad: su fuerza reside en esto.

Mohamed Dib (n. 1920), escritor argelino.

2223. Los lectores volverían gustosos a las librerías siempre y cuando no hallaran sólo mostradores con los últimos *best-sellers* internacionales (porque de los penúltimos nadie se acuerda).

Mario Benedetti (n. 1920), escritor uruguayo.

2224. **Yo creo en las familias numerosas: toda mujer debería tener, al menos, tres maridos.**

Zsa Zsa Gabor (1923-1995), actriz estadounidense.

2225. **El hogar es donde tienes los libros.**

Richard Burton (1925-1984), actor estadounidense.

2226. **Los españoles no ahorran, son unos manirrotos. Se lo gastan todo en impuestos.**

José M. González, Chumy Chúmez (n. 1927), humorista español.

2227. **Nuestros espejos, con el paso del tiempo, se van poniendo impertinentes.**

José M. González, Chumy Chúmez (n. 1927), humorista español.

2228. **Un país habrá llegado al máximo de su civismo cuando en él se pueda celebrar un partido de fútbol sin árbitro.**

Jose Luis Coll (n. 1931), humorista español.

2229. **Yo siempre me pongo a dieta, igual que todas las semanas dejo de fumar.**

Umberto Eco (n. 1932), escritor italiano.

2230. **No le digas a mi madre que trabajo en una agencia de publicidad: cree que toco el piano en un burdel.**

Jacques L. Séguéla (n. 1934), publicista francés.

2231. **No sólo de pan vive el hombre. De vez en cuando, también necesita un trago.**

Woody Allen (n. 1935), director de cine estadounidense.

2232. **Los intelectuales siempre están allí donde hay un canapé.**

Atribuido a Javier Sádaba (n. 1944), filósofo español.

2233. **Se venden del mismo modo joyas que judías estofadas.**

Gerald I. Ratner (n. 1949), ejecutivo británico.

2234. Las gafas de sol son la caja fuerte de una sinceridad que, en ningún caso, deseamos dejar escapar por las pupilas.

Joan Barril (n. 1952), periodista español.

2235. La peineta es un trozo de columna vertebral que se te sube a la nuca y te embellece como a una diosa.

Maribel Quiñones, Martirio (n. 1954), cantante española.

2236. «No conozco ningún alfarero», dijo la olla. «Nací por mí misma y soy eterna». Pobre loca. Se le ha subido el barro a la cabeza.

Franz Binhack, escritor alemán contemporáneo.

2237. Nunca compres nada que coma, se mueva o que tengas que pintar.

Billy Rose, empresario estadounidense contemporáneo.

2238. ¿Qué importa si el gato es blanco o negro, con tal de que cace ratones?

Den Xiao Ping, político chino contemporáneo.

2239. Una locomotora tiene mucho de mujer. Tiene su porte. Cuando viene hacia nosotros parece un busto que por su sola gallardía ha de abrirse paso.

Jorge Ferretis, novelista mexicano contemporáneo.

2240. El cerebro es un órgano maravilloso: empieza a trabajar desde que usted se levanta hasta que entra en la oficina.

Edward de Bono. Escritor inglés contemporáneo.

2241. Después de la lluvia nace la hierba; después del vino, las palabras.

Anónimo.

2242. Aunque las espinas me pinchen, quiero coger la rosa. Quien pretenda arrancar la rosa no debe preocuparse por los pinchazos.

Anónimo.

2243. La diferencia entre un automóvil y una chica moderna es que debajo del capó del automóvil siempre podemos encontrar algo.

Anónimo.

2244. Hay dos cosas por las que se siente mucha aversión: el trabajo y la falta de trabajo.

Anónimo.

2245. Para conocer la calidad de un vino no es necesario beberse todo el tonel.

Anónimo.

2246. Jugar y perder es un placer. Ganar debe de ser la...

Anónimo.

2247. Una multa es un impuesto por hacer las cosas mal. Un impuesto es una multa por hacer las cosas bien.

Anónimo.

2248. Una vieja y sabia lechuza vivía en un roble; cuanto más veía, menos hablaba; cuanto menos hablaba, más oía; ¿por qué nosotros no podemos ser como este pájaro?

Anónimo.

Índice de Autores

a

ABD ALLAH (siglo XI),
rey de Granada y escritor; 1129.

ABE, KOVO (n. 1924),
escritor japonés; 1763.

ABRAMS, PETER (n. 1919),
escritor sudafricano; 574.

ABRIL, VICTORIA (n. 1960),
actriz española; 603.

ACHARD, MARCEL (1899-1974),
dramaturgo y humorista francés;
350, 1469.

ADDISON, JOSEPH (1672-1719),
político y escritor inglés; 417, 882,
2077.

ADENAUER, KONRAD (1876-1967),
político alemán; 1303.

ADJANI, ISABELLE (n. 1956),
actriz francesa; 602.

ADORNO, THEODOR W. (1903-1969),
filósofo alemán; 180.

AGUILO, MARIANO (1815-1897),
poeta español; 1047.

ALAIN; ver CHARTIER, ÉMILE-AUGUSTE.

ALCALÁ ZAMORA, NICETO (1877-1949),
político español; 491.

ALCÁZAR, BALTASAR DE (1530-1606),
poeta español; 2042.

ALDA, ALAN (n. 1936),
actor y director de cine
estadounidense; 359.

ALEMÁN, MATEO (1547-1614),
escritor español; 242, 849, 991,
2050, 2051.

ALFIERI, VITTORIO (1749-1803),
escritor italiano; 1663.

ALFONSO V, EL MAGNÁNIMO (1396-1458),
rey de Aragón; 2035.

ALFONSO X, EL SABIO (1221-1284),
rey de Castilla y León, poeta y
escritor; 238.

ALIGHIERI, DANTE (1265-1321),
poeta italiano; 11, 837, 986, 1539,
2033.

ALLEN, WOODY (n. 1935),
actor y director de cine
estadounidense; 585, 1089, 2231.

ALMEIDA, CRISTINA (n. 1948),
política española; 360.

ALTOLAGUIRRE, MANUEL (1905-1959),
poeta español; 550.

AMIEL, HENRI-FRÉDERIC (1821-1881),
escritor suizo; 301, 447, 448, 449,
450, 1456, 1561, 1971.

ANACREONTE (h. 560-478 a. C.),
poeta griego; 1855.

ANDERSEN, HANS CHRISTIAN (1805-1875),
escritor danés; 443.

ANOUILH, JEAN (1910-1987),

escritora estadounidense; 760, 761, 2195.

BUFFON, conde de;
GEORGES LOUIS LÉCLERC (1707-1788), escritor francés; 1507.

BUÑUEL, LUIS (1900-1983),
director de cine español; 1287.

BURKE, EDMUND (1729-1797),
escritor y político irlandés; 1026, 1265, 1344, 1542, 1730, 1731, 1732, 1960.

BURTON, RICHARD (1925-1984),
actor estadounidense; 2225.

BUSCH, WILHEIM (1832-1896),
poeta alemán; 2147.

BYRON, lord;
GEORGE GORDON (1788-1824), poeta inglés; 70, 280, 281, 282, 692, 906, 1039, 1966, 2110, 2111, 2112, 2113, 2114, 2115, 2116.

C

CALDERÓN DE LA BARCA, PEDRO (1600-1681),
dramaturgo español; 31, 32, 253.

CALINO DE ÉFESO (siglo VII a. C.),
orador y poeta lírico griego; 362.

CAMPBELL, THOMAS (1777-1844),
poeta, biógrafo e historiador escocés; 430.

CAMPOAMOR, RAMÓN DE (1817-1901),
poeta español; 93, 915.

CAMUS, ALBERT (1913-1960),
escritor francés; 564, 565, 1361.

CANETTI, ELÍAS (1905-1994),
escritor búlgaro; 552.

CANTONI, ALBERTO (1841-1904),
novelista italiano; 1775.

CANTÚ, CÉSAR (1804-1895),
historiador italiano; 2122.

CAÑIZARES, JOSÉ DE (1676-1750),
escritor español; 2078.

CARLOS V (1500-1558),
rey de España y emperador de Alemania; 1290.

CARLOS X (1550-1574),
rey de Francia; 2052.

CARLYLE, THOMAS (1795-1881),
filósofo, crítico e historiador inglés; 438, 697, 1179, 1273, 1421, 1489, 1511, 1665, 1772, 1843.

CARPENTIER, ALEJO (1904-1980),
escritor cubano; 544.

CARREL, ALEXIS (1873-1944),
médico y escritor francés; 136, 137, 334, 335.

CASONA, ALEJANDRO (1903-1965),
dramaturgo español; 178, 179, 563, 771, 1471, 2220.

CASTELAR, EMILIO (1832-1899),
político español; 2148.

CASTI, GIOVANNI BAUTISTA (1721-1803),
poeta italiano; 2088.

CASTRO, FIDEL (n. 1927),
político cubano; 582.

CASTRO, ROSALÍA DE (1837-1885),
poetisa española; 2152.

CATALINA, SEVERO (1832-1871),
escritor español; 303.

CAVOUR, conde de;

Spencer (1874-1965),
escritor y político inglés; 1683, 1779.

Cicerón, Marco Tulio (106-43 a. C.),
político, orador, filósofo y literato
romano; 234, 370, 371, 808, 809,
810, 811, 812, 955, 956, 1110, 1111,
1239, 1240, 1241, 1242, 1337, 1586,
1703, 1704, 1705, 1813, 1859, 1911,
1912, 1913, 1914, 2014, 2015, 2016.

Cioran, Émile M. (n. 1911),
ensayista rumano; 558.

Clapiers, Luc de; ver Van Venargues,
Marqués de.

Clarasó, Noel (1905-1950),
escritor español; 185, 186, 187, 353,
354, 545, 772, 773, 774, 931, 1087,
1223, 1224, 1307, 1333, 1473, 1615,
1790, 1832, 1949, 1986, 2213, 2214,
2215.

Clarke, James Freeman (1810-1888),
historiador y escritor
estadounidense; 1677.

Claudel, Paul (1868-1955),
poeta y diplomático francés; 741,
2169.

Clausewitz, Carl von (1780-1831),
historiador, general y tratadista
prusiano; 1174, 1175, 1176, 1177.

Clemens, Samuel Langhorne;
Mark Twain (1835-1910),
escritor estadounidense; 1889.

Cobbett, William (1762-1835),
político y periodista inglés; 1034, 1035.

Cocteau, Jean (1889-1963),
escritor francés; 163, 518, 759,
1530, 1809, 1997, 2189, 2196.

Cohen, Leonard (n. 1934),
compositor canadiense; 208.

Coke, Edward (1552-1634),
jurisconsulto inglés; 2054.

Coleridge, Samuel Taylor
(1772-1834),
poeta inglés; 1550, 1770, 1804,
1840, 2104.

Colette, Sidonie Gabrielle
(1873-1954),
escritora francesa; 1493.

Coll, José Luis (n. 1931),
humorista español; 1090, 2228.

Colton, Charles Caleb (1780-1832),
poeta inglés; 687, 688, 903, 1037,
1388, 1419, 1664, 1822, 1882, 2107.

Comte, Auguste (1789-1857),
pensador francés; 435, 436, 694.

Conan, Laure (1845-1924),
escritora canadiense; 104.

Confucio (h. 551-h. 479 a. C.),
filósofo chino; 365, 614, 790, 791,
792, 1533, 1584, 1585, 1616, 2003.

Congreve, William (1670-1729),
autor dramático inglés; 1876.

Conrad, Joseph (1857-1924),
escritor inglés; 1201.

Constant, Benjamin (1767-1830),
escritor y político suizo; 274.

Cooper, Gary (1901-1961),
actor estadounidense; 770.

Corneille, Pierre (1606-1684),
dramaturgo francés; 646, 1145, 2075.

Corneille, Thomas (1625-1709),
dramaturgo francés; 657.

Demóstenes (384-322 a. C.),
  orador y político griego; 1106, 2009.

Den Xiao Ping,
  político chino contemporáneo;
  2238.

Descartes, René (1596-1650),
  matemático y filósofo francés; 1249,
  1482.

Detinger, Roy,
  periodista estadounidense
  contemporáneo; 361.

Dib, Mohamed (n. 1920),
  escritor argelino; 2222.

Dickens, Charles (1812-1870),
  escritor inglés; 2129, 2130.

Dickinson, Emily (1830-1889),
  poetisa estadounidense; 97, 2146.

Diderot, Denis (1713-1784),
  escritor francés; 889, 1413, 2087.

Dietrich, Marlene (1901-1992),
  actriz alemana; 2204.

Diógenes Laercio
  (primera mitad del siglo iii a. C.),
  hitoriador de la filosofía griego; 369.

Dionisio de Halicarnaso
  (h. 68-h. 8 a. C.),
  retórico e historiador griego; 1116.

Disraeli, Benjamin (1804-1881),
  político y escritor inglés; 290, 1185,
  1277, 1350, 1451, 1452, 1492, 1672,
  1946.

Donges, Kees van (n. 1877),
  pintor holandés; 2176

Donne, John (1572-1631),
  poeta inglés; 1439, 2064, 2065.

Dos Passos, John (1896-1970),
  novelista estadounidense; 1984.

Dossi, Carlo (1849-1910),
  escritor italiano; 2158, 2159.

Dostoievski, Fiodor Mijailovich
  (1821-1881),
  escritor ruso; 300, 714.

Dryden, John (1631-1700),
  poeta, dramaturgo y crítico inglés;
  658.

Duclos, Charles Pinot (1704-1772),
  escritor francés; 52.

Duhamel, Georges (1884-1966),
  escritor francés; 342.

Dumas, Alejandro (1803-1870),
  escritor francés; 442, 703, 1320.

Dune, Edmund (n. 1914),
  escritor luxemburgués; 2221.

Dupin, Aurore; *George Sand*
  (1804-1876),
  escritora francesa; 88, 89, 90, 289.

Duras, Marguerite (1914-1996),
  escritora francesa; 199.

Dylan, Bob; ver Zimmerman Dylan,
  Robert.

Ebuer-Eschenbach, Marie (1830-1916),
  escritora austríaca; 1191.

Eco, Umberto (n. 1932),
  escritor italiano; 2229.

Eça de Queiroz, José María
  (1845-1900),
  novelista portugués; 306.

FEUILLERE, EDWINGE (1907-1962),
   actriz francesa; 777.

FICHTE, JOHANN GOTLIEB (1762-1814),
   filósofo alemán; 64, 1743.

FIELDING, HENRY (1707-1754),
   escritor inglés; 670, 2085.

FLAUBERT, GUSTAVE (1821-1880),
   escritor francés; 298, 452, 1886.

FLETCHER, JOHN PHINEAS
   (1579-1625),
   escritor inglés; 27, 1815.

FOCH, FERDINAND (1851-1929),
   militar francés; 308.

FONDA, HENRY (1905-1982),
   actor estadounidense; 551.

FONDA, JANE (n. 1937),
   actriz estadounidense; 587.

FONTENELLE, BERNARD LE BOUVIER DE
   (1657-1757),
   escritor francés; 1380, 1381, 1541.

FOSCOLO, UGO (1778-1827),
   poeta italiano; 686, 2106.

FRAGA IRIBARNE, MANUEL (n. 1922),
   político español; 202.

FRANCE, ANATOLE (1844-1924),
   escritor francés; 103, 457, 458, 459,
   726, 727, 1055, 1197, 1972, 2157.

FRANCO, LUIS L. (1898-1973),
   poeta argentino; 764.

FRANKLIN, BENJAMIN (1706-1790),
   científico y político estadounidense;
   886, 1017, 1018, 1019, 1020, 1021,
   1151, 1382, 1383, 1411, 1506, 1604,
   1605, 1650, 1722, 1723, 1878, 1879,
   1935, 1936, 1937, 2083, 2084.

FREUD, SIGMUND (1856-1939),
   médico austríaco; 465, 1327.

FRIEDAM, BETTY (n. 1921),
   escritora estadounidense; 357.

FULLER, THOMAS (1609-1661),
   escritor inglés; 36, 858, 1001, 1002,
   1003, 1004, 1005, 1367, 1797, 1871,
   1872, 1923, 1924, 2072, 2073.

GABOR, ZSA ZSA (1923-1995),
   actriz estadounidense; 203, 2224.

GALA, ANTONIO (n. 1937),
   escritor español; 210, 2001.

GÁNDARA, ALEJANDRO,
   escritor español contemporáneo;
   605.

GANDHI, MAHATMA (1869-1948),
   líder pacifista hindú; 130, 485, 1208.

GANIVET, ÁNGEL (1865-1898),
   escritor español; 321.

GARCÍA LORCA, FEDERICO (1898-1936),
   poeta y dramaturgo español; 533,
   534.

GARCÍA MÁRQUEZ, GABRIEL (n. 1928),
   escritor colombiano; 205.

GARCÍA SANCHIZ, FEDERICO (1886-1964),
   escritor español; 158.

GASCOIGNE, GEORGE (1525-1577),
   poeta inglés; 2040.

GASSENDI, PIERRE (1592-1655),
   filósofo francés; 413.

GAULLE, CHARLES DE (1890-1970),
   militar y estadista francés; 519.

GUILLERMO II (1859-1921),
emperador de Prusia y de
Alemania; 1202.

GUILLET, PERNETTE DE (1520-1545),
poetisa francesa; 403.

GUINON, ALBERT (1863-1923),
periodista y comediógrafo francés;
480.

GUITRY, ALEXANDRE SACHA (1885-1957),
dramaturgo y actor ruso; 502, 503,
1077.

GUYAU, JEAN MARIE (1854-1888),
filósofo francés; 1282.

h

HAMILTON, WILLIAM (1788-1856),
filósofo escocés; 905.

HAMMARSKJOLD, HJALMAR AGNECARL
(1905-1961),
político sueco; 1999.

HAMSUN, KNUT (1844-1952),
escritor noruego; 114, 1526.

HANKS, TOM,
actor estadounidense
contemporáneo; 604.

HARDENBERG, FRIEDRICH VON; *NOVALIS*
(1772-1801),
poeta alemán; 429.

HARTZENBUSCH, JUAN EUGENIO DE
(1806-1880),
dramaturgo español; 911.

HAUFF, WILHEIM (1802-1827),
escritor alemán; 2119.

HAUSHOFER, MAX (1811-1866),
pintor y escritor inglés; 1773.

HAVELOCK, HENRY (1840-1871),
escritor inglés; 304.

HAWTHORNE, NATHANIEL (1804-1864),
novelista estadounidense; 705.

HAY, JOHN (1832-1905),
escritor estadounidense; 2149.

HAZLITT, WILLIAM (1773-1830),
ensayista inglés; 1488, 1841, 2105.

HEBBEL, CHRISTIAN FRIEDRICH
(1813-1863),
escritor alemán; 445, 913, 914.

HEINE, HEINRICH (1797-1856),
poeta alemán; 283.

HELVETIUS, CLAUDE ADRIEN
(1715-1771),
poeta alemán;890.

HEMINGWAY, ERNEST (1898-1961),
novelista estadounidense; 930,
1220, 1985.

HENRY, PATRICK (1736-1799),
político estadounidense; 1961.

HEPBURN, KATHARINE (1911),
actriz estadounidense; 197.

HERÁCLITO DE ÉFESO (540-475 a. C.),
filósofo griego; 1236, 1362, 1765.

HERBERT, GEORGE (1593-1633),
poeta galés; 999, 1816, 2069.

HESIODO DE ASERA (siglos VIII ó VII a. C.),
poeta griego; 1952.

HESSE, HERMANN (1877-1962),
escritor alemán;1286, 1781.

HEUMER, F.,

J

Jacoux, Edmond (1878-1949),
  novelista y crítico francés; 746.

Jagger, Mick P. (n. 1943),
  músico y cantante inglés; 592.

Jaloux, Edmund (1878-1949),
  novelista francés; 492, 493.

James, William (1842-1910),
  escritor estadounidense; 1193,
  1520.

Jardiel Poncela, Enrique (1901-1952),
  escritor español; 351, 542, 769,
  1359, 1614.

Jarnés, Benjamín (1888-1935),
  escritor español; 512.

Jefferson, Thomas (1743-1826),
  político estadounidense; 675, 676,
  895, 1027, 1028, 1029, 1160, 1161,
  1162, 1346, 1417, 1418, 1607, 1659,
  1660, 1661, 1662, 1735, 1736, 1737,
  1801, 1941, 1942.

Jenofonte de Atenas
  (h. 430-h. 355 a. C.),
  historiador y político griego; 945.

Jesús de Nazaret (siglo I),
  profeta cristiano; 970.

Johnson, Samuel (1709-1784),
  escritor inglés; 54, 266, 267, 671,
  1022, 1293, 1651, 1652, 1880.

Jorrold, William Douglas (1803-1857),
  escritor y humorista inglés; 1275.

Joubert, Joseph (1754-1824),
  moralista francés; 897, 898, 1741.

Jouhandeau, Marcel Henri
  (1888-1979),
  escritor francés; 162.

Jowett, Benjamin (1817-1893),
  ensayista inglés; 2134.

Julio César (100-44 a. C.),
  emperador romano; 372, 1112,
  1113, 1114.

Juvenal Decimus Iunius (h. 60-h. 140),
  retórico y poeta latino; 636, 831,
  832, 975, 976, 977, 978, 979, 1591,
  2022.

K

Kant, Immanuel (1724-1804),
  filósofo alemán; 59, 271, 421, 892,
  1025, 1153, 1154, 1155, 1156, 1157,
  1158, 1264, 1508, 1656, 1729, 1938.

Karinthy, Frigjes (1887-1938),
  escritora húngara; 1786.

Karr, Alphonse (1808-1890),
  novelista francés; 292, 708.

Kaus, Gina (1910),
  escritora austriaca; 356.

Keats, John (1795-1821),
  poeta inglés; 1512.

Kempis, Thomas A. (1379-1471),
  teólogo flamenco; 838.

Kennedy, John Fitzgerald (1917-1963),
  político estadounidense; 1088, 1228.

Keynes, John Maynard (1883-1946),
  economista inglés; 1685.

cantante y compositor inglés; 213, 589, 1091.

LENORMAND, HENRI RENÉ (1882-1951), dramaturgo francés; 498, 1980.

LEÓN, FRAY LUIS DE (1527-1591), teólogo y escritor español; 18, 640, 843, 844, 1313, 2041.

LEÓN, RICARDO (1877-1943), escritor español; 1780.

LEOPARDI, GIACOMO (1798-1837), poeta italiano; 74, 75, 76, 699.

LERMONTOV, MIJAIL YUREVICH (1814-1841), " poeta ruso; 92.

LESSING, GOTTHOLD EPHRAIM (1729-1781), escritor alemán; 893.

LEVANT, OSCAR (n. 1906), escritor estadounidense 776.

LÉVI-STRAUSS, CLAUDE (1909-1986), aantropólogo belga; 1495.

LEVIS, DUQUE DE (1755-1830), escritor francés; 679.

LÉVY, EMMANUEL (n. 1947), sociólogo estadounidense; 1582.

LEWIS, JERRY (n. 1926), actor estadounidense; 580.

LICHTENBERG, GEORG CHISTOPH (1742-1799), escritor y científico alemán; 894, 1268, 1416, 1444, 1509, 1769, 1800, 1989.

LIEBIG, JUSTUS VON (1803-1873), químico alemán; 2120.

LINCOLN, ABRAHAM (1809-1865), político estadounidense; 1675, 1745.

LINDBERGH, ANNE MORROW (n. 1906), escritora estadounidense; 355.

LINDNER, ALBERT (1831-1888), escritor alemán; 98.

LÓPEZ ARANGUREN, JOSÉ LUIS (n. 1909), filósofo español; 554.

LOUYS, PIERRE (1870-1925), poeta y novelista francés; 742.

LOWELL, JAMES RUSSELL (1819-1891), escritor estadounidense; 1519.

LOWRY, MALCOLM (1909-1957), poeta estadounidense; 193.

LOYOLA, SAN IGNACIO DE (1491-1556), religioso español, fundador de la Compañía de Jesús; 1403.

LOZERE, P. G. PELET DE LA (1785-1871), político y escritor francés; 691.

LUCANO, MARCO ANNEO (39-65), poeta épico latino; 1123.

LUCRECIO, TITO CAYO (h. 98-55 a. C.), poeta latino; 374.

LULIO, RAIMUNDO (1233-1315), filósofo y escritor español; 985, 2032.

LUTERO, MARTIN (1483-1546), teólogo alemán; 839, 989, 1136.

LYTTELTON, GEORGE (1709-1773), escritor inglés; 53.

LYTTON, EDWARD GEORGE BULWER (1803-1873), escritor inglés; 1514, 2121.

M

MACAULAY, THOMAS BABINGTON (1800-1859), historiador y político inglés; 1609, 1666, 1667, 1668, 1669, 1844, 1845.

MACHADO, ANTONIO (1875-1939), escritor español; 141, 925, 926, 1393, 1394, 1849, 1977.

MACHADO, MANUEL (1874-1947), poeta español; 923.

MACLAINE, SHIRLEY (n. 1944), actriz estadounidense; 594.

MACMILLAN, HAROLD; ver STOCKTON, barón de.

MADARIAGA, SALVADOR DE (1886-1978), escritor español; 1851.

MAETERLINCK, MAURICE (1862-1949), escritor belga; 473, 735, 736, 737, 738, 1900.

MAHOMA (570-632), profeta del Islam; 1399, 1400, 1592.

MAILER, NORMAN (n. 1923), escritor estadounidense; 578.

MAISONNEUVE, LOUIS J. B. (1745-1819), dramaturgo francés; 667.

MALAPARTE, CURZIO (1898-1957), escritor italiano; 532, 1852.

MALHERBE, FRANÇOIS DE (1555-1628), escritor francés; 2055.

MALLORQUÍ, JOSÉ (1913-1972), escritor español; 198.

MALRAUX, ANDRÉ (1901-1986), novelista y político francés; 539, 540, 541.

MANRIQUE, JORGE (1440-1479), poeta español; 398, 1958.

MAQUIAVELO, NICOLÁS (1469-1527), historiador, político y teórico italiano; 16, 1132, 1133, 1134, 1135, 1593, 1633, 1634, 1635.

MARAÑÓN, GREGORIO (1887-1960), médico y ensayista español; 159, 346, 347, 509, 758.

MARAT, JEAN PAUL (1744-1793), revolucionario francés; 1738.

MARCIAL, MARCO VALERIO (h. 40-h. 104), poeta satírico latino; 391, 971, 2023.

MARCO AURELIO (121-180), emperador romano; 392, 637, 638, 833, 980, 1138, 1139, 1632.

MARET, HUGHES-BERNARD (1837-1917), político y escritor francés; 723.

MARINI, FRANÇOIS LOUIS CLAUDE (1721-1809), escritor francés; 1959.

MARION, H. (1846-1896), pedagogo y moralista francés; 1426.

MARLEY, BOB (1945-1981), cantante y compositor jamaicano; 1230.

MARSHALL, GEORGE C. (1880-1959), militar y político estadounidense; 1211.

MARTÍNEZ RUIZ, JOSÉ; *AZORÍN* (1874-1967), escritor español; 336, 1684.

MARTIRIO; ver QUIÑONES, MARIBEL.

MARX, GROUCHO (1890-1977), humorista y actor estadounidense; 521, 1080, 2190, 2191.

MAUGHAM, WILLIAM SOMERSET (1874-1965), escritor inglés; 490, 924.

MAURIAC, FRANÇOIS (1885-1970),
novelista francés; 504, 756, 757,
1078, 1981.

MAUPASSANT, GUY DE (1850-1893),
escritor francés; 2162.

MAUROIS, ANDRÉ (1885-1967),
escritor francés; 154, 155, 156, 157,
344, 345, 505, 506, 507, 508, 751,
752, 753, 754, 755, 1079, 1466,
1784, 1785.

McCARTHY, MARY (n. 1912),
escritora estadounidense; 562.

McCARTNEY, PAUL (n. 1942),
cantante y compositor inglés; 213.

MELVILLE, HERMANN (1819-1891),
novelista estadounidense; 1186.

MENANDRO DE ATENAS (h. 343-290 a. C.),
dramaturgo griego; 620, 950, 951,
2010.

MENÉNDEZ Y PELAYO, MARCELINO
(1856-1912), erudito español; 1429.

MÉRÉ, caballero de;
ANTOINE GOMBAUD (1607-1684),
escritor francés; 647.

MÉRIMEÉ, PROSPER (1803-1870),
escritor francés; 287.

MERLEAU-PONTY, MAURICE
[(1908-1961),
escritor francés; 1474.

MICHELET, JULES (1789-1874),
historiador francés; 1040, 1295.

MICKIEWICZ, ADAM (1798-1855),
escritor polaco; 439.

MIKES, GEORGE (n. 1912),
escritor inglés; 2219.

MILANÉS, PABLO,
poeta y músico cubano; 784.

MILL, JOHN STUART (1806-1873),
economista y filósofo inglés; 291,
706, 707, 1390, 1516.

MILLER, ARTHUR (n. 1915),
dramaturgo estadounidense; 200,
568.

MILTON, JOHN (1608-1674),
poeta inglés; 254, 1146, 1818.

MIQUELARENA, JACINTO (1891-1961),
escritor español; 164.

MIRABEAU, conde de; HONORÉ
GABRIEL RIQUETI (1749-1791),
político francés; 422.

MOLIÈRE; ver POQUELIN, JEAN-BAPTISTE.

MOLINA, TIRSO DE; ver TÉLLEZ, GABRIEL.

MOLLER, GEORG (1784-1852),
arquitecto alemán; 2108.

MOLTKE, HELMUT VON (1800-1891),
mariscal prusiano; 1180, 1181.

MONDOR, HENRI (1885-1962),
cirujano y escritor francés; 501.

MONTAGU, ASHLEY (1905-1969),
antropológo estadounidense; 932.

MONTAIGNE, MICHEL EYQUEN DE
(1533-1592),
escritor francés; 241, 641, 845, 846,
1138, 1139, 1248, 1291, 1404, 1479,
1711, 1867, 2043.

MONTERO, ROSA (n. 1951),
escritora española; 599.

MONTESQUIEU, Barón de; CHARLES
LOUIS DE SECONDAT (1689-1755),
escritor y filósofo francés; 261, 262,

O

PACTO KELLOG
Pacto Internacional Antibélico; 1235.

PAGNOL, MARCEL (1895-1974),
escritor francés; 2200.

PAILLERON, EDOUARD (1834-1899),
comediógrafo francés; 721.

PAINE, THOMAS (1733-1809),
escritor y político inglés; 1159,
1267, 1345, 1415, 1658.

PALACIO, JUAN MANUEL (1831-1906),
poeta español; 720.

PANANTI, FILLIPPO (1776-1837),
poeta cómico italiano; 1487.

PANCHATANTRA (siglo V),
recopilación de fábulas hindúes;
395.

PANZINI, ALFREDO (1863-1939),
escritor italiano; 481, 1875.

PAPA PÍO X (1835-1914); 1053, 1352.

PAPA PÍO XI (1857-1939); 1991.

PAPINI, GIOVANNI (1881-1956),
escritor italiano; 145, 497, 1072,
1073, 1830, 1979.

PARKER, DOROTHY (1893-1967),
escritora y crítica estadounidense;
165.

PASCAL, BLAISE (1623-1662),
escritor, matemático, físico y
filósofo francés; 45, 46, 47, 260,
655, 656, 874, 875, 1147, 1250, 1251,
1376, 1406, 1502, 1540, 1716, 1798.

PASO, ALFONSO (1926-1978),
autor teatral español; 579.

PASOLINI, PIER PAOLO (1922-1975),
escritor y director de cine italiano;
577.

PASTEUR, LOUIS (1822-1895),
químico francés; 1188.

PAVAROTTI, LUCIANO (n. 1935),
tenor italiano; 1581.

PAZ, OCTAVIO (1914),
escritor mexicano; 566, 1689.

PEMÁN, JOSÉ MARÍA (1898-1981),
escritor español; 929.

PENN, WILLIAM (1644-1718),
político inglés; 1638.

PÉREZ GALDÓS, BENITO (1843-1920),
escritor español; 2155.

PERICH, JAUME (1941-1995),
escritor, humorista y dibujante
español; 216.

PERTINI, ALESSANDRO (1896-1990),
político italiano; 2201.

PESSOA, FERNANDO (1888-1935),
poeta portugués; 513.

PETIET, AUGUST LOUIS (1784-1858),
político francés; 279.

PETIT-SENN, J. (1790-1870),
escritor suizo; 696.

PETRARCA, FRANCESCO (1304-1374),
poeta italiano; 12, 13, 14.

PETRONIO (siglo I),
escritor latino; 1245, 1862, 2028.

PICABIA, FRANCIS (1879-1953),
pintor y poeta francés; 1783.

PICÓN, JACINTO OCTAVIO (1852-1923),
escritor español; 108.

PÍNDARO DE CINOSCÉFALOS

R

RAABE, WILHELM; *JAKOB CORVINUS* (1831-1910),
escritor alemán; 1774.

RABELAIS, FRANÇOIS (h. 1494- h. 1553),
escritor francés; 2037.

RACINE, JEAN BAPTISTE (1639-1699),
poeta francés; 50, 659.

RANKIN, JEANNETTE (1880-1973),
pacifista estadounidense; 1212.

RATNER, GERLALD I. (N. 1949),
ejecutivo británico; 2233.

RAUPACK, ERNST (1784-1852),
poeta alemán; 278.

REGNIER, HENRI FRANÇOIS DE
(1864-1936), escritor francés; 117.

RENAN, JOSEPH E. (1823-1892),
filósofo e historiador francés; 715, 716.

RENARD, JULES (1864-1910),
escritor francés; 320, 1462, 1902.

REY, ÉTIENNE (n. 1879),
escritor francés; 143.

RICHTER, JEAN PAUL FRIEDRICH
(1763-1835),
novelista alemán; 1803.

RILKE, RAINER MARÍA (1875-1926),
poeta checo; 139, 140.

RIQUETI, HONORÉ GABRIEL; ver
MIRABEAU, conde de.

RIVAROL; ver RIVAROLI, ANTOINE DE.

RIVAROLI, ANTOINE DE; *RIVAROL*
(1753-1821),
escritor francés; 273, 896, 1031, 1032, 1347.

ROBESPIERRE, MAXIMILIAN (1758-1794),
político francés; 1742.

ROCH, SÉBASTIEN; *NICOLAS DE CHAMFORT*
(1740-1794),
escritor francés; 674.

ROCHEFOUCAULD, FRANÇOIS DE LA
(1613-1680),
escritor moralista francés; 37, 38, 255, 256, 257, 648, 649, 650, 651, 652, 653, 859, 860, 861, 862, 863, 864, 865, 866, 867, 868, 869, 870, 1006, 1007, 1342, 1368, 1369, 1370, 1371, 1372, 1373, 1374, 1440, 1598, 1599, 1925, 1926, 1927, 1928.

ROD, EDOUARD (1857-1910),
escritor suizo; 111, 1973.

RODERO, JOSÉ MARÍA (1922-1991),
actor español; 1531.

RODIN, AUGUSTE (1840-1917),
escultor francés; 1563.

RODRÍGUEZ, SILVIO,
cantautor cubano contemporáneo; 227.

ROIG, MONTSERRAT (1947-1991),
escritora y periodista española; 783, 1693.

ROJAS ZORRILLA, FRANCISCO DE
(1607-1648),
dramaturgo español; 34, 35.

ROLAND, MADAME DE (1754-1793),
revolucionaria francesa; 1740.

BERNARDIN DE (1737-1814),
escritor francés; 1734.

SALIGNAC DE LA MOTHE, FRANÇOIS DE;
FÉNELON (1651-1715),
escritor francés; 663, 1407, 1639,
1718.

SALINAS, PEDRO (1892-1951),
poeta español; 1306.

SALUSTIO, CRISPO CAYO (86-34 a. C.),
historiador y político romano; 1625.

SAN AGUSTÍN (354-430),
teólogo y Padre de la Iglesia; 9, 10,
393, 394, 834, 835, 836, 983, 1398,
2030.

SAN AMBROSIO (340-397),
arzobispo de Milán; 982, 1865.

SAN BERNARDO (1090-1153),
doctor de la iglesia francés; 984,
2031.

SAND, GEORGE; ver DUPIN, AURORE.

SANIAL-DUBAY, JOSEPH (1754-1817),
escritor francés; 1881, 2094.

SANTA CLARA, ABRAHAM DE
(1644-1709),
predicador alemán; 877.

SANTA TERESA DE JESÚS; ver CEPEDA Y
AHUMADA, TERESA DE.

SANTANA, CARLOS (n. 1959),
músico de rock estadounidense;
1583.

SANTAYANA, GEORGE (1863-1952),
filósofo estadounidense; 474, 475,
476, 477, 1573, 1901, 1948.

SANTOS CHOCANO, JOSÉ (1875-1934),
poeta peruano; 2175.

SAPHIR, M. G. (1805-1858),
escritor y humanista alemán; 910.

SARTRE, JEAN PAUL (1905-1980),
escritor y filósofo francés; 188, 548,
549, 1222, 1472, 1761, 1762.

SASSONE, FELIPE (1884-1959),
escritor peruano; 1074.

SAURA, ANTONIO (n. 1930),
pintor español; 1580.

SAVATER, FERNANDO (n. 1940),
filósofo español; 214.

SAY, JEAN BAPTISTE (1767-1832),
economista francés; 900.

SCHILLER, JOHANN CHRISTOPH
FRIEDRICH VON (1759-1805),
filósofo y escritor alemán; 63, 427,
1387, 1544, 1545, 2098, 2099, 2100,
2101.

SCHLEGEL, WILHEIM AUGUST (1767-1845),
poeta y ensayista alemán; 2102.

SCHNITZLER, ARTHUR (1862-1931),
dramaturgo austríaco; 1461.

SCHOPENHAUER, ARTHUR (1788-1860),
filósofo alemán; 433, 693, 1038,
1271, 1272, 1348, 1420, 1551, 1608,
1824, 1825, 1883, 1943.

SCHUBERT, FRANZ (1797-1828),
compositor austríaco; 698.

SCHULZ, CHARLES MONROE (n. 1922),
dibujante de cómics
estadounidense; 1792.

SCIASCIA, LEONARDO (1921-1989),
escritor italiano; 1288.

SCOTT FITZGERALD, FRANCIS (1896-1940),
escritor estadounidense; 1983.

SOYINKA, WOLE (1934),
escritor nigeriano; 1691.

SOYNONOV, SOPHIE; ver SWETCHINE,
Madame de.

SPENCER, HERBERT (1820-1903),
filósofo y sociólogo inglés; 1749,
1750, 1751.

SPENGLER, OSWALD (1880-1936),
filósofo e historiador alemán; 1071.

SPINOZA, BARUCH BENEDICT (1632-1677),
filósofo holandés; 1252, 1253, 1717.

STAËL, baronesa y madame de;
GERMAINE NECKER (1766-1817),
escritora francesa; 681.

STANHOPE, PHILIP DORMER; ver
CHESTERFIELD, lord.

STEINBECK, JOHN (1902-1968),
novelista estadounidense; 176.

STENDHAL; ver BEYLE, HENRY.

STEVENS, E. WALLACE (1879-1955),
poeta estadounidense; 1782.

STEVENSON, ROBERT LOUIS (1850-1894),
novelista británico; 2161.

STOCKTON, barón de;
HAROLD MACMILLAN (1894-1986),
político inglés; 1982.

STRINDBERG, JOHANN AUGUST
(1849-1912),
escritor sueco; 463, 1353.

SUÁREZ, GONZALO (n. 1929),
escritor y director de cine español;
1579.

SUÉ, EUGÈNE (1804-1857),
escritor francés; 87.

SUECIA, CRISTINA DE; ver VASA, CRISTINA.

SWEDENBORG, EMMANUEL (1688-1772),
teósofo ruso; 1408, 1014.

SWETCHINE, Madame de;
SOPHIE SOYNONOV (1782-1857),
escritora francesa; 431, 690, 1965.

SWIFT, JONATHAN (1667-1745),
escritor irlandés; 664, 881, 1012,
1148, 1256, 1504, 1640, 1641, 1719,
1875, 1931.

TÁCITO (h. 54-57-h. 125),
historiador y orador latino; 7, 8,
386, 387, 829, 1125, 1126, 1127,
1247, 1631, 1709, 1710.

TAGORE, RABINDRANATH (1861-1941),
escritor hindú; 115, 467, 468, 469,
470, 471, 472, 1829.

TALMUD (siglos IV-V),
texto sagrado del judaísmo; 1128.

TATI, JACQUES (1908-1982),
cineasta francés; 1791.

TAYNBEE, ARNOLD JOSEPH (1889-1975),
historiador inglés; 1686.

TÉLLEZ, GABRIEL; TIRSO DE MOLINA
(1581-1684), religioso y dramaturgo
español; 1596.

TENNYSON, ALFRED (1809-1892),
escritor inglés; 1321.

TERTULIANO, QUINTUS SEPTIMIUS
FLORENS (h. 155-h. 222),
escritor y doctor de la Iglesia latino;
981, 1397, 1796, 1863.

7/03   5   2/03
12/06   15   10/06
12/08   22   9/08
2/10   23   10/09
12/12   25   4/12
5/19   29   1/17

Títulos de la colección

CANCIONERO POPULAR

CITAS Y FRASES CÉLEBRES

DICHOS Y FRASES HECHAS

JERGAS, ARGOT Y MODISMOS

LAS MEJORES ADIVINANZAS

REFRANES, PROVERBIOS Y SENTENCIAS